Nummer 10

Sue Townsend

Nummer 10

De Fontein

ISBN 90 261 2191 1
NUR 302

Oorspronkelijke titel: *Number 10*
Verschenen bij Michael Joseph, Londen

Vertaling: Ineke van Bronswijk
Omslagontwerp: Studio Eric Wondergem
Illustratie omslag: Arsis
Zetwerk: Hans Gordijn

PROLOOG

Edward Clare stond zijn tanden te poetsen in de deprimerend donkere badkamer van Ann Street 5 in Edinburgh. In gedachten telde hij het aantal keren dat hij de tandenborstel op en neer bewoog, zoals zijn moeder hem had geleerd: nooit minder dan 200 keer. Hij was bijna klaar toen hij zich herinnerde dat hij de vorige avond al bij 150 was gestopt omdat hij popelde om verder te lezen in zijn boek, *De Vijf op de smokkelaarsrots* van Enid Blyton.

Toen hij tot 200 keer poetsen had geteld verliet hij de wastafel en het zachte kleedje dat ervoor lag en liep hij op blote voeten over het koude linoleum totdat hij nog 50 keer extra had geborsteld. Hij wist dat God op hem neerkeek en dat Hij tevreden zou zijn als Hij zag dat Edward Clare het verschil had goedgemaakt.

Nadat hij zijn mond had gespoeld veegde hij de wastafel schoon met het lapje dat zijn moeder over de zwanenhals had gehangen. Hij liep naar de wc en deed behoedzaam de mahoniehouten bril omhoog. Hij liet zijn nylon pyjamabroek zakken en scheurde een velletje Rodeo wc-papier van de rol op de houder aan de muur en wikkelde dat zorgvuldig rond zijn kleine roze penis.

Terwijl hij stond te plassen, hoorde hij beneden in de gang de telefoon rinkelen. Het rinkelen hield zorgwekkend lang aan. Zijn moeder lag in het ziekenhuis en kon niet opnemen, maar waar was zijn vader?

Even later hoorde hij de deur naar de tuin dichtslaan en de rennende voetstappen van zijn vader op het parket in de gang, waarna het rinkelen ophield. 'Percy Clare,' bromde de zware stem van zijn vader.

Edward schudde de laatste druppels urine in de toiletpot, haalde het papiertje van zijn penis en trok zijn pyjamabroek op. Hij gaf twee korte rukjes aan de ketting om door te trekken en zag het Rodeo-papier in beweging komen in de pot voordat het verdween. Toen er geen water meer in de pot stroomde, deed hij de bril weer omlaag. De tuindeur viel dicht en nadat Edward snel zijn handen had gewassen, ging hij naar het slaapkamerraam om naar buiten te kijken. Zijn vader liep met zijn rug naar Edward toe over het tuinpad; zijn schouders schokten alsof hij lachte. Edward glimlachte bij de gedachte aan de mop of grappige anekdote die zijn vader hem straks bij het ontbijt zou gaan vertellen.

Zijn moeder lag nu al zeven weken en drie dagen in het ziekenhuis – sinds de geboorte van Pamela, Edwards zusje – en tegenwoordig praatte zijn papa met hem tijdens het ontbijt in plaats van brieven of de *Morning Star* te lezen.

De vorige ochtend had zijn vader hem gevraagd of het hem 'leuk leek' om een muziekinstrument te leren bespelen. Edward wilde graag snel zijn Weetabix opeten voordat ze slap werden, dus gaf hij snel antwoord. 'Heel leuk, papa,' en hij voegde er het eerste muziekinstrument dat bij hem opkwam aan toe: 'Gitaar.'

Zijn vader had erom moeten lachen. 'Gitaar! Volgens mij denkt mama eerder aan iets waarmee je... Volgens mij zou mama het fijn vinden als je mee kon doen met haar donderdagclubje, je weet wel, als lid van het strijkje.'

Edward dacht aan de donderdagvrienden van zijn moeder. Hoe gewoontjes ze allemaal waren als ze in de gang hun jas uitdeden en hun hoed afzetten. Doodgewone mannen en vrouwen in dikke kleren, met degelijke schoenen en goedmoedige, alledaagse gezichten. Hoe stralend ze eruitzagen zodra ze op hun instrumenten speelden.

Edward zag dat zijn vader op de slijmerig groene tuinbank ging zitten, een bank waar nooit iemand op zat. Eerst dacht hij dat zijn vader nog steeds lachte – hij zag een brede grijns op zijn gezicht. Het maakte Edward blij. Zijn papa was de laatste tijd erg somber geweest, al sinds zijn mama in het ziekenhuis was opgenomen. Misschien was het een telefoontje geweest van de dokter met de zwarte snor en de rode lippenstift. Misschien mocht zijn mama naar huis.

Het gaf Edward een goed gevoel dat zijn gebeden waren verhoord. Hij keek naar de felgekleurde prent van Jezus aan de muur boven zijn bed. Jezus droeg een lam onder zijn linkerarm, en in zijn rechterhand hield hij een herdersstaf. Andere lammetjes dartelden rond Jezus' blote voeten. Edwards vader had zich weleens oneerbiedig over die prent uitgelaten, mopperend: 'Eddy, die stomme Jezus van jou is net een Errol Flynn in vrouwenkleren.' Maar zijn mama vond de prent duidelijk wel mooi, want een keer per week nam ze het glas af met blauwe brandspiritus, zodat het weer ging glimmen.

Met moeite schoof Edward het raam omhoog. Uiteindelijk was de opening groot genoeg om zijn hoofd erdoor te steken. Hij rook de typische geur van de herfst en hoorde zijn vader zo'n afschuwelijk geluid maken dat hij bijna misselijk werd van angst. Zijn vader jammerde zoals de buitenlandse vrouwen op het televisienieuws.

Snel trok Edward zijn hoofd weer naar binnen en dook weg onder het raam. Hij ging zitten met zijn rug tegen de muur. Hopelijk had zijn vader hem niet gezien. Hij stak zijn hand in zijn pyjamabroek en friemelde aan zijn piemeltje. Zijn mama had gezegd dat hij niet met zichzelf mocht spelen, maar Edward wist – sinds daarnet – dat zijn mama het nooit zou merken.

Edward ging die dag niet naar school. Hij zat stilletjes op zijn kamer en las twee hoofdstukken van zijn boek.

Er kwam de hele tijd bezoek. De musici, de communistische vrienden van zijn vader, de buren, de parochianen van de anglicaanse kerk waar Heather bij huwelijken, doopplechtigheden en begrafenissen op het orgel speelde.

Niemand vertelde Edward ooit met zoveel woorden dat zijn moeder dood was. Familieleden met betraande wangen omhelsden hem en huilden boven zijn hoofd.

Zijn lievelingstante, Jean, zei tegen hem: 'O, Eddy, hoe moet dat nou zonder haar?'

Maar iedereen dacht dat iemand anders hem al op de hoogte had gebracht, dus werd het hem nooit verteld. In de dagen voor de begrafenis veranderde Edward in een spion; hij luisterde aan deuren en las elk stukje papier dat hij te pakken kon krijgen.

Hij probeerde een fossiel los te maken van een stuk gesteente tijdens een schoolreisje naar Bamburgh op het moment dat zijn moeder werd verbrand en tot as verging. De volwassenen in zijn omgeving hadden bedacht dat een klein jongetje zoals hij te zeer van streek zou raken als hij de begrafenis bijwoonde. 'Hij kan er niet bij zijn, Percy,' had hij tante Jean tegen zijn vader horen zeggen. 'Dat arme kind had een onnatuurlijk hechte band met zijn moeder.'

Uit hetzelfde gesprek maakte hij op dat Pamela, het zusje dat hij nooit had gezien, meegenomen zou worden naar Engeland, waar ze bij tante Jean en oom Ernest zou gaan wonen.

Om elf uur op 1 oktober 1959 staakte hij zijn pogingen om het fossiel weg te hakken en pakte hij een velletje papier met de kop: 'De uitvaartdienst van Heather Mary Clare.'

Hij stelde zich zijn moeder voor in een doodskist. Wat had ze aan? Had iemand haar haren gekamd? Was ze echt wel helemaal dood? Stel nou dat de dokter met de rode lippenstift en de zwarte snor zich had vergist, stel nou dat zijn moeder niet dood was en alleen maar sliep? Had zijn vader niet een keer tegen een van zijn communistische vrienden gezegd dat die dokter het hele klotezie-kenfonds een slechte naam bezorgde?

Met het papier van de uitvaartdienst in zijn hand geklemd ging Edward in het zand op zijn knieën zitten. Scherpe stenen prikten pijnlijk in zijn blote knieën maar Edward trok zich er niets van aan. Tevergeefs probeerde hij te bidden tot Jezus, want in gedachten zag hij het beeld van zijn moeder die wakker werd in haar doodskist en riep dat hij haar moest bevrijden. Maar hoe moest hij dat doen? Hij was bijna 150 kilometer bij haar vandaan. Als hij nu op weg ging en de sneltrein nam, zou hij nog te laat komen.

Meester Little, de aardrijkskundeleraar, schreeuwde: 'Clare, schiet eens een beetje op. We hebben nog maar een halfuur voordat het tij keert.'

De andere jongetjes die zaten te hakken in de rots keken vluchtig op, blij dat niet zij een standje kregen van de opvliegende meester Little, maar Clare, het jongetje dat de hele tijd zomaar om niks begon te janken.

Jack Sprat besefte voor het eerst dat hij uit een arm en asociaal gezin kwam toen hij door zijn moeder naar het huis van een van de buren werd gestuurd om een pan te lenen. Hij was zes jaar en droeg gympen in de sneeuw. Zijn oudere broer Stuart was aan de beurt voor de kaplaarzen. Stuart was naar de winkel gestuurd met een briefje waarin de kruidenier werd gesmeekt om hem op de pof een heel gesneden wit, twee blikken bonen en tien Caballero's mee te geven.

Jack keek naar het rode tapijt en voelde de warmte van de kachel tegen de muur bij de voordeur. Hij kon net in de keuken aan het eind van de gang kijken. Vier pannen stonden op het fornuis. Stoom kwam onder de deksels vandaan en er hing een geur in huis waar het water hem van in de mond liep.

Grahams moeder kwam naar hem toe. ‘Waar is je jas, Jack?’

‘Weet ik niet,’ antwoordde hij.

‘Met dit weer kun je niet in een bloes naar buiten. Weet je moeder dat je zo de deur uit bent gegaan?’

Hij vertelde haar dat zijn moeder hem had gestuurd om te vragen of ze een pan van haar mochten lenen. Die van haar moest weggegooid worden omdat mama in slaap was gevallen en de aardappels had laten aanbranden.

Ongelovig staarde Mrs. Worth hem aan. ‘Hebben jullie maar één pan?’

‘Ja,’ zei Jack.

Graham Worth keek naar zijn moeder en lachte. De heerlijke geur uit hun keuken was net een likkebaardend lekker hapje dat tussen hen allemaal in de lucht zweefde.

‘Doe de deur dicht en kom binnen,’ zei ze geprikkeld.

Jack deed de voordeur dicht en kwam de gang in. Graham ging naar de voorkamer, waar hij op zijn buik op een pluizig blauw kleed voor de gaskachel ging liggen. Hij keek naar *Blue Peter.* Naast de kachel stond een prullenbak waar een stuk sinaasappelschil uit stak. Jack zag dat Graham een hand uitstak om de sinaasappel te pakken die hij net had gepeld voordat hij was opgestaan om de deur open te doen.

Grahams moeder bukte zich en begon luidruchtig te rommelen in een keukenkastje dat vol stond met spullen van metaal. Uiteindelijk richtte ze zich weer op, en Jack zag dat ze een pan met deksel in haar hand hield. Ze veegde de pan aan de binnenkant schoon met een rood-wit geruite theedoek, deed het deksel er weer op en gaf de pan aan Jack.

‘Je zou een jas moeten dragen,’ zei ze boos tegen Jack.

‘Het is Stuarts beurt,’ antwoordde de jongen met zijn opvallend donkere stem.

Ze bleef Jack nakijken toen hij over haar keurig aangeveegde tuinpad liep, de bevroren bandensporen op de rijbaan overstak en naar zijn eigen huis op nummer 10 baggerde. Het kapotte speelgoed, de rommel en oude autobanden waar het voortuintje van de familie Sprat vol mee lag, ging schuil onder een dikke laag sneeuw. Bij wijze van hoge uitzondering zag het huis er net zo keurig en fatsoenlijk uit als de andere huizen in de straat.

HOOFDSTUK 1

Het was 30 maart en agent Jack Sprat stond op de stoep van Downing Street 10. Zwetend in zijn kogelvrije vest babbelde hij met de minister-president. De zon scheen door het dunner wordende haar van de minister-president. Hij was net met een auto teruggebracht van de Angolese ambassade.

'Hoe gaat het met je moeder, Jack?'

'Ze begint er een beetje overheen te komen, dank u voor de belangstelling, meneer. Ik ga vanavond naar Leicester om bij haar langs te gaan.'

'Berovingen vormen een vreselijk probleem,' stelde de minister-president.

Jack, die zijn moeder voor het laatst had gezien met haar gezicht vol blauwe plekken, net onweerswolken, was het volmondig met hem eens.

De minister-president gaf een kneepje in Jacks bovenarm. 'Zeg maar tegen haar dat ik voor haar bid, Jack,' fluisterde hij. 'God luistert.'

Voor Jack was het een schrale troost. Hij zag dat de premier verlegen glimlachte naar de camera's aan de overkant, waarna hij het jasje van zijn marineblauwe pak losmaakte en zwaaide naar de fotografen. Een onzichtbare hand deed de deur open en de premier verdween naar binnen.

Jack boog zijn hoofd naar het piepkleine microfoontje op zijn revers en bevestigde dat de premier veilig was gearriveerd. Hij betwijfelde of zijn moeder iets zou hebben aan de gebeden van de premier. Ze was een uitgesproken atheïst die haar geloof in God aan de wilgen had gehangen toen Jacks broer, Stuart, in een groezelig kamertje in Bristol was overleden aan een injectie met versneden heroïne.

Een stem in Jacks oor vertelde hem dat Mrs. Amelia Badstock met een groep jonge supporters op weg was naar Nummer 10 om een petitie te overhandigen waarin men eiste dat er sportfaciliteiten voor de jeugd in Newtown Linford zouden komen.

Hij mompelde dat het 'oké' was en bereidde zich voor op de eerste van de vijf petities die voor die dag op het programma stonden.

Het was een heel gewone dag op Nummer 10. De glimmende zwarte deur ging honderden keren open en dicht voor neringdoenden, bloemisten, dictators, een oliesjeik, een groep AOW'ers, ambtenaren, een manicure, spindoctors, de kinderjuf van Poppy, Su Lo, ministers uit het kabinet, secretarissen en medewerkers van MI5 die zich uitgaven voor technici van British Telecom.

Bezoekers waren het zo gewend dat er in de buurt van de deur een politieman stond, dat ze over het algemeen vergaten dat er achter het uniform en onder de helm een levend menselijk wezen schuilging, iemand met oren en hersenen en gevoel. Jack ving flarden van gesprekken op en sloeg alle informatie op in zijn geheugen.

In de ambtswoning voerde de premier een gesprek over het redden van Afrika met zijn beste politieke vriend en collega, zijn persvoorlichter Alexander McPherson.

McPherson was al op jonge leeftijd berucht. Hij was de jongste van zes kinderen, vijf daarvan meisjes, en was zijn hele jeugd lang gekoesterd en verwend door zijn oudere zussen, met als gevolg dat als hij zijn zin niet kreeg, hij in woede uitbarstte en geweldige scènes schopte in de winkelstraat van de slaapstad waar het gezin woonde.

Zijn vroegste herinnering was dat hij in een poppenwagen door de tuin werd gereden terwijl zijn zussen ruzieden over wie hem nu mocht duwen. Hij beschouwde vrouwelijke aandacht als volmaakt vanzelfsprekend en was al sinds zijn dertiende geen maagd meer. Zijn zussen lazen het liefst romans met sterke heldinnen – *Wuthering Heights, What Katy Did, Lolita* – en ze lazen hem voor in bed.

Nadat hij was afgestudeerd aan het Balliol College in Oxford kwam hij in de tijdschriftenbranche terecht en werd hij de Lieve Lita van een erotisch blad dat *Fetisj* heette; met *Psychopathia Sexualis* van Von Krafft-Ebing binnen handbereik verzon hij schunnige antwoorden op de merendeels trieste en soms opschepperige brieven die hij van lezers ontving.

Op een gegeven moment deed het lelijke gerucht de ronde dat McPhersons eerste contact met Edward Clare via een dergelijke brief tot stand was gekomen, maar in werkelijkheid hadden ze elkaar in Cambridge voor het eerst ontmoet, toen McPherson een aantal van zijn vriendinnen had meegenomen naar een optreden van een amateurbandje dat Dirty Insinuations heette. De toekomstige minister-president speelde basgitaar en had schouderlang krullend haar. Desalniettemin was McPherson vol afschuw vertrokken, samen met de meisjes, toen Clare het volgende nummer van de band aldus aankondigde: ‘Ik hoop dat jullie dit nummer mooi vinden. Het heet “Rock Around the Cross Tonight” en werd me ingefluisterd door de almachtige God.’

De volgende keer dat hun wegen elkaar kruisten, was tijdens een benefietreceptie in het House of Commons, waar uitgevers waren uitgenodigd in de hoop dat ze de Labourpartij financieel zouden steunen. McPherson hoestte vijftig pond op en vertelde Edward Clare, toen nog in de oppositie, wat er gebeuren moest om Labour de verkiezingen te laten winnen.

‘Je moet een onbeschreven blad van jezelf maken, je moet je in duizend bochten kunnen wringen, je moet alles zijn voor alle mannen en de vrouwen moeten je aantrekkelijk vinden en zolang je niet in het nieuws komt als je net een hond doodschopt of zoiets, en zolang je vriendelijk glimlacht en je nette manieren niet vergeet, en zolang je de media aan mij overlaat, dan win je.'

Het tweetal zat nu in de privé-zitkamer van Nummer 10. In een map op de salontafel lagen de examenvragen van het landelijk eindexamen aardrijkskunde.

'We kunnen Afrika van de ondergang redden, Alex.' De stem van de premier trilde van emotie.

Alexander hees zijn grote, vlezige lichaam overeind van de armleuning van de roomkleurige sofa en begon door de kamer te ijsberen. 'Afrika?' schamperde hij. 'Ben jij soms de leukste thuis?'

Het was geen retorische vraag. In Alexanders ogen was Afrika niet alleen de begraafplaats van de blanken, het wees bovendien op een ernstige geestelijke afwijking als je Afrika wilde redden. Niets en niemand kon Afrika redden, afgezien van de Afrikanen zelf.

'Nou moet je eens goed naar me luisteren, Ed,' vervolgde Alex. 'Het is misschien niet zo'n slim idee om op dit moment over Afrika te beginnen, vooral als je bedenkt dat het ons nog steeds niet lukt om de treinen op tijd te laten rijden.'

Maar Edward was op deze reactie voorbereid. 'Afrika is een donkere vlek op het geweten van de mensheid. Iemand moet de mensen de weg wijzen uit het duister van zieke economieën en hen een gevoel van fiscale verantwoordelijkheid bijbrengen.'

'Ed,' viel Alex ongeduldig uit, 'we moeten een oplossing vinden voor de vossenjacht voordat we onze poten gaan branden aan die stomme zwarte apen.'

'Wees toch niet zo grof in de mond, Alex,' zei Edward zacht. 'Adele zit in de kamer hiernaast Poppy de borst te geven.'

'Ik wil niet vervelend zijn,' repliceerde Alex, 'maar heeft Adele niet een boek geschreven dat *Klootzakken uit de geschiedenis* heet?'

Even verzuurde Edwards glimlach voordat hij antwoord gaf. 'Dat was een serieus wetenschappelijk boek. Henry Kissinger heeft me verteld dat het op zijn nachtkastje ligt.'

Adele riep vanuit de aangrenzende kamer: 'En het heeft twaalf weken achter elkaar hoog op de bestsellerlijst van *The New York Times* gestaan.'

'Even serieus,' zei Alexander. 'Kunnen we een paar dingetjes kortsluiten, Ed? Het wordt echt een kloteweek. Er verschijnen een stuk of zes rapporten, de misdaadcijfers stijgen, en volgens de Rowntree Trust zijn dagelijks vijf van de tien mensen in dit land zwaar onder invloed van drank of drugs. O ja, en de lijkgravers en hun collega's gaan maandag in staking als ze geen loonsverhoging van tien procent en een 35-urige werkweek krijgen.'

'In Afrika sterft elke tien seconden een klein kind aan de gevolgen van vervuild drinkwater,' kaatste Edward terug.

'Ja, het is echt te verschrikkelijk voor woorden,' verzuchtte Alex quasi-treurig, 'maar als we niet snel een oplossing bedenken voor die klotekraaien staan we straks tot aan onze knieën in de stinkende lijken, en er wordt warm weer voorspeld door onze grote vriend Michael Vissenkop, dus kan ik je alsjeblieft weer meenemen naar dít donkere continent, Ed?'

David Samuelson kwam in een wolk Eau Sauvage de kamer binnen. Hij was die ochtend nogal scheutig geweest met de fles, geheel tegen zijn gewoonte in, maar hij had geen tijd gehad om een schoon overhemd of pak aan te trekken, dus geurde hij nu een uur in de wind.

Samuelson was de kroonprins van de arbeidersbeweging. Zijn grootvader, Hector Samuelson, had de allereerste huishoudbeurs in Earl's Court georganiseerd, die met gemiddelde bezoekersaantallen van 300.000 per dag alle records van destijds had gebroken.

Deze beurs, waar revolutionaire stoomstrijkijzers, antiaanbakpannen en spoetnikachtige salontafels te zien waren, had naar men zei een verlangen naar duurzame gebruiksgoederen gewekt bij het Britse publiek en daarmee de industrie een ongekende stimulans gegeven.

Hector Samuelsons kleinzoon, David, was door een jaargenoot in Oxford als 'duivels slim' beschreven, terwijl een andere jaargenoot, die hij nog steeds een grote som geld schuldig was, hem domweg 'duivels' had genoemd.

Zijn homoseksualiteit was zijn minst interessante eigenschap. Zijn voorkeur voor Portugese obers was wijd en zijd bekend, en hij had zijn intrek genomen in een kast van een huis in Ladbroke Grove om er zo veel mogelijk in de buurt te hebben. Af en toe werd hij door de pers met een van zijn obervriendjes gefotografeerd, maar op een gegeven moment begint de aandacht van het publiek nu eenmaal te verslappen – de ene knappe Portugese jongen in oberstenue is immers nauwelijks van de andere te onderscheiden.

Samuelson had een zwak voor geld, en hij was dol op luxe. In zijn jeugd was hij regelmatig meegenomen naar de mijnen en fabrieken in het industriële noorden van het land, waar zowel zijn grootvader als zijn vader voor Labour in het parlement was gekozen. Als klein jongetje gruwde hij al van de stank en het kabaal van het leven van de arbeidersklasse en van de adem en de woninkjes van de arbeidersklasse. Zelfs het eten op hun bord was grauw doordat ze alles door elkaar prakten.

Op het atheneum blonk hij uit in geschiedenis, en gaf hij blijk van een volwassen en meevoelende kijk op de ontwikkeling van de arbeidersbeweging in Engeland. Het kwam af en toe voor dat hij tot tranen toe bewogen was door historische verslagen over smerige, half uitgehongerde kinderen die in de fabrieken moesten werken en in slaap vielen als ze op blote voeten van de fabriek naar hun armoedige hutjes strompelden.

Hij gaf de voorkeur aan de arbeidersklasse uit de geschiedenisboeken boven die in het echte leven; hij vond de werkelijkheid weerzinwekkend, huiverde zelfs als hij hun ruwe stemmen hoorde op straat. Hij had geen hekel aan de arbeider op zich – sommige kwamen op zijn feesten – maar hij verlangde naar de tijd dat er in elke bestekla in het hele land een speciale rasp voor parmezaanse kaas zou liggen.

'Ik móét je spreken, Eddy,' kondigde Samuelson op zijn gebruikelijke dramatische manier aan.

'We zitten midden in een bespreking, Dave,' zei Alexander.

Edward keek verwachtingsvol naar David.

'Jij moet dit ook horen, Alex, het is belangrijk. Ik heb de feedback van de onderzoeksgroep bestudeerd. Ik heb de hele nacht niet geslapen, maar dat doet er niet toe,' voegde hij er op zielige toon aan toe. 'Het wordt tijd om het imago van de partij drastisch en voorgoed te veranderen, te beginnen met de naam. Ik heb hier en daar mijn licht opgestoken, en ik denk dat het nú moet gebeuren.'

Edward en Alexander zaten twee volle minuten zwijgend te luisteren terwijl David zijn plannen ontvouwde. 'We halen "Labour" weg uit de naam van de partij. Het woord Labour heeft een volstrekt negatieve connotatie; mensen associëren het met zweet en hard werken, met vakbonden en met lange en pijnlijke bevallingen. Denk er maar eens over na: er is bijna niemand van ons die zweet tijdens het werk en de meeste aanstaande moeders maken tegenwoordig een afspraak voor een keizersnede – zoals Adele.'

'Als we "Labour" weghalen uit "New Labour" blijft er maar één woord over: "New",' merkte Alexander droog op. 'Sorry, maar daar kan ik niet warm of koud van worden.'

'Heb jij suggesties, David?' vroeg Edward.

Met lange bleke vingers streek David het haar van zijn voorhoofd. 'Nee, ik heb het probleem alleen geconstateerd. Ik wil graag jouw fiat voordat ik me op een oplossing ga richten.'

'Vind jij dat we "New" moeten behouden?' zei Edward.

'Wat een flauwekul!' barstte Alexander uit. '"New" was nieuw in 1997; nu is het oud en verrot.'

'Ga je gang, David, en richt je op een oplossing,' zei Edward. 'Anders blijft er niets over. Helemaal niets.' Hij staarde zonder daadwerkelijk iets te zien naar een verzoek van de veiligheidsdienst aangaande Bob Marshall (parlementslid en adviseur van de koningin), dat door hem getekend moest worden. Zijn partij had geen naam. Hij voelde dat hij in verwarring raakte en op het punt stond in te storten.

Hij verontschuldigde zich een ging naar zijn privé-badkamer, deed de deur op slot en ging op de rand van het bad zitten. Van een rol wc-papier die hij in het kastje onder de wastafel bewaarde, trok hij twee velletjes die hij bedreven om zijn penis wikkelde. Na enige momenten van stilte trok hij het wc-papier door, hij waste zijn handen en glimlachte in de bolronde scheerspiegel die zijn gezicht vele malen vergrootte, wat hem de verzekering gaf dat hij er nog was.

Toen hij terugkwam in de zitkamer, waren Alex en David in discussie over de vossenjacht. David liet uitzoeken of het uitvoerbaar was om hologrammen van vossen vanuit satellieten in de ruimte op de jachtgebieden in Engeland te laten projecteren.

'Voor mijn part kunnen ze die stomme rotbeesten aan het kruis nagelen,' zei Alexander. 'Ik ben echt doodziek van dat hele debat.'

Na hun vertrek ging Edward aan zijn bureau zitten, en hij tekende het papier dat MI5 toestemming gaf om de gesprekken in het huis, de auto en het kantoor van Bob Marshall (parlementslid en adviseur van de koningin) af te luisteren.

Adele kwam de kamer binnen. 'Ed, lieverd, doe me een lol en blijf nog even en doe aardig tegen een journaliste, wil je? Glimlach naar haar en streel mijn haar waar ze bij is. Ze heet Suzanne Nicholson en ze werkt voor *Joy*. Dat is een nieuw tijdschrift en ik kom op de cover.'

Adeles neus was uitzonderlijk groot. Haar vader, Guy Floret, had toen hij haar voor de eerste keer zag, vlak na haar geboorte, opgemerkt: *'Mon Dieu, ma pauvre enfant. Elle est Pinocchio.'*

Edward begroef zijn gezicht tussen haar naar melk ruikende borsten. 'Je zou de centerfold moeten zijn, Adele, liefste,' zei hij hees.

'Wat zóét van hem,' fluisterde Suzanne Nicholson nadat de premier zijn vrouw had gekust, haar haren had gestreeld en de kamer had verlaten, waarbij hij de deur zacht, bijna verontschuldigend, achter zich had dichtgetrokken.

Adele trok haar lange dunne benen onder zich en nam een slokje kamillethee. 'Hij is wel zoet, maar niet suikerzoet.'

Suzanne dacht aan haar eigen man, die om zeven uur 's ochtends met slaande deuren het huis had verlaten nadat hij voor de slaapkamerdeur tegen haar had geschreeuwd: 'Je bent een imbeciel, stomme trut!'

Hij was kwaad omdat ze had opgebiecht dat ze zijn drie op maat gemaakte pakken in een van de 315 stomerijen in de Londense binnenstad had achtergelaten. Het bonnetje was op mysterieuze wijze verdwenen uit elk van haar vele handtassen, het zat niet in de zakken van enig kledingstuk, en het kon niet gevonden worden in een van beide auto's, noch in laden of kasten thuis of op kantoor.

Nadat ze een week lang allerlei uitvluchten had verzonnen, was ze in tranen uitgebarsten en had ze hem de vreselijke waarheid verteld. Ze schreef het incident toe aan de stress omdat ze zich op haar interview met Adele Clare-Floret moest voorbereiden. 'Het is de slimste vrouw van de wereld!' had ze gejammerd. 'Wat moet ik haar nou vragen? Ze lust me rauw!'

Adele pakte de telefoon. 'Wendy schat,' zei ze met haar nasale stem, 'breng je ons nog een potje van die héérlijke thee?'

Snel maakte Suzanne aantekeningen in steno: 'De neus is ontzaglijk. Gave huid, professionele make-up, tanden opgebleekt (recent), schoenen van Prada (prijs nagaan in Bond Street). Plat accent nadrukkelijker aan de telefoon.'

Adele was nog steeds aan de telefoon, maakte sussende geluiden tegen een duidelijk ontredderde Wendy. Onderwijl keek ze op haar horloge, ze gebaarde naar Suzanne dat ze zo klaar zou zijn en zei kordaat in de hoorn: 'Amputeren is de enige verstandige keuze.' Ze wilde al neerleggen, maar Wendy liet zich niet zo makkelijk afschepen.

'Niet nu, Wendy, ik ben nu even bezig.' Ze legde de telefoon neer en glimlachte naar Suzanne. 'Sorry daarvoor. Je belt op omdat je thee wilt hebben en voor je het weet zit je midden in een psychodrama. Arme Wendy, onze huishoudster. Haar zoon Barry – tussen ons gezegd en gezwegen, hij deugt voor geen meter – heeft een verminkt been overgehouden aan een motorongeluk. Het been wil niet helen, hij ligt daar maar te liggen in het ziekenhuis en slikt belachelijk dure antibiotica... Dit is natuurlijk niet voor publicatie, het blijft onder ons...'

Met een ernstig gezicht keek Suzanne haar aan. 'U kunt het stuk uiteraard van tevoren lezen.'

'Ik had niet over onze arme Wendy moeten beginnen, maar ik kan het nu eenmaal niet helpen dat ik me betrokken voel bij ons personeel en hun probleempjes... Sorry, ik zal proberen om niet meer aan Wendy en Barry te denken. Ga je gang, kom maar op met die vragen.'

Suzanne keek naar haar lijst met vragen. 'Oké. Hoe voelt het om door het tijdschrift *People* de slimste vrouw van de wereld te worden genoemd?'

Adele lachte. 'Het was niet de wereld, je vergist je,' zei ze met haar ogen bescheiden neergeslagen. 'Het was alleen Europa maar.'

'Wat is een typerende dag in het leven van Adele Clare-Floret?' luidde Suzannes tweede vraag.

'Zoiets als een typerende dag bestaat niet,' antwoordde Adele lachend. 'En als je het van de filosofische kant benadert, bestaat er zelfs niet zoiets als "het leven" of "een dag". Ik bedoel, wat versta je onder "leven" en "dag"?'

Suzanne voelde hoofdpijn opkomen. 'Oké. Vertelt u me dan eens wat u gisteren hebt gedaan?'

De vraag leek Adele in verwarring te brengen. 'Gisteren? Bedoel je vierentwintig uur geleden?'

Het liefst zou Suzanne tegen de slimste vrouw van de wereld zijn gaan gillen, maar op dat moment ging de deur open en een broodmagere vrouw met dikke rode ogen kwam binnen. In haar handen hield ze een dienblad met een glazen theepot en een schaaltje met waaiervormig geschikte spritsen.

Toen het blad was neergezet, lachte Adele kort. 'Wendy schat, probeer je ons soms te vermoorden? Spritsen! Mijn hemel, al dat vét, al die súíker!'

'Ik heb van de centrale inkoop opdracht gekregen om alleen nog maar Brits fabrikaat te kopen.'

'Maar wat is er dan gebeurd met de havermoutkoekjes die we vroeger altijd hadden?'

'Die worden tegenwoordig in Polen gemaakt, onder licentie,' antwoordde Wendy.

Adele haalde de zakjes in de theepot op en neer en keek tegelijkertijd op haar horloge. 'Nog even over Barry's been,' zei ze nogal scherp tegen Wendy. 'Het is heus niet zo dat hij straks niets meer kan. Verleden week hebben Edward en ik nog een prijs wegens doorzettingsvermogen uitgereikt aan een jongen wiens beide benen door een antieke stoomtrein zijn geamputeerd. Tegenwoordig speelt hij rolstoelbasketbal.'

Suzanne keek naar Wendy en zag tot haar genoegen dat er een bijzonder giftige blik op Adeles rug werd gericht voordat ze de deur dichtdeed.

'Zo, nu nog even over je fascinerende vraag. De wekker gaat om halfzes af, maar meestal zijn we dan al op. Het zijn bijzondere momenten voor ons, voordat de wereld ons weer in beslag neemt. Maar wacht eens even, je vroeg naar gísteren... Nou, ik was dus om vijf uur op, Ed heeft thee gezet en we hebben met elkaar van gedachten gewisseld. We hebben de regel dat we niet over politiek of familie praten. Het was een goed gesprek.'

'Over?' vroeg Suzanne, hoewel ze geen antwoord verwachtte.

'O, over transsubstantiatie.'

'Transsubstantiatie,' herhaalde Suzanne aarzelend. 'Heeft dat toevallig met transport te maken?'

Adele lachte hartelijk. 'Ik kan wel merken dat je geen theologe bent, Suzanne.' Ze leunde achterover en legde haar handen achter haar hoofd. 'Transsubstantiatie heeft te maken met de eucharistie... Worden brood en wijn geheel in het lichaam van Christus opgenomen?' zei ze bloedserieus.

'Enorm boeiend,' mompelde Suzanne, die zelfs niet wist wat de eucharistie precies inhield.

Adele nam een slokje thee en trok een vies gezicht. 'Dit is geen kamille, dit is lapsang souchong. Werkelijk. Hoe eerder Barry's been eraf gaat, des te beter het voor ons allemaal is.' Ze vervolgde het opsommen van haar programma van de vorige dag. 'Om zes uur, na het gebed voor Edward en mediteren voor mij, zette Ed de televisie aan voor het actualiteitenprogramma, hij is in bad geweest, ik heb gedoucht, en toen kwam Wendy binnen met een licht ontbijt, toen heb ik Poppy de borst gegeven, mijn haar en mijn nagels gedaan, de kinderen dag gezegd voordat ze naar school gingen en toen tien minuten besteed aan de ochtendkranten. Met Wendy gepraat over het eten voor de receptie die we hier op Nummer 10 geven voor de vrouwen en vriendinnen van de Manchester United-ploeg. Met de auto naar de London School of Economics voor een lezing over de feminisatie van de westerse man. Met de auto terug naar huis. Achthonderd woorden voor *Spectator* geschreven over de overbelasting door e-mails, en toen geluncht met Camilla P.B., die me heeft beloofd dat ze me paardrijden zal leren als we volgende week op Highgrove zijn. En toen? O ja, de baby de borst gegeven, gewinkeld om schoenen te kopen met Gail Rebuck, een ontmoeting met een delegatie van nonnen uit Rwanda, naar boven gegaan, een broodje gegeten met de oudere kinderen, Morgan en Estelle. Hij doet eindexamen en zij is net begonnen op de Camden School for Girls. Met de auto naar de tennisbaan voor les met André, terug hierheen, onder de douche, haar, make-up. Telefoontjes gedaan, brieven geschreven, mailtjes gestuurd, de baby nog een keer de borst gegeven, receptie met de Man-U-vrouwen. Ed was er ook bij – hij is gek op voetbal. Toen... o ja, boven geweest met de kinderen, Morgan geholpen met een opstel over *King Lear*. Haar, make-up, andere kleren, diner op de Franse ambassade met Charlotte Rampling en Eddie Izzard. Beloofd dat ik –'

Suzanne, die een fan was van Eddie Izzard, viel haar in de rede. 'Hoe is Eddie in het echt?'

'Hij droeg een zwarte maillot met rode schoenen en ik kreeg de indruk dat hij stiekem de spot met ons dreef. Ik kan niet zeggen dat ik hem sympathiek vond.'

Nadat Wendy Suzanne had uitgelaten, bleef Adele alleen achter en liet ze het interview in gedachten nog eens de revue passeren. Ze wist dat Suzanne haar niet aardig had gevonden. Al sinds ze klein was wist ze dat intelligentie iets was wat je beter verborgen kon houden. Haar grootmoeder had gewaarschuwd: 'Niemand is dol op een wijsneus, Adele.' Soms benijdde ze de lieden die op Ed stemden, domme mensen met onbeduidende bezigheden die banale roddeltjes uitwisselden. Ze raakte de zijkant van haar neus aan en vroeg zich af of ze zich moest laten opereren. Ed zei altijd tegen haar dat hij van haar neus hield, en drukte er dan van de wortel tot aan het puntje kusjes op. Maar zij had er genoeg van om die neus als een soort waarschuwingsvaandel voor zich uit te dragen.

Zodra Suzanne Nummer 10 had verlaten, zette de verslaggeefster haar mobiele telefoon weer aan. Jack Sprat, die Suzannes benen bewonderde, hoorde haar onder het weglopen zeggen: 'Wat een ongelofelijke trut is dat mens...'

Hij glimlachte bij zichzelf, want hij wist precies over welke trut ze het had.

HOOFDSTUK 2

Adele Clare-Floret was geboren in Parijs, het onwettige kind van een Engelse Folies Bergère-moeder en een Franse accountant. Ze groeide op bij haar grootmoeder in Hoxton, die elke ochtend om vier uur opstond om kantoren schoon te maken, zodat ze Adele naar een particuliere school kon sturen omdat Adele daar, meende zij, niet gepest zou worden met haar neus. Ze vergiste zich: de bijnaam van haar kleindochter was 'Le Nez'. Adele had vier populair-filosofische boeken geschreven. Het eerste verscheen toen ze negentien was, en het was een internationale bestseller geworden. De provocerende titel, *God is een lesbienne,* leverde massale belangstelling van alle media op. Regelmatig werd Adele gevraagd of ze misschien zelf lesbisch was, waar ze voorzichtigheidshalve altijd een dubbelzinnig antwoord op gaf om de nieuwsgierigheid van de vraagsteller te prikkelen. Hierdoor zorgde ze ervoor dat haar naam en foto regelmatig opdoken, niet alleen in de boekenbijlages van de kranten maar ook in de roddelkolommen.

Tegen de tijd dat Adele eenentwintig was, doceerde ze als gasthoogleraar aan de Sorbonne en had ze nog twee boeken gepubliceerd: *Vrouwen van filosofen* en *Wittgenstein: de debiel achter de mythe.*

Ze had een kleine flat in St Martin's Lane in Londen en een permanente hotelkamer in het Hôtel Rivoli in Parijs.

Adele was gelukkig: ze was jong, gezond, elegant, intelligent, succesvol, gerespecteerd en beroemd. Helaas hoorde ze stemmen in haar hoofd. Stemmen die tegen haar praatten en allerlei smerige en obscene woorden gebruikten. Ze liet zich behandelen door psychiaters in Londen en in Parijs, maar geen van beide talen bood soelaas. Psychofarmaca hadden geen effect. De stemmen bleven ratelen en haar van de meest vreselijke misdaden beschuldigen. Op een dag, net toen ze door Melvyn Bragg werd geïnterviewd voor zijn praatprogramma *The South Bank Show*, verweten de stemmen haar dat ze iets te maken had met de verdwijning van Shergar, een renpaard. Ze had hardop gereageerd: 'Kraam toch niet van die onzin uit.' Dit tot schrik van Melvyn, die haar net had gevraagd of Plato Alexander de Grote er opzettelijk toe had aangezet het Griekse Rijk uit te breiden. Haar boze opmerking werd niet uit de opname geknipt, want het hield de kijkers bij de les.

Toen Adele Floret Edward Clare leerde kennen, was hij net voor Flitwick East als parlementslid gekozen. Ze waren op een receptie voor Gore Vidal, en het was voor hen allebei een buitengewoon ingrijpende gebeurtenis. Nadat ze enkele minuten heftig over koetjes en kalfjes hadden gepraat – de proliferatie van wapens in de Golfstaten – wisten ze allebei dat ze verliefd zouden worden. Edward kon zijn ogen niet van haar indrukwekkende neus af houden.

Toen Gore in eigen persoon naar hen toe werd gebracht voor een babbeltje, gingen zijn onthullingen over een godin van het witte doek, het hoofd van de CIA en een Afghaanse windhond bij hen het ene oor in, het andere uit. Nadat Edward zijn bezorgdheid had uitgesproken over de hond, verontschuldigden ze zich. Kort daarna vertrokken ze in een zwarte taxi.

Zodra de taxi de hoek om was, wierpen ze zich in elkaars armen. Edward had tegen de chauffeur geroepen dat hij rond moest blijven rijden totdat hij te horen kreeg dat het genoeg was. De taxichauffeur was niet onder de indruk van dit romantische tochtje en liet weten dat hij onderweg was naar zijn huis in Golders Green, waar zijn vrouw op hem zat te wachten met het eten. 'Oké,' had Edward gezegd, 'breng ons dan maar naar Golders Green.'

Het was een werkelijk zéér gelukkig toeval dat een jongeman van de fly-over boven de Edgware Road was gesprongen en onder de wielen van hun taxi terecht was gekomen.

Adele was onder de indruk van de manier waarop Edward het heft in handen had genomen – hij had de hysterische taxichauffeur tot bedaren gebracht en zijn eigen jasje over het hoofd van de dode man uitgespreid.

Voor Edward was het een avond uit duizenden geweest. Adele was een werkelijk fantastische vrouw – ze had zoveel stijl, ze was zo beheerst. Enkele seconden nadat de jongeman op de motorkap was geploft, had ze bij het geluid van gillende remmen uitgeroepen: 'Een Achilles op de Edgware Road.' Dit onplezierige incident zorgde ervoor dat de gebeurtenissen in een stroomversnelling raakten.

Ze kenden elkaar nog geen twee uur toen Edward Adele van zijn politieke ambities vertelde. Sterker nog, totdat hij Adele ontmoette had hij zelf niet geweten wat zijn ambities precies waren. Maar met haar in zijn armen voelde hij zich net Superman; en net als Superman zou hij de wereld redden als hij de kans kreeg.

Toen de politie hun verklaringen had opgenomen en het bloed van het wegdek was gewassen, gingen ze naar Edwards piepkleine pied-à-terre in Westminster. Adele bekeek de titels in de boekenkasten tot aan het plafond terwijl hij bitter smakende koffie zette in het keukentje.

Toen hij met kopjes en schoteltjes terug kwam in de zitkamer, zag hij nog net dat ze parfum van Yves Saint Laurent tussen haar borsten spoot. Ze geneerde zich totaal niet. Ze had de knoopjes van haar roomkleurige zijden blouse weer dichtgemaakt en gezegd:

'Ik ben echt enorm hitsig. Ik weet eigenlijk niet of het komt door de nabijheid van een gewelddadige dood of door jou!'

Ze zag een gitaar in een hoek van de kamer staan en vroeg of hij kon spelen. Bij wijze van antwoord had hij de gitaar gepakt en de eerste maten van 'Brown Sugar' gespeeld. In een pavlovreactie was Adele overeind gesprongen om als een vrouwelijke Jagger door de kleine kamer te paraderen, één arm in de lucht. Ze waren voor elkaar gemaakt. Haar euforie was zo groot dat ze het zelfs aandurfde om hem van de stemmen in haar hoofd te vertellen. Hij gaf haar de naam van iemand die hij nog kende van Cambridge, een man die inmiddels een gevierd psychiater was. Hij verzekerde haar dat de volksgezondheid een topprioriteit zou worden als Labour in de regering kwam.

Allebei hadden ze hun andere helft gevonden. Adele zou gaan trouwen met de toekomstige minister-president.

Ongeveer een maand later woonden ze samen het gerechtelijk vooronderzoek bij en vernamen ze dat de jonge zelfmoordenaar Mohammed Karzai heette en dat hij een eind aan zijn leven had gemaakt omdat zijn eindexamengemiddelde niet hoog genoeg was om toegelaten te worden op Sheffield University – het was de droom van zijn ouders dat hij apotheker zou worden.

Toen Edward en Adele arm in arm de rechtszaal verlieten, had Adele opgemerkt: 'Wat afschuwelijk paradoxaal: arme domme Mohammed laat zich te pletter vallen op de auto van de twee slimste mensen van Engeland.'

Politieman Jack Sprat vroeg zich vaak af waarom hij in hemelsnaam was toegelaten op de politieacademie; als er sprake was van strenge toelatingseisen was Jack op de een of andere manier tussen de mazen door geglipt. Inmiddels had hij de beste baan die een politieman zich kon wensen – dat vond hij zelf althans – namelijk het bewaken van de deur van Downing Street 10.

Hij was het zwarte schaap van een zeer grote familie. Geen van al die familieleden had ooit in een winkel een videorecorder gekocht.

Toen hij op zijn dertiende thuis had aangekondigd dat hij van plan was om in acht vakken eindexamen te gaan doen en 'een rustig hoekje om te leren' nodig had, was de verbazing groot. Zijn broer en zus hadden nooit enige belangstelling voor een eindexamen getoond en waren allebei van school gegaan zodra het wettelijk was toegestaan.

Trevor, zijn nieuwste stiefvader, was een tamelijk succesvolle beroepscrimineel. Inmiddels hadden ze een zesdelige pannenset. Hij informeerde bij zijn criminele vrienden hoe hij aan een bureau zou kunnen komen, maar nadat hij enige weken vergeefs op antwoord had gewacht, maakte hij een royaal gebaar en bestelde hij een bureau met bijbehorende boekenkast bij een postorderbedrijf. Drie weken later werd het bezorgd, in zeventien delen met een inbussleutel en vijfenzeventig schroeven, houten deuvels en een tube lijm die met plakband op het frontje van een la was geplakt. Terwijl zijn stiefvader het bureau vloekend en tierend in elkaar zette, klopte Jacks hart van opwinding. Hij popelde om zijn boeken op de planken te zetten en zijn schriften in de laden te leggen.

Er was geen plaats voor het bureau in de kamer die Jack deelde met zijn kooplustige broer Stuart, dus werden de meubels in de kleine zitkamer verschoven om plaats te maken voor zijn ambities. De televisie moest weg uit de hoek, hetgeen nieuwe bedrading en verplaatsing van de aansluiting op de centrale antenne noodzakelijk maakte, en het driedelige bankstel werd anders opgesteld, waardoor de hondenmand uit de kamer moest verdwijnen en onder de keukentafel werd gezet, waar het ding zeven jaar lang in de weg bleef staan, totdat de hond doodging.

Van het geld dat hij met een krantenwijk verdiende, kocht Jack een bureaulamp bij Boots en avond aan avond zat hij, met *Coronation Street* en andere televisieprogramma's op de achtergrond, beschenen door het gele licht achter zijn bureau.

Af en toe, tijdens de reclame, keek zijn moeder om en zag Jack zitten, gebogen over zijn boeken, en zei ze tegen Trevor: 'Het is niet gezond dat een jongen van zijn leeftijd 's avonds thuis zit.'

Soms pakte Norma overdag, als Jack op school zat, heimelijk een van de schriften, sloeg het open en las er een stukje in, waarbij ze haar lippen bewoog. 'Het bloed op de handen van Lady Macbeth is een symbool voor haar schuldgevoelens na het plegen van een moord...' Als ze het schrift weer dichtsloeg voelde ze trots, maar ze vroeg zich dan wel af waar het mis was gegaan. Haar andere kinderen waren allemaal even gelukkig, dus waarom hield Jack zich dan met bloed en moord bezig?

Op een dag, toen het gezin rond de keukentafel zat voor de zondagse maaltijd, had Jack met zijn voeten op de rug van de hond geprobeerd uit te leggen dat hij met een examen op zak iets kon bereiken in het leven en later een goede baan zou krijgen.

'Zoals?' vroeg zijn stiefvader, hakkend in een stuk yorkshirepudding.

Jack aarzelde. De hond bewoog onder zijn voeten. Hij spietste een paar doperwten aan zijn vork en stak ze in zijn mond. 'Ik wil politieman worden,' mompelde hij voordat hij de hap doorslikte.

Het werd stil aan tafel, en toen barstte iedereen in schaterlachen uit. Zijn zus Yvonne hoestte een stuk lamsvlees met mintsaus over de tafel.

'Dat meen je niet!' zei zijn broer Stuart.

Stuart had onlangs vijf maanden in een jeugdgevangenis gezeten nadat hij in een supermarkt door de bewaking was betrapt met een boodschappentas vol Head & Shoulders-shampoo.

Alle leden van Jacks familie, ook verre, waren kleine criminelen. Bijna elk voorwerp in het huis en de meeste kleren die ze droegen waren gestolen of anders met vervalste cheques gekocht. Jacks schoenen, waar de hond nu aan likte, waren door een liefhebbende oom gepikt uit de laadruimte van een vrachtwagen die op een parkeerplaats naast de snelweg stond.

Zelfs Jacks allereerste kleren – een babyuitzet bestaande uit een flanellen hemdje, een kruippakje, een luier, een plastic broekje, een gebreid vestje en een omslagdoek – waren door zijn tante Marilyn tijdens een gewaagde expeditie gestolen uit de Mothercare-winkel.

Meestal zat Jack 's avonds achter zijn bureau met zijn rug naar de televisie huiswerk te maken. Af en toe, bijvoorbeeld als het ingeblikte gelach hysterisch werd, draaide hij zijn hoofd om en keek naar het scherm. Zijn moeder genoot altijd van die korte momenten en probeerde hem er dan toe te verleiden om zijn pen neer te leggen en naast haar te komen zitten op de bank – soms verplaatste ze de asbak en klopte ze uitnodigend naast zich op de kussens – maar Jack wist dat hij voorgoed verloren zou zijn als hij zijn opleiding niet afmaakte en onzichtbaar en inwisselbaar zou worden, precies zoals de meeste mensen die hij kende.

Op vrijdagavond kwam er altijd een sombere vrouw bij hen thuis, Joan heette ze, om het platinablonde haar van zijn moeder te touperen en op te steken in de suikerspin die ze had gedragen sinds ze een vroegrijp schoolmeisje was. Norma leek niet te beseffen dat de huid van haar gezicht was uitgezakt, of dat haar blauwe oogschaduw en lichtroze lippenstift niet langer pasten bij een vrouw wier vermoeide baarmoeder allang door oestrogeensupplementen was vervangen. En dan haar kleren! Dat was iets om nachtmerries van te krijgen.

Het was deels aan zijn moeders kleren te danken dat Jack politieman was geworden. Hij herinnerde zich de middelbare school waar hij trouw elke dag in de lesbanken zat, en de jaarlijkse ouderavond. Hij had geprobeerd te voorkomen dat zijn moeder erheen zou gaan, met als argument dat ze zich stierlijk zou vervelen als ze in de rij moest staan om een van zijn saaie leraren te spreken te krijgen, maar ze had koppig volgehouden. 'Het lijkt me erg fijn om voor de verandering eens iets goeds over een van mijn kinderen te horen,' zei ze.

De oudere Sprats hadden hun achternaam te schande gemaakt en Yvonne Sprat had per ongeluk de voorraadkamer van het kookpracticum in brand gezet door op een van de planken een brandende sigaret te laten liggen.

Jack stond zenuwachtig te kijken vanuit de gang terwijl Norma voor haar uitpuilende garderobekast stond.

Zijn adem stokte toen ze een jasje van nep-ocelot van een hangertje haalde, maar hij kon weer ademhalen toen ze het op het bed gooide met de woorden: 'Ik krijg het niet meer dicht sinds m'n tieten groter zijn geworden.'

Uiteindelijk, na veel kleren aangepast en afgekeurd te hebben en na overleg met zijn zus, koos ze een bomberjack van wit plastic met een bijpassende minirok, waarmee Jacks grootste angst werkelijkheid werd.

Samen verlieten ze het huis, maar Jack liep veel sneller dan zij. Eerst riep ze nog dat hij op haar moest wachten, maar hij kon het niet opbrengen om naast haar te lopen. Hij schaamde zich dood voor haar spataderen en witte schoenen met naaldhakken en het kraken van het witte plastic.

Hij gloeide van schaamte toen ze de school binnengingen en door de rector werden begroet. 'Mrs. Sprat, neem ik aan? U mag trots zijn op uw zoon, we hebben hoge verwachtingen van hem.'

Jack kon de geamuseerde blik in de ogen van de rector zien toen de opgeblazen kwal zag hoe zijn moeder eruitzag. De bungelende flamingo-oorbellen, de klodders mascara aan de punten van haar korte wimpers, de oranje foundation, die ophield bij haar kaak, de vermoeide borsten die deinden boven het te korte truitje. Toen ze de aula binnenkwamen, waar de docenten achter tafels zaten en met ouders praatten, werden voor Jacks gevoel alle hoofden in de hele zaal naar hen omgedraaid om zijn moeder uit te lachen. Hij verlangde naar fatsoen en respect, ook voor haar.

Jack hoorde een dikke man die in de rij stond tegen zijn vrouw zeggen: 'Jezus, moet je nou eens kijken!' Een golf van boosheid ging door hem heen en hij sloeg een arm rond de witte plastic schouders van zijn moeder. Waarom zou ze géén flamingo-oorbellen dragen – het waren toch prachtige vogels.

HOOFDSTUK 3

Jack deed meer dan vijf uur over een reis waar hij normaal gesproken niet langer dan tweeënhalf uur voor nodig had. Een vrachtwagen met aanhanger vol aardappelen uit Hongarije was geschaard, en de afgevallen lading zorgde voor een enorme verkeerschaos doordat zowel de M1 naar het noorden als de M25, in oostelijke én westelijke richting, afgezet moesten worden.

Jack belde zijn moeder vanuit de auto maar er werd niet opgenomen. Het opnemen van de telefoon maakte haar nerveus aangezien ze dag en nacht werd gebeld door wanhopige verkopers die haar smeekten om elektriciteit af te nemen van het gasbedrijf en haar telefoonrekeningen te betalen via het waterschap. Ze had gedacht dat ze een gemene grap met haar uithaalden.

Om één minuut voor middernacht stopte Jack eindelijk voor het huis van zijn moeder, en toch waren alle ramen nog fel verlicht. Zijn moeder gebruikte alleen gloeilampen van 100 watt – geen wonder, bedacht Jack, dat haar energierekeningen altijd zo hoog waren. Ze zat nog op hem te wachten. Toen hij over het tuinpad liep, kon hij door de dunne gordijnen haar silhouet zien; ze zat op de bank naar *Late Night Line-up* te kijken. Ze keek naar alles, als het maar bewoog. Tom Paulins grote hoofd vulde het scherm.

Jack klopte op de deur en brulde door de brievenbus. Na een hele tijd hoorde hij haar tegen haar oude grasparkiet zeggen: 'Onze Jack komt op bezoek, Pete.'

Toen de deur openging, herkende Jack zijn moeder eerst niet. Hij had haar nog nooit van zijn leven zonder make-up gezien. Zelfs in het ziekenhuis, na de beroving, had ze lippenstift op. (Hoewel slechts één oog was opgemaakt met blauwe oogschaduw en mascara, want het andere was zo dik dat het dicht zat.) Nu, een week nadat ze uit het ziekenhuis was ontslagen, had ze haar gebit niet in en was haar haar kleurloos en niet getoupeerd, zodat het in treurige witte slierten rond haar magere gezicht vol blauwe plekken hing. Dit was zijn moeder niet, dit was het skelet van zijn moeder. Ze was net een pagina uit zijn anatomieboek van school. De jongen die haar pensioen had gestolen, had ook haar vlees en bloed meegenomen toen hij zich met haar boodschappentas en portemonnee uit de voeten maakte.

'Hai, mam. Wat zie je er goed uit,' zei Jack. Het was een automatisme; ze hechtte veel waarde aan haar uiterlijk.

'Ik heb eten voor je warm gehouden,' zei ze, en ze ging hem voor door de smalle gang naar de keuken.

De familie Sprat deed niet aan zoenen of andere uitingen van genegenheid.

Peter stond troosteloos op de bodem van zijn kooi, tot aan zijn enkels in de velletjes van zaden en zijn eigen poep. Zijn blauwe veren waren dof en rafelig.

Jack stak een vinger tussen de spijlen. 'Kop op, Peter, je mammie is er weer bijna bovenop. Ze hoeft alleen nog maar haar haar te laten doen.' Pete was vaak de spreekbuis die Jack gebruikte om met zijn moeder te communiceren.

'Ik ben veel te bang om naar de kapper te gaan, Pete,' zei Norma.

Peter hopte op zijn kleine trapeze en staarde somber in het spiegeltje dat ervoor hing.

'Hij is flink chagrijnig de laatste tijd,' zei ze tegen Jack. Ze deed de ovendeur open en haalde er een bord uit, met een tweede bord er omgekeerd op. De damp sloeg eraf toen ze het bovenste bord weghaalde en zijn eten onthulde. 'Je lievelingseten.'

Jack keek naar de blauwige stukken lamsborst, de verdroogde worteltjes, erwtjes en aardappelpuree op het onderste bord en richtte zich weer tot de vogel. 'Als ik de smerige klootzak die onze mam pijn heeft gedaan in mijn vingers krijg, dan vermoord ik hem, Pete.'

Hij dwong zichzelf het smerige eten bijna allemaal naar binnen te werken. Hij wist dat ze een hekel had aan koken en er niet goed in was. En hij vergaf het haar dat ze steeds vergat dat hij al dertig jaar vegetariër was, en dat niet hij maar Stuart, zijn overleden broer, zo dol was geweest op het vet van een lamsborst.

Norma bleef bij Jack zitten terwijl hij at. Ze zag de rimpeltjes rond zijn ogen en de twee diepe plooien die tegenwoordig zijn neus met zijn mondhoeken verbonden...

Voordat Norma naar bed ging, bedekte ze Peters kooi met een met zonnebloemen bedrukte katoenen lap. Peter bleef bewegen in zijn verduisterde kooi. 'Hou je koest!' beval Jack de onzichtbare vogel streng.

Hij deed het licht in de keuken uit en toen hij de trap op liep naar het berghok waar hij die nacht zou slapen, vroeg hij zich af waarom hij zo bars was geweest tegen het vogeltje.

Hij sliep slecht in het goedkope vurenhouten bed met de voor een prikje gekochte matras; een ruw stukje eelt op zijn voet bleef telkens haken in de strijkvrije nylon lakens die zijn moeder zo praktisch vond.

Ergens tijdens de lange nacht strekte hij zijn arm uit om op het reiswekkertje te kijken en stootte hij een ezel van gebakken klei op het tafeltje naast het bed omver. Hij hoorde de ezel kapot vallen op de kale vloer.

De volgende keer dat hij wakker werd was het ochtend, en hij bleef nog even liggen om naar de verzameling miniatuurezels naast het bed te kijken. Ze waren in alle mogelijke patronen beschilderd, sommige met bloemen, sommige in realistische kleuren, sommige hadden manden, andere trokken kleine karretjes. Veel ezels droegen een hoed, twee hadden een poncho om, en een van de dieren droeg de boodschap: 'Een cadeautje uit de lavendelvelden van Norfolk'. Uit een gat in zijn rug staken nog een paar verdorde sprieten lavendel.

Dit had het makkelijk gemaakt om kerst- en verjaarscadeaus voor zijn moeder te kopen; er waren altijd wel ezeltjes te vinden die een kind zelfs van zijn zakgeld kon kopen.

Hij stond op en trok haastig zijn kleren aan, vrijetijdskleding van Marks & Spencer waar hij zich de laatste tijd niet meer prettig in voelde. Hij bleef het gevoel houden dat hij een bedrieger was, dat hij alleen maar deed alsof hij net zo was als andere mannen.

Voordat hij naar beneden ging, raapte hij de scherven op van de grond. Nu zag hij dat het de ezel was die Stuart tijdens een periode van jeugddetentie in de handenarbeidles had gemaakt, toen hij wegens bezit van marihuana achter de tralies was verdwenen. Jack wikkelde de scherven in zijn zakdoek en ging beneden op zoek naar lijm. Het was belangrijk om het beest te lijmen – de gevangenisezel was het enige cadeau dat Stuart Norma ooit had gegeven, en ze zei vaak dat ze bij een brand alleen Peter en de ezel van onze Stuart zou redden.

Jack boende de gootsteen met een Brillo-schuursponsje terwijl hij wachtte tot het water in de wolkenkrabbervormige ketel kookte. Hij hoorde Peter scharrelen in zijn verduisterde kooi en zette een kop thee, die hij meenam naar de voorkamer met uitzicht op de straat. Het huis aan de overkant, waar hij ooit heen was gestuurd om een pan te lenen, was dichtgetimmerd en een gedeukte caravan was in het voortuintje terechtgekomen. Schoolkinderen liepen langs, scholden elkaar plagend uit. Ze gingen gebukt onder het gewicht van enorme rugzakken; het waren net infanteristen die door de puinhopen van een gevallen stad liepen.

Boven klonk het doortrekken van de wc, maar dit werd niet gevolgd door het geruststellende geluid van de kraan die werd opengedraaid – zijn moeder vond dat bacillen goed voor je waren, en ze zei dat mensen veel vaker ziek werden sinds ze zich dagelijks waren gaan wassen. Ze lachte Jack in zijn gezicht uit als hij eten in haar koelkast vond waarvan de houdbaarheidsdatum allang was verstreken en vertelde griezelverhalen over kaas die bewoog van de maden.

Toen de kinderen de hoek om waren, bleef de straat verlaten achter. Er kwamen wel een paar auto's langs, maar Jack vond de stilte onnatuurlijk.

Jaren geleden, op de dag dat hij het huis uit was gegaan om aan zijn opleiding op het Hendon Police College te beginnen, had hij in dezelfde straat tien minuten op de stoep staan wachten op een taxi die hem naar het station zou brengen, en hij was verbaasd geweest dat er zoveel mensen langskwamen om hem succes te wensen. In die tijd speelden er kleine kinderen in de voortuintjes en werden er auto's gerepareerd langs de stoep. Jack wist nog dat de vrouwen in die tijd overalls droegen en op hun tuinhekjes leunden om nieuwtjes uit te wisselen met de buurvrouw.

Toen zijn moeder de kamer binnenkwam, vroeg Jack haar waar iedereen was.

'Niemand komt tegenwoordig nog buiten.' Ze kwam naast hem staan voor het raam. 'Ik ga zelfs niet meer naar de buren en ik hang mijn was niet meer buiten aan de lijn. Een van die slechte jongens is verleden week over het hek geklommen en heeft mijn tuinstoel gestolen, je weet wel, ik had hem nog van jou gekregen.'

‘Ik maak wel een hoger hek voor je en je krijgt een nieuwe stoel van me,’ bood Jack aan.

‘Ik hoef geen nieuwe stoel,’ zei Norma geprikkeld. ‘Hij wordt toch weer gejat, en bovendien schijnt de zon hier tegenwoordig nooit meer.’

Samen liepen ze naar de keuken en Norma begon te mopperen toen ze zag dat de zonnebloemdoek nog over Peters kooi hing.

Er was geen eten in huis, althans niets dat Jack wilde eten. Onbetaalde rekeningen waren achter het theeblik geschoven, naast het afdruiprek. Het hele huis moest worden schoongemaakt en gelucht, en voorraden moesten worden aangevuld; zelfs Peters etensbakje was leeg en een leeg pak zaad was teruggezet in de kast, naast de potten met beschimmelde jam en piccalilly. Jack had gehoopt dat hij die avond terug zou kunnen naar Londen om op zijn tweede vrije dag iets leuks te gaan doen – hij was van plan geweest om naar de Tate Modern te gaan, want hij wilde weleens zien waar iedereen zo enthousiast over was – maar hij besefte dat hij nog een nacht zou moeten blijven om dingen te regelen voor zijn moeder. Hij maakte een plekje vrij op de keukentafel en begon aan een lijstje.

Slotenmaker bellen
Kooi schoonmaken
Supermarkt – boodschappen
Werkster zoeken
Postkantoor – pensioen ophalen
Bank – automatische overschrijvingen
Yvonne opsporen?

Vervolgens pakte hij zijn chequeboek en betaalde de rekeningen van zijn moeder.

'Ik vind het vreselijk om geen geld te hebben,' zei Norma. 'Waarom moest Trev nou zo nodig doodgaan?'

'Hij had niet in het donker op het dak van een kerk moeten klimmen,' merkte Jack op.

In stilte was Jack opgelucht geweest toen zijn stiefvader het loodje legde. Dat was een crimineel minder in de familie. Bovendien had hij zich gegeneerd voor het aantal keren dat Trevor veroordeeld was geweest, en zelfs had hij vermoed dat hij geen carrière kon maken omdat de levende Trevor promotie in de weg stond.

Norma mijmerde hardop over Trevors begrafenis. 'Ik heb nog nooit zo'n volle kerk gezien, er stonden zelfs allemaal mensen buiten op het kerkhof. Mensen werden fijngedrukt tegen de grafzerken, weet je nog, Jack? En de dominee zei zulke fijne dingen over Trev.'

Jack wist het nog. Hij zat die dag in de kerk, vlak bij de rijkversierde kist van zijn stiefvader, en vroeg zich af wat de dominee-in-opleiding zou maken van Trevors roemruchte criminele verleden en de duistere omstandigheden die tot zijn vroegtijdige dood hadden geleid. Maar het schijnheilige broekie had Trevor 'een kleurrijke figuur' genoemd en Trevors activiteiten als aanvoerder van een dievenbende opgehemeld door hem een 'pionier op het gebied van recycling' te noemen.

'Achteraf heb ik d'r spijt van dat Trev niet is gecremeerd,' verzuchtte Norma. 'Ik vind het zo rot voor hem dat hij in de grond ligt, helemaal in z'n eentje.'

'Je hebt me nooit verteld hoeveel Trev je heeft nagelaten, mam,' zei Jack.

Norma begon te zoeken in de zakken van haar verschillende jassen, die allemaal aan hetzelfde haakje op de keukendeur hingen. Jack wist dat ze op zoek was naar sigaretten. Zijn hele jeugd was in sigarettenrook gehuld geweest. Uiteindelijk vond ze een gekreukelde, half opgerookte sigaret, die ze triomfantelijk omhoog hield voordat ze de peuk tussen haar lippen stak. Jack begon ongeduldig te worden toen ze naar vuur zocht, laden opentrok en in zakjes grabbelde voordat ze in een smerig aanrechtkastje eindelijk een doosje lucifers vond.

Norma ging weer zitten en blies een wolk rook over de tafel. 'Ik hou d'r niet van om over geld te praten,' zei ze koppig.

'Het moet, mam,' zei Jack. 'Heb je dat geld teruggekregen van Yvonne?'

Norma schudde haar hoofd.

Jack had zijn moeder destijds gewaarschuwd dat ze niet moest investeren in het plan van zijn zuster Yvonne om vrouwen te leren opkomen voor zichzelf door middel van een kettingbrief met de wervende kop: Vrouwen Worden Snel Rijk. Toch had ze er 3000 pond in gestoken, lekker gemaakt door Yvonnes dramatische verhalen over doodgewone vrouwen die opeens niemand anders meer nodig hadden omdat ze in één klap 24.000 pond rijker waren geworden.

Inmiddels praatten Yvonne en zijn moeder niet meer met elkaar. Er was geen contact meer geweest sinds Yvonne voor zichzelf was opgekomen, door na zesentwintig jaar huwelijk haar stomverbaasde echtgenoot in de steek te laten en met de noorderzon te vertrekken. Zelfs de politiecomputer kon haar niet vinden. Jack miste Yvonne enorm. Zijn zus had altijd voor hun moeder gezorgd, en nu kwam het opeens allemaal op hem neer.

Jack werkte het lijstje af. Hij nam zijn moeder mee naar de diepvriesafdeling van de supermarkt. Op het postkantoor werd een kaartje opgehangen met de tekst: 'Werkster gezocht voor twee uur per week.'

Terwijl ze de kant-en-klaarmaaltijden uit de speciale diepvriestas van de supermarkt haalden, ging de telefoon in de gang. Jack nam op en hoorde de stem van een jongeman aan de andere kant. 'Ik bel voor dat schoonmaakwerk.'

Jack aarzelde.

'Ik ben een goede schoonmaker,' zei de jongen. 'Ik heb in het ziekenhuis gewerkt.'

'Waarom werk je daar nu dan niet meer?' vroeg Jack wantrouwig.

'Ik studeer. Ik ben op zoek naar een parttime baantje waar ik mijn boeken van kan betalen.'

Jack vroeg de jongen, James Hamilton, of hij om vijf uur langs kon komen.

Morgan Clare schreef een opstel over de martelaren van Tolpuddle. Hij schreef moeiteloos, in een mooi, goed leesbaar handschrift: *De martelaren van Tolpuddle waren zes boerenknechten die samen een Vereniging voor Onderlinge Bijstand hadden opgericht toen hun 'meester' hun loon terugbracht van negen shilling per week naar zes shilling per week.*

Hij was zich er onaangenaam van bewust dat zijn zus Estelle haar huiswerk niet deed, zodat er straks ruzie zou zijn als hun ouders bovenkwamen voor het halfuurtje quality-time met de kinderen. 'Estelle,' zei Morgan, 'je kunt toch wel doen alsóf je aan het werk bent! Begin er dan in elk geval aan.'

'Het kan me niks schelen wat ik word als ik groot ben,' antwoordde Estelle. 'Ik wil een ongeschoolde persoon worden.'

Morgan lachte. 'Je bent al ongeschoold. Je kunt niet ongeschoolder worden dan je nu al bent.'

'Nou, dan doe ik geen examens of proefwerken,' hield Estelle vol.

Morgan schreef verder. *Persoonlijk zie ik deze mannen, James Brine, Thomas Stanfield, John Stanfield, James Hammett, George*

Loveless en James Loveless, als pioniers van de arbeidersbeweging. Ze verdienden het niet om op zo een wrede en harteloze manier behandeld te worden. Hij legde zijn pen neer. 'Dus je hebt helemaal geen ambities?'

'Ik heb juist heel veel ambities,' zei Estelle. 'Ik wil heel erg mooi worden en ik wil een kast vol dure kleren en schoenen en ik wil trouwen met een razend knappe man die me aan het lachen maakt en ik wil ook een kind.'

Bij MI5 werd het liefdesspel van de premier en zijn vrouw afgeluisterd. Een piepklein microfoontje, niet groter dan het vingernageltje van een baby, zat weggestopt in het hoofdeinde van hun *bateau lit.*

'Zo te horen zijn ze halverwege de Snowdon,' zei Robert Palmer.

'Ik wou dat ze goddomme al op de top waren,' gromde Alan Clarke.

'Het is ontzettend gênant – godzijdank is het alleen audio.'

De toon waarop de premier hartstochtelijke koosnaampjes uitbracht veranderde, en waarschuwde de twee mannen dat hij snel klaar zou zijn en een tissue zou pakken.

Morgan Clare verwachtte niet dat hij zijn ouders om zes uur 's middags samen in bed zou vinden. Toen Poppy werd geboren, vier maanden geleden, had hij voor zichzelf moeten erkennen dat zijn ouders weliswaar oud waren, maar het nog steeds deden. Het was smerig, te smerig voor woorden, maar dat ze het deden terwijl het nog licht was buiten, was abnormaal. Wat waren zijn ouders, beesten? Oké, hij had niet zonder te kloppen hun kamer binnen moeten stormen, maar hij wilde zijn vader over de martelaren van Tolpuddle vertellen.

'Papa, heb je weleens van de martelaren van Tolpuddle gehoord?'

Agent Clarke van MI5 begon te grinniken. 'Over coïtus interruptus gesproken.'

'Natuurlijk.'

'Wat vind je van ze?'

'Nou, ze waren reuze moedig, maar wel misleid.'

'Misleid? Hoezo misleid?' Morgans stem klonk gekwetst.

'Ik denk dat ze zichzelf en hun gezin een hele hoop ellende hadden kunnen besparen door hun meester om opslag te vragen in plaats van als oproerkraaiers de straat op te gaan.'

In de slaapkamer van de premier liep Morgan rood aan; hij hield hartstochtelijk van de martelaren van Tolpuddle en hun vrouwen en kinderen en wist dat hij bereid was om te sterven voor hun zaak. 'Het waren geen oproerkraaiers, pap, ze hebben vrijwillig aangeboden om gebouwen te beschermen tegen brandstichters en relschoppers. En ze vroegen niet om meer loon, pap, hun loon was verlaagd van negen shilling per week naar zes shilling per week.'

Edward glimlachte. 'Het was misschien een goed compromis geweest om over zeven shilling en zes penny te onderhandelen.'

'Ze konden hun kinderen van negen shilling al niet eens behoorlijk te eten geven, dus...'

'Ze hebben een illegale eed afgelegd, Morgan.'

'Ze hadden een Vereniging voor Onderlinge Bijstand opgericht, pap, meer niet! Ze hadden gewoon hartstikke honderd procent gelijk.'

'Niets is ooit zwart-wit, Morgan. Die mannen waren vijanden van de staat.'

'Dat is níét waar! Het waren helden die in opstand kwamen tegen een wreed en onrechtvaardig systeem, en als straf werden ze zeven jaar naar Australië gestuurd! Aan wiens kant sta jij nou eigenlijk, pap?'

Adele deed nu ook een duit in het zakje, haar stem gesmoord

door het dekbed. 'Als je "kant" zegt, wat bedoel je daar dan precies mee?'

'Je weet verdomme bést wat ik bedoel!' brieste Morgan.

Adele werkte haar neus onder het dekbed vandaan. 'Vergeet die Nikes maar,' krijste ze, 'en je krijgt een week huisarrest. En hoepel nu alsjeblieft op. Ik wil graag opstaan en ik heb geen kleren aan.'

'Papa,' vroeg Morgan nog, 'is er iets waar jij voor zou willen sterven?'

'Niet nu, knul,' antwoordde de minister-president.

De agenten hoorden een deur dichtgaan en toen Adeles stem. 'Je zit vanavond live in een tv-programma, is het niet? Gebruik alsjeblieft genoeg deodorant, Ed. Je zweet altijd als een otter onder die lampen.'

Kort voor vijven ging Norma naar boven. Toen ze weer beneden kwam, zag Jack dat ze zich had verkleed in een zomerjurk met wijde rok, haar haar had opgestoken en lippenstift had opgedaan.

James Hamilton had op hen allebei een ontwapenend effect met zijn overduidelijke enthousiasme voor schoonmaakwerk. Jack leidde hem rond door het kleine huisje, verontschuldigde zich voor de rommel, en legde uit dat zijn moeder nog niet zo lang geleden was beroofd en de boel had laten versloffen. Dat was slechts gedeeltelijk gelogen; Norma was nooit zo'n erg goede huisvrouw geweest. James reageerde op elke verontschuldiging met een glimlach en de woorden: 'Geen probleem.'

James had grote belangstelling voor Peter. 'Mijn vader had vroeger thuis grasparkieten in de tuin.'

'In een volière?' informeerde Jack.

'Nee, gewoon in het wild. Hij woonde in Trinidad.'

'Ik dacht dat grasparkieten alleen in Australië in het wild voorkwamen,' merkte Jack op.

'Nee hoor! Het stikt van die beesten in Trinidad,' antwoordde James.

'Komt je moeder uit Trinidad?' vroeg Norma.

'Nee, mijn moeder was gewoon Engels, maar ze is overleden. Wanneer moet ik beginnen?'

Norma gaf zonder met Jack te overleggen of naar hem te kijken antwoord. 'Begin nu meteen maar en maak de kooi van dat arme kleine ding schoon.'

James keek daarentegen wél naar Jack. 'Zeven pond per uur, is dat in orde?'

'Nee, we beginnen met zes,' zei Jack.

Kort na zevenen verliet James het huis met twaalf pond op zak. In twee uur tijd had hij de keuken een ander aanzien gegeven, en hij had zelfs Peters spiegeltje opgepoetst. Hij beloofde de volgende ochtend om tien uur terug te komen, voordat hij naar college moest.

Toen James weg was, zette Jack twee diepvriesmaaltijden – aardappelpuree met quorn – in de inmiddels glimmende oven.

'Wat een schat van een jongen,' zei Norma tegen hem. 'Wordt het te duur voor je om hem twee keer per week te laten komen, Jack?'

'Nee hoor,' zei Jack, 'dat kan ik best betalen, hè, Pete?'

Ze namen hun eten mee naar de woonkamer omdat er een programma op de televisie was waar ze allebei naar wilden kijken. Die avond begon een nieuwe serie, *Face the Press,* een live-uitzending met beroemdheden als publiek. De premier had erin toegestemd hun eerste gast te zijn.

Jack wilde kijken vanwege zijn steeds hechtere band met de minister-president, terwijl Norma's belangstelling geheel op de *celebrity's* was gericht. Ze hoopte Sir Cliff Richard te zien en uit zijn gezichtsuitdrukking op te maken of hij nog maagd was.

Jack ging aan zijn oude bureau zitten om te eten, en Norma op de bank, met haar bord op schoot.

De minister-president zat in de ontvangstkamer en keek hongerig toe terwijl Donna Flak, de producent van *Face of the Press,* de plastic folie verwijderde van een ovale schaal met in driehoekjes gesneden sandwiches. Hij was echter te beleefd om op te staan en toe te tasten.

Donna frommelde het plastic met één hand tot een prop en gooide die behendig in de prullenbak aan de andere kant van de kamer.

'Bravo!' riep de premier. 'Engeland zou je goed kunnen gebruiken op het cricketveld.'

Zijn medewerkers en de BBC-coryfeeën lachten langer dan het niet zo leuke grapje verdiende.

'Vroeger was ik wicketkeeper van het eerste elftal van Cambridge Ladies,' vertelde Donna.

De premier glimlachte. 'En nu verdedig je de kwaliteit van dit programma?'

Donna gaf hem een bordje en een servet en hield hem de schaal voor. Hij nam twee sandwiches met gerookte zalm en begon te eten. Hij had wel graag even rust willen hebben tijdens het eten, maar er kwamen mensen naar hem toe.

Alexander overhandigde hem de lijst met vragen en een aantal suggesties voor de antwoorden. 'Je hoeft je nergens zorgen over te maken,' verzekerde hij hem.

Hij kende alle journalisten uit het panel op één na, een vrouw die Mary Murphy heette. Volgens de achtergrondinformatie was ze vijfentwintig, getrouwd en weer gescheiden, had een dochtertje van drie, stemde op de Socialist Alliance en werkte voor de *Northants Voice.*

Bij het publiek zat Ulrika Jonsson op de eerste rij tussen Stephen

Hawking en Gary Lineker. Er werd hartelijk geapplaudisseerd toen de premier de set op kwam lopen. Hij hees zichzelf op een hoge kruk en experimenteerde met het over elkaar slaan van zijn benen. Uiteindelijk koos hij ervoor om zijn ene voet op de sport te laten rusten en de andere losjes te laten bungelen.

Na een snelle sound-check, waarbij de premier moest opsommen wat hij voor het ontbijt had gegeten – 'Ei, sinaasappelsap, muesli, volkorentoast en eh...' – werden er vragen gesteld over de euro. 'Ik heb er geen twijfel over laten bestaan dat er een referendum zal worden gehouden als...'

Over Afrika. 'Het lijdt geen twijfel dat Afrika grote problemen...'

En over Malcolm Black. 'Niemand twijfelt eraan dat Malcolm een uitstekende minister van Financiën is...'

Alles ging goed, totdat Mary Murphy hem vroeg of hij wist hoeveel een *pint* melk kostte.

Hij glimlachte naar haar. 'We zijn Europeanen onder elkaar, Mary, je bedoelt ongetwijfeld een liter.'

Het publiek lachte. Maar Mary Murphy lachte niet. 'Hoeveel?' herhaalde ze.

Nogmaals glimlachte hij, gewoon om tijd te winnen. 'Volle of halfvolle?'

'Maakt niet uit,' zei Mary Murphy onverstoorbaar.

Graham Norton, die werd geflankeerd door Adele en Ben Elton, riep: 'Melk is niet belangrijk. Hoeveel kost een fles Bollinger?'

Toen het gelach was weggestorven, kwam er weer een vraag uit het panel, dit keer van een verslaggever van de *Independent*. 'Meneer Clare, er wordt veel over geschreven in de kranten, en dit wordt bevestigd door recente opiniepeilingen, dat u geen voeling meer hebt met de werkelijkheid van het dagelijkse leven. Kunt u uzelf nog steeds de premier van het volk noemen?'

Het duurde drie lange seconden voordat de premier antwoord gaf. Hij glimlachte en knipperde een paar keer snel met zijn ogen. 'Luister, een paar dagen geleden had ik het nog met een echte volksjongen over zijn bejaarde moeder die het slachtoffer is geworden van een brute overval op straat.'

'Hij heeft het over jou, mam,' zei Jack tegen Norma.

'Doe niet zo mal,' zei ze. 'Ik ben niet bejaard.'

En ik ben geen echte volksjongen, dacht Jack in stilte.

De volgende ochtend om kwart over tien belde Jack zijn moeder vanuit de auto. James nam op. Op de achtergrond was het geluid van een stofzuiger hoorbaar. James vertelde Jack opgewekt dat hij met Norma naar de stad zou gaan om haar haar te laten doen.

'Moet je dan niet naar college?' informeerde Jack.

'De docent heeft bronchitis,' antwoordde James.

Jack hoorde zijn moeder op de achtergrond praten tegen Peter; ze vroeg het vogeltje wat ze aan zou trekken voor haar uitje naar de stad.

HOOFDSTUK 4

Jack moest om twee uur weer op zijn post voor de deur staan, en voor die tijd ging hij naar de personeelskantine van Nummer 10 om een kop koffie voor zichzelf te zetten. Wendy zat er te praten met Su Lo, Poppy's oppas, over Barry's been.

'Ik snap niet waarom je geen Chinese medicijnen probeert, Wendy,' zei Su Lo. 'Op die manier ben ik van mijn genitale wratten af gekomen.'

Jack wilde dat hij dit niet had gehoord. Nu zou hij Su Lo dagenlang niet aan kunnen kijken zonder aan haar genitale wratten te denken.

'Een wrat is een wrat,' zei Wendy, 'maar een been met gangreen is iets heel anders.'

Terwijl Jack zijn beker afwaste in de gootsteen luisterde hij naar Wendy, die Su Lo vertelde dat er in het holst van de nacht een dokter voor Adele was gekomen omdat ze een ernstige aanval van tinnitus had gehad. 'Geluiden in d'r hoofd?' raadde Su Lo.

'Zoiets,' zei Wendy bitter.

Jack zette zijn helm op en maakte het bandje vast onder zijn kin. Het was een warme dag in april, dus zou hij zijn overjas niet nodig hebben.

Toen hij door de gangen naar de voordeur liep, voelde hij dat er spanning en opwinding in de lucht hing. Zo ging het altijd vlak voordat de premier naar het Lagerhuis ging om vragen te beantwoorden.

Voordat de minister-president in zijn auto stapte, bleef hij even naast Jack staan. 'Hoe gaat het met je moeder?'

Jack hield zich op de vlakte. 'Ze is weer aardig in vorm, meneer, dank u voor de belangstelling.'

'Mooi zo,' antwoordde de premier. 'Jack,' voegde hij eraan toe, 'wat vinden de mensen in dit land volgens jou het grootste probleem?'

'Criminaliteit, meneer,' antwoordde Jack. 'De mensen willen meer blauw op straat.'

Het vragenuurtje in het parlement begon slecht. De premier haalde zijn aantekeningen door elkaar en gaf daardoor op een vraag over de kabeljauwstand in de Noordzee het foute antwoord dat er nog maar negenentachtig van deze vissen over waren.

Het duurde even voordat het hoongelach was weggestorven en de premier zich voldoende wist te herstellen om zijn vergissing recht te zetten en de Lagerhuisleden te laten weten dat de visstand weliswaar daalde, maar dat er toch nog 8.900 ton kerngezonde kabeljauw in de Britse wateren rondzwom.

De leider van de oppositie, Tim Patrick Jones, kwam overeind om een vraag te stellen. 'Is de premier zich ervan bewust,' zei hij met een stem die droop van verachting, 'dat alle treinverkeer in het zuidoosten van ons land gisterochtend volledig stil heeft gelegen, en dat letterlijk miljoenen, miljóénen forenzen niet op hun werk konden komen – ze waren niet te laat, ze waren er in het gehéél niet!'

Edward had de vorige avond naar het televisiejournaal gekeken en was ontzet geweest over de beelden van het Waterloo-station, waar een vorm van anarchie was uitgebroken. Gefrustreerde reizigers hadden de kaartjesautomaten beschadigd en waren kiosken binnengestormd om zonder te betalen kranten en snoepgoed mee te nemen.

De premier ging staan terwijl er overal om hem heen 'Schande!

Schande!' werd geroepen. Hij keek nog even naar zijn aantekeningen. Toen stak hij uitdagend zijn kin in de lucht, en hij zag dat de kolossaal dikke minister van Financiën, Malcolm Black, iets naar links was geschoven, zodat de anderen op het bankje op de eerste rij nu nog dichter op elkaar waren geperst.

Achter zich hoorde hij Malcolm met zijn bekakte accent mompelen: 'Wat een blúnder, Eddy.' Heel even vroeg Edward zich af of het opeens afgelopen was met de politieke vriendschap die hij en Malcolm al vijftien jaar onderhielden.

Zijn concentratie was aangetast, waardoor hij rommelig en onsamenhangend uitleg gaf over de chaos op het spoor. Zweetdruppels parelden op zijn voorhoofd. Achter zich hoorde hij Malcolm een stille maar wel langgerekte zucht slaken.

Tim Patrick Jones stelde weer een vraag, opnieuw op spottende toon. 'Kan de premier ons vertellen wanneer hij voor het laatst de trein heeft genomen?'

Edward flapte het antwoord dat de rest van zijn leven zou veranderen eruit, en hij had er onmiddellijk spijt van. 'Tot mijn genoegen kan ik de geachte afgevaardigde vertellen dat ik drie dagen geleden nog in de trein zat, samen met mijn vrouw en drie kinderen.'

De Lagerhuisleden van Labour brulden van het lachen. Edward wilde zijn woorden het liefst bij de lurven pakken en ze terugproppen in zijn mond, maar het verraderlijke antwoord was al opgetekend in de Handelingen en door satirici op de perstribune driftig in notitieblokjes gekrabbeld.

Het zinnetje: 'Dat ik drie dagen geleden nog in de trein zat, samen met mijn vrouw en drie kinderen' zou even gevleugeld worden als de onsterfelijke woorden van Neville Chamberlain: 'In mijn hand houd ik een stuk papier...'

Op datzelfde moment luisterde een ambitieuze amateurfotograaf, Derek Fischer, in een halfvrijstaand huis in een buitenwijk van Coventry op de radio naar het vragenuurtje, en hij kroop schielijk achter zijn computer om een foto van de premier en zijn gezin naar de fotoredactie van de *Daily Mail* te e-mailen. De fotoredacteur stuurde onmiddellijk een tekstbericht naar de correspondent van de *Mail* die op de perstribune zat te luisteren naar de premier, terwijl deze antwoord gaf op een vraag over een Brits staatsburger die in Saoedie-Arabië op het brouwen van bier was betrapt en tot de dood door steniging was veroordeeld.

Zelfs al voordat hij weer ging zitten, had de leider van de oppositie een briefje in handen gedrukt gekregen met de tekst: 'Vraag de premier of de trein waarin hij zondag reisde op tijd vertrok en aankwam, en op welke route het was.'

Tim Patrick Jones besloot de volgende vraag die hij had willen stellen, over de zoveelste blunder van de luchtverkeersleiding, te laten vallen en het erop te wagen. Hij stelde de vraag.

De premier kwam langzaam overeind. 'Tot mijn genoegen kan ik de geachte afgevaardigde laten weten dat onze trein op tijd vertrok en ook op tijd aankwam.'

'Als ik me niet vergis, reed die trein een rondje om de kerk,' zei Tim Patrick Jones.

Op de perstribune ging een foto van hand tot hand, een foto van de minister-president in een spijkerjasje, een honkbalpet op zijn hoofd, die met zijn knieën ter hoogte van zijn oren in een speelgoedtreintje zat dat *De Tjoeketjoek* heette. Geen van de verslaggevers kon zich herinneren wanneer ze voor het laatst zó lang en zó hard hadden gelachen.

Adele en Poppy, die ook allebei een honkbalpet op hadden, zaten achter Edward in het eerste rijtuig, en de twee oudere kinderen zaten met humeurige gezichten in de conducteurswagen achter aan het treintje, dat puffend een rondje reed over de in een cirkel gelegde rails. Adeles neus was net zo lang als de klep van de pet, hetgeen aan een tekenaar van politieke spotprenten het volgende commentaar ontlokte: 'Jezus, kijk eens naar die gok! Dat ding is zo groot als een vliegdekschip; je kunt erop landen en dan is er nog genoeg ruimte voor een partijtje voetbal.'

Het nieuws over de foto's verspreidde zich van de perstribune naar de oppositiebankjes.

Er werd hysterisch gelachen door de verrukte politici die de foto bespraken.

Ondertussen drong Tim Patrick Jones erop aan dat de premier vertelde wélke trein hij precies had genomen. Van waar naar waar?

De premier weigerde antwoord te geven, om 'veiligheidsredenen'.

De *Speaker of the House* moest uiteindelijk ingrijpen en zijn stem verheffen om uit te komen boven het rumoer in de conservatieve gelederen, boe-geroep, tjoeketjoek-geluiden en hakkehakkepufpuf-imitaties. De afgevaardigde voor Barking Southeast, die op feesten en partijen graag het vertrek van de legendarische stoomtrein de *Royal Scot* imiteerde, bestierf het haast van genoegen toen hij besefte dat hij een aandachtig luisterend gehoor had.

Er was over de banken achter hem een vreselijke stilte neergedaald toen Edward weer ging zitten, en Malcolm Black zei met een haast dreigende vriendelijkheid: 'Maak je geen zorgen, Ed, je komt er heus wel weer bovenop.' Toen Edward het Lagerhuis verliet, hoorde hij iemand zingen: 'Op een klein stationnetje 's morgens in de vroegte...'

HOOFDSTUK 5

Geïrriteerd trok Adele Poppy los van een van haar lange tepels om haar de andere borst aan te bieden. 'Jezus Mina, schiet eens een beetje op,' zei ze tegen het zuigende kind. 'Ik heb niet de hele dag de tijd!'

Poppy keek omhoog en zag Adeles ontevreden uitdrukking, maar ze bleef onverstoorbaar zuigen aan de witte, blauw dooraderde borst. Adele had een hekel aan het tijdrovende en lastige gedoe, maar ze had nu eenmaal haar steun gegeven aan de campagne 'Beter de Borst', gelanceerd door een organisatie die werd gesteund door het ministerie van Volksgezondheid en veel bekende kinderartsen. Vandaar dat ze verplicht was om vol te houden, maar ze verheugde zich nu al op de dag dat ze haar borsten terug zou hebben en ze niet meer hoefde te delen met een snuivend, snotterend, sabbelend kind. Jezus, het was barbaars.

En kijk eens naar de opwinding die het had veroorzaakt bij de machtige poedermelklobby, die op hun beurt met de slagzin Flinker met een Flesje was gekomen. Ze hadden een gemene aanval op haar geopend omdat Adele in hun ogen de industrie zwart maakte, en bijval gekregen van een aantal vrouwen en vriendinnen van bekende formule-1-coureurs die onlangs moeder waren geworden. Zij hadden zich verenigd onder het motto: 'Flessenmelk, de sportieve motor'. Ferrari had gedreigd zich terug te trekken van Silverstone en er waren vragen gesteld in het Lagerhuis.

Adele stak een hand uit om de radio aan te zetten en ze hoorde de benepen stem van haar man iets over een trein stamelen, waarna hij werd overstemd door een merkwaardig geluid: tweehonderd mannenstemmen die 'Tjoeketjoeketjoek!' riepen.

Beneden in een kleine vergaderkamer, waar spraakmakende Britse kunst aan de muren hing, zaten drie machtige vrouwen te wachten. Ze hoopten op een bijdrage van Adele voor een project waar ze aan werkten, de publicatie van een bundeltje over een niet erg populair onderwerp, het prikkelbaredarmsyndroom. Het moest onder de titel *Gerommel* gaan verschijnen, en ze hadden al een kort verhaal van Martin Amis en een vezelrijk recept van Jamie Oliver.

Lady Leanne Baker had van de borstvoedingspauze gebruik gemaakt om haar tienerzoon een sms'je te sturen en hem eraan te herinneren dat hij zijn rugbyshirt uit de wasmachine moest halen en over het droogrek voor de Aga hangen. Tegenover haar aan tafel zaten de twee andere initiatiefneemsters te roddelen: Rosemary Umbago, de blinde hoofdredactrice van de *Daily Voice,* en barones Hollyoaks, het verfomfaaide brein achter de Liberal Democrats. Toen ze nog geen uur geleden het vertrek binnen was gekomen, had ze er keurig en bijna presentabel uitgezien, maar binnen de kortste keren zat haar haar in de war en zagen haar kleren eruit alsof ze van iemand met een geheel andere confectiemaat waren geleend.

Barones Hollyoaks, wier borsten nooit tot troost waren geweest van enige man, vrouw of baby, was net klaar met het vertellen van een tamelijk schunnige anekdote over Roy Hattersley en schakelde op een ander onderwerp over. 'Weet je,' zei ze, 'ik vind het echt geweldig hoe jij omgaat met je visuele handicap, Rosemary.'

'Noem het toch gewoon blindheid,' beet Rosemary haar toe. 'Het komt me echt m'n neus uit, al dat huichelachtig politiek correcte gedoe. Ik ben gewoon blind. Ik ben blind geboren. Ik ben niet zoals die overgevoelige *nouveau*-blinde mensen die eindeloos mekkeren over het verlies van hun gezichtsvermogen.'

Met het oog op Rosemary's afkeer van politiek correct taalgebruik gooide barones Hollyoaks het over een andere boeg. 'Zeg, Rosemary, ik heb gehoord dat je net voor de tweede keer bent getrouwd, met een Zuid-Afrikaan, heb ik begrepen. Is het een nikker?'

Toen de premier met de auto thuis werd gebracht uit het Lagerhuis, zag Jack tot zijn verbazing dat deze er ziekelijk bleek uitzag, en dat zijn welhaast in beton gegoten glimlach dit keer ontbrak.

Op bevel van Alexander McPherson stonden er geen fotografen voor Nummer 10. Toen de premier naar de voordeur liep, keek Jack hem aan. 'Bent u wel in orde, meneer?'

De premier gebaarde dat zijn somber kijkende privé-secretaris vast naar binnen moest gaan. 'Ik heb net een gevoelige aframmeling gehad in het Lagerhuis, Jack.'

Geschrokken stelde Jack vast dat de ogen van de premier verdacht glinsterden, alsof er tranen op de loer lagen. 'Wat vervelend om dat te horen, meneer,' mompelde hij.

In plaats van naar binnen te gaan en door te lopen naar zijn kantoor, bleef de premier met Jack staan praten. Hij vertelde hem van het debacle rond het treintje. Jack sloeg zijn armen over elkaar en luisterde. Toen de premier eindelijk klaar was met zijn verhaal, zei Jack: 'Het is vandaag 1 april, meneer. Misschien was uw antwoord op de vraag over de treinen gewoon als grap bedoeld.'

Edward schudde zijn hoofd. 'Nee, ik heb gewoon een stomme leugen verteld. In werkelijkheid heb ik al in geen jaren meer met het openbaar vervoer gereisd, of een pak melk gekocht of moeten wachten op behandeling in een ziekenhuis. Ik heb gewoon geen flauwe notie van hoe de meeste mensen leven.'

'Houden uw adviseurs u dan niet op de hoogte, meneer?' informeerde Jack.

'Zij zitten in precies dezelfde steriele zeepbel als ik, Jack,' barstte

Edward uit. 'Het is jaren geleden dat ze *fish and chips* uit een krant hebben gegeten.'

'Dat is voor de hele bevolking jaren geleden,' antwoordde Jack. 'Het is sinds 1971 bij wet verboden.' Het schonk hem echter geen voldoening om te bevestigen dat de premier inderdaad geïsoleerd was van het volk dat hij regeerde.

Een stem fluisterde in Jacks oor dat hij de premier moest laten weten dat kolonel Gadaffi aan de telefoon was en hem dringend moest spreken. Jack gaf de boodschap door, maar de premier had duidelijk geen zin om naar binnen te gaan. 'Wat doe jij om je te ontspannen, Jack?' vroeg hij.

'Ik neem een zakje chips met kaas- en uiensmaak en een flesje Kronenbourg en dan kijk ik naar *High Noon*, meneer,' antwoordde Jack.

'High Noon!' herhaalde de premier enthousiast, en hij begon meteen te zingen: *'Do not forsake me, oh, my darling...'*

'Precies,' zei Jack. 'Ik denk dat ik die film zeker twintig keer heb gezien.'

De premier ging naar binnen en riep zijn privé-secretaris. Gadaffi moest een andere keer terugbellen. Hij haalde een streep door de volgende bespreking, een gesprek met de stafchef van de NAVO. Vervolgens belde hij Wendy en hij vroeg haar om te zorgen voor een flesje Kronenbourg, een zakje zoutjes en een video van *High Noon* en die naar boven naar zijn zitkamer te laten brengen.

Daarna belde hij Alexander McPherson en vroeg hem een interview te regelen met Andrew Marr van de BBC over de aprilgrap. Hij overwoog nog of hij Jack uit zou nodigen om er gezellig bij te komen zitten, maar besefte dat het te laat was om met het rooster van de Metropolitan Police te gaan rommelen, dus keek hij in zijn eentje.

Malcolm Black zat aan het bureau in zijn chaotische kantoor en at een gepocheerd ei op verbrande toast. Hij had dit zelf klaargemaakt in de keuken van de flat. Zijn vrouw was er niet en hij vond het vervelend om het personeel lastig te vallen.

'Ik snap niet hoe je in deze smeerboel kunt werken,' merkte Alexander McPherson op.

Malcolm keek om zich heen alsof hij de rommel voor het eerst zag. 'Ik kan hier uitstekend werken en de opiniepeilingen bevestigen het. Ik ben niet degene die op een zenuwinzinking afkoerst.'

David Samuelson zat met zijn hoofd in zijn handen. *'High Noon,'* zei hij schamper. 'Het niveau! De verhaallijn is simplistisch, het gebruik van de tijdsmetafoor is te dik aangezet en Gary Cooper acteert zo slecht dat hij op een wandelende hark lijkt.'

'Als ik advies van een filmrecensent had gewild,' zei Alexander, 'dan had ik die etter van een Barry Norman laten komen.'

'De beurs is twee procent lager gesloten,' zei Malcom zacht. 'De Bank of England is bang voor deflatie. Arme Eddy begint een struikelblok te worden.'

'Malcom,' zei Samuelson, 'je hebt een sliert ei op je das.'

Malcolm schraapte het eigeel met een nagel van zijn das en likte vervolgens zijn vinger af.

'Er is niets mis met Ed,' zei Alexander, 'hij moet er alleen even tussenuit. Jezus, als ik zijn baan had zou ik allang met molentjes lopen.'

Malcom zette zijn lege bord op een wankele stapel fiscale papieren. 'Volgens mij zou ik zijn werk heel goed doen.'

'We hadden afgesproken, Malcolm,' zei Samuelson, 'dat je nog vijf jaar zou wachten. Wil je daar nu opeens op terugkomen?'

Malcolm glimlachte. 'Dat hangt van de gebeurtenissen af, David.'

'Geef hem een week de tijd,' opperde Alexander. 'Ik zorg wel dat het in orde komt met de pers.'

'Stel je voor dat de pers hem zou betrappen in Toscane, lui achterover op een ligstoel met een Campari in zijn hand,' kreunde Samuelson.

'Laten we hem gewoon naar Afrika sturen,' opperde Malcolm lachend.

'Die klootzakken van de pers zouden hem opsporen,' zei Alexander. 'We moeten hem laten onderduiken.'

Terwijl Gary Cooper en Grace Kelly in een open auto de stad verlieten, stormde Alexander de kamer binnen. 'Dat is de ideale manier om een stad schoon te vegen, Ed. Geef iedereen een vuurwapen en laat ze er maar op los schieten.'

Toen de aftiteling begon, drukte Edward op een knop van de afstandsbediening om de band terug te spoelen. 'Even recht voor z'n raap, Alex,' zei hij met een Gary Cooper-accent. 'Kan ik het werk nog aan?'

'Je moet er even tussenuit, Ed.'

'Vind jij dat ik in een ivoren toren zit?'

'Mori heeft vanochtend een telefonische peiling voor ons gedaan. Na het fiasco van *Face the Press* van gisteravond is je persoonlijke populariteit sterker gedaald dan wanneer je met een liaan om je enkel geknoopt van een klif was gesprongen. Vijfentachtig procent van het Britse publiek is van mening dat je geen idee hebt hoe het leven van de gewone man of vrouw in dit land er tegenwoordig uitziet.'

Edward stond bij het raam en draaide zich om alsof hij een shakespeariaanse monoloog ging houden voor een gehoor van gevorderde scholieren. 'Ik heb geen contact meer met de mensen.' Hij bracht zijn handen omhoog alsof hij ze op bloed wilde controleren. 'Vijfentachtig procent,' fluisterde hij. 'Wie zijn dan de vijftien procent die vinden dat ik wél weet wat er speelt?'

'Dat zijn mensen zoals wij, Ed,' antwoordde Alexander. 'De mensen die aan de touwtjes trekken.'

'Maar dat is volkomen bespottelijk!' riep de premier uit. 'Ik heb wel degelijk contact met gewone mensen. Ik praat met Wendy, en met Jack-voor-de-deur.'

'Wie is Jack-voor-de-deur?' informeerde Alexander.

'Politieman Jack Sprat,' zei Edward. 'Hij heeft *High Noon* al minstens twintig keer gezien, en de aprilgrap was zijn idee. En het was zijn moeder die is beroofd.'

Een uur later hoorde Jack een boodschap in zijn oor. Hij moest boven komen, in de zitkamer van de premier, zodra zijn vervanger ter plaatse was. Dat bleek agent Harris te zijn, een jonge zwarte vrouw die hij eens tijdens een schietoefenig had ontmoet.

Nadat ze grapjes hadden gemaakt over de reden waarom hij boven was ontboden, zette Jack zijn helm af en werd hij naar de zitkamer van de premier gebracht.

De premier kwam naar hem toe om hem te begroeten en stelde hem voor aan Alexander McPherson, die zei: 'Gefeliciteerd, agent Sprat. U hebt net een vakantie van een week gewonnen.'

'Waarheen?'

'Een rondreis door Engeland.'

'Ga ik alleen?' Jack vroeg zich af of hij er zelf iets over te zeggen had.

'Nee,' zei de premier, 'je gaat met mij en we vertrekken vanavond.'

In het tussenliggende uur was nagegaan of Jack wel geschikt was. Hij leek in alle opzichten de ideale keus: hij had geen vrouw of kinderen en niemand die afhankelijk van hem was afgezien van een oude moeder die in het verre Leicester woonde. In het dagelijks leven zou niemand hem missen.

Alexander had Jack het rapport van de veiligheidsdienst toegeworpen. Het was indrukwekkend compleet.

Jack had het vluchtig bekeken en hij was er niet vrolijker van geworden. Hij vond dat hij naar voren kwam als een erg zielige figuur.

'Zeg, voor ik het vergeet,' zei Alexander langs zijn neus weg, 'heb je een politieke voorkeur?'

'Ik kan de dag als communist beginnen,' zei Jack, 'lunchen als een socialist en naar bed gaan als een Tory, meneer.'

Edward lachte. 'En andersom?'

'O nee, meneer,' zei Jack. 'Ik zou de dag nooit als een Tory kunnen beginnen.'

'Ik heb Jezus altijd benijd om zijn tocht door de woestijn,' verzuchtte Edward. 'Daar zijn belangrijke beslissingen genomen.'

Dat kan wel waar zijn,' grauwde Alexander, 'maar we kunnen je geen veertig dagen en nachten missen. Je krijgt een week, hooguit.'

'Het wordt krap om in een week door heel Engeland te trekken, meneer,' merkte Jack op. 'Vooral als we met het openbaar vervoer gaan.'

'Het openbaar vervoer?' echode Edward verschrikt. 'Is het niet makkelijker om een helikopter te nemen?'

'Zoals de gewone mensen die je zo graag wilt ontmoeten om te horen hoe ze over het een en ander denken?' zei Alexander sarcastisch.

'Wat is de bedoeling, meneer?' vroeg Jack. 'Wat wilt u precies bereiken?'

Edward knipperde met zijn ogen. 'Ik weet het eigenlijk niet, Jack. Ik zou wel graag weer voeling willen krijgen met de dingen die de meerderheid van het Britse volk bezighouden.'

'Hebben we een bepaalde route?' vroeg Jack, maar niemand gaf antwoord. 'Best,' vervolgde hij. 'Ik moet wel eerst naar huis om een koffer te pakken.'

'En ík moet naar Edinburgh,' zei de premier opgetogen.

Al sinds hij klein was had men hem in een keurslijf geperst, en hij werd geleefd door zijn agenda. Zelfs in de tijd dat hij betrekkelijk zorgeloos was geweest, toen hij lang haar had en in een rockband speelde, had hij zich aan afspraken voor optredens en repetities moeten houden, en tegenwoordig was zijn zogenaamde vrije tijd tot op de minuut ingedeeld. Vaak hield hij toespraken over vrijheid. Nu kreeg hij eindelijk de kans om zelf vrijheid te ervaren.

Geholpen door een hoge ambtenaar werden er snel plannen uitgewerkt. De afwezigheid van de minister-president zou uiteraard opgemerkt worden. De officiële verklaring zou zijn dat hij in een geheime bunker diep onder de grond in Wiltshire leiding moest geven aan een oefening post-nucleair regeren.

De vice-premier, Ron Phillpot, werd teruggeroepen uit zijn vijfsterrenhotel in Belize, waar hij een conferentie over de terugbetaling van de schuld van de derde wereld bijwoonde.

Alexander bood vrijwillig aan om Adele het nieuws te vertellen en haar te laten weten dat Edward meer van haar hield dan van het leven zelf.

'Wat wordt er precies van mij verwacht?' wilde Jack weten. 'En hoe lang blijf ik weg?'

'Je begeleidt de premier,' zei Alexander.

Snel voegde Edward eraan toe: 'En jij gaat over het geld en de kaartjes, zodat ik in contact kan komen met het publiek.'

Jack moest bijna hardop lachen om het overduidelijke en kinderlijke enthousiasme van de premier. Jack was van mening dat het niveau van het publiek bedroevend was gekelderd sinds hij bij de politie was begonnen. In die tijd waren de meeste stellen nog getrouwd – een partner was iemand met wie je zaken deed – konden bejaarde mannen en vrouwen nog zonder angst over straat, en riepen kinderen nog niet 'Kijk uit voor die kankerlijer' als ze je aan zagen komen in je uniform.

De drie mannen, Jack, Edward en Alexander, gingen naar de echtelijke slaapkamer van de premier en openden Adeles kasten en laden. Hoewel het gezicht van de premier in alle opzichten onopvallend was, werd hij toch in het hele land en daarbuiten direct herkend, dus was een vermomming noodzakelijk.

Het was verbazingwekkend makkelijk om Edward in Edwina te veranderen. Het hielp natuurlijk dat hij en Adele ongeveer even groot waren, min of meer dezelfde lichaamsbouw hadden en dat ze allebei schoenen in maat veertig droegen. En dat Adele af en toe, op *bad-hair days*, een pruik op zette.

Adele had vaak opgeschept tegen haar feministische vriendinnen: 'Eddy is zo meisjesachtig.'

De hele metamorfose was in vijfendertig minuten gepiept (inclusief een grondige scheerbeurt en een wenkbrauwepilatie), en het zou nog korter hebben geduurd als Edward er aanvankelijk niet op had gestaan om een jarretelgordel en kousen te dragen. Geen van de mannen kon bedenken of het zwarte gordeltje van paarse en zwarte kant met de elastische jarretelles onder of over Adeles bijpassende slipjes gedragen moest worden.

Uiteindelijk wist Jack de tegensputterende premier over te halen om de jarretelles en hoge hakken te laten varen en te kiezen voor een panty en platte schoenen, met als argument dat kousen en hakken ideaal waren voor een diner bij kaarslicht op Valentijnsdag, maar volstrekt ongeschikt voor een geïmproviseerde tocht door Engeland.

Ook bij het kiezen van de kleding moest Jack ingrijpen. Hij maakte Edward duidelijk dat de luchtige zonnejurkjes die Adele tijdens hun laatste vakantie in Toscane had gedragen te veel mannelijk vlees onthulden, en dat het, bracht hij de premier in herinnering, in april nog weleens sneeuwde in Engeland. Uiteindelijk viel de keuze op een bescheiden garderobe bestaande uit een pak van Nicole Farhi met een broek met wijde pijpen, twee kasjmier truien met col – een roze en een blauwe – een trainingsbroek van DKNY en een lange sweater om het kruis van de premier aan het oog te onttrekken.

In Jacks ogen zag de premier er nog steeds uit als een kerel in de kleren van zijn vrouw. De pruik was echter een wonder van zwarte krullen en speelse lokken, en toen Edward die eenmaal op had, zijn gezicht was ingesmeerd met een dekkende foundation en zijn ogen en lippen waren opgemaakt, had hij op de trap bijna langs zijn eigen vrouw kunnen lopen zonder door haar te worden herkend.

Voordat ze Nummer 10 verlieten, werden er nog enkele basisregels opgesteld. Alleen Jack zou een mobiele telefoon bij zich hebben, en er zou geen contact zijn tussen hen en Nummer 10, behalve in een noodgeval. Alexander zou de leiding hebben, Adele zou te horen krijgen dat haar man in een bunker zat, en als Ron Phillpot tijdens de afwezigheid van de premier belangrijke beslissingen dreigde te nemen, zou daar een stokje voor worden gestoken.

Agente Harris wenste Jack Sprat en zijn vrouwelijke gezelschap een prettige avond en ze keek hen na toen ze het hek achter zich dichtdeden en in een lichte motregen de straat uitliepen. Ze kon een steek van jaloezie niet onderdrukken. *Zíj* had arm in arm met Jack uit willen gaan.

Toen de premier samen met Jack richting Trafalgar Square liep, voelde hij zich merkwaardig licht, alsof de last van het regeren letterlijk van zijn schouders viel en terugrolde in de richting van Downing Street.

'We nemen de metro van Charing Cross, meneer.'

'Luister, Jack, ik hou niet van gekunsteld gedoe, en je weet dat ik liever niet heb dat je zo formeel bent, dus hou alsjeblieft op met dat "meneer", wil je?'

Jack knikte en vroeg hoe de premier dan wel genoemd wilde worden.

'Mijn vrienden noemen me Ed,' zei hij.

'Maar hoe moet ik u dan noemen?' hield Jack vol.

Hij besefte dat hij de gevoelens van de premier had gekwetst doordat de greep op zijn arm verslapte, maar Jack verontschuldigde zich niet. Ik ben verdomme zijn vriend niet, dacht Jack. Ik heb niet eens op hem gestemd, en nu zit ik zeven dagen lang opgezadeld met een baantje als Drager van de Koffer van iemand die eruitziet als een ordinaire Joan Collins.

'Denk jij dat we in de gaten worden gehouden, Jack?' vroeg de premier. 'Dat we onder bewaking staan?'

Jack knikte somber en in een vertrek met uitzicht over de Thames barstten Clarke en Palmer in schaterlachen uit. 'En óf we ze in de gaten houden!' zei Palmer.

'We weten het zelfs als ze zich omdraaien in bed,' voegde Clarke eraan toe.

Ze hadden zich een ongeluk gelachen toen ze de premier uitgedost als vrouw de ambtswoning hadden zien verlaten. 'Ik geef hem een halfuur de tijd,' had Palmer opgemerkt, 'voordat een of andere gisse jongen hem ontmaskert.'

Clarke keek naar de satellietfoto en gierde het uit toen hij inzoomde op Jacks verbeten mond. 'Jack trekt een gezicht als een oorwurm.'

'Zou Jack weten dat we naar hem kijken?' vroeg Palmer zich hardop af.

Opnieuw barstten ze allebei in lachen uit toen Jack langs Nelson op zijn sokkel liep en omhoog keek naar de donkere lucht, waar de satellieten die al hun bewegingen volgden hun baan om de aarde beschreven. Hij bewoog zijn mond in een geluidloze groet: Hallo, jongens.

HOOFDSTUK 6

Norma en James zaten naast elkaar op de bank voor de gaskachel. De stekker van de vergeten stofzuiger stak nog in het stopcontact, nadat niet meer dan een derde van het bloemetjestapijt was gezogen. Een asbak, hun sigaretten en twee bekers koffie stonden op de salontafel, naast een stapel fotoalbums van Norma.

'Dit is Stuart een maand voor zijn dood.' Met een geelgevlekte vinger van de nicotine wees Norma op de foto van een magere man met abominabel slechte tanden.

'Oké,' zei James, die geen enkele complimenteuze opmerking kon bedenken voor de stomme, aan heroïne verslaafde loser die met een gelukzalige uitdrukking op zijn gezicht in de lens van de camera keek.

'Wat ziet hij er hier gelukkig uit, hè?' Norma probeerde zichzelf wijs te maken dat Stuart tijdens zijn korte leven ook momenten van geluk had gekend.

Ja, dacht James in stilte, hij is gelukkig omdat hij net heeft gescoord. Maar hij zei niets en Norma sloeg de bladzijde om. Op de volgende foto zaten Stuart en Jack op glimmende Raleigh-racefietsen in de achtertuin van het huis op nummer 10. De fietsen waren in een betere conditie dan de jongens; ondanks de grijns op hun gezicht zagen ze er allebei afgemat uit.

'Die fietsen hebben nog een hele hoop gezanik gegeven. Jack wilde er niet meer op rijden toen hij hoorde dat Trev, mijn overleden man, ze had gestolen bij Halfords. Trev was ontzettend gekwetst, want hij had er geweldig veel moeite voor gedaan – hij moest de juiste betonschaar regelen, het alarm in de winkel onklaar maken. Mensen denken altijd dat het makkelijk is om een crimineel te zijn, maar dan vergissen ze zich lelijk. Er komen allerlei voorbereidingen bij kijken, en dan natuurlijk alle kopzorgen. Ik bedoel, we hadden de jongens fietsen beloofd voor Kerstmis, maar Trev belde me pas op kerstavond om te vertellen dat er twee racefietsen in zijn busje stonden.'

James stak zijn armen omhoog en rekte zich genietend uit, lekker ontspannen op de zachte kussens van de bank. Eindelijk had hij een plek gevonden waar hij zich veilig voelde. Hij was hier bij soortgenoten.

'Norma,' zei hij, 'ken jij misschien iemand die een kamer te huur heeft?'

Norma streelde Stuarts gezicht op de foto. Toen hij nog leefde, wilde hij nooit aangeraakt worden. Veel van de vechtpartijen waar hij bij betrokken was geweest, waren veroorzaakt doordat iemand hem per ongeluk had aangeraakt.

'Zoek jij soms naar een kamer?' vroeg Norma.

'Ja. Mijn moeder is vannacht naar een verpleeghuis voor terminale patiënten gebracht.' James trok zijn zielige ik-ben-bijna-weesgezicht en deed alsof hij een traan wegpinkte. 'Ik kan niet in mijn eentje in dat lege huis blijven wonen, Norma.'

'Je hebt me verteld dat je moeder dood was,' zei Norma scherp.

James deed zijn huil-act door te denken aan de dag dat zijn hond, Sheba, door de melkboer was overreden. Hij huilde hete tranen.

Norma schrok zich een hoedje van dit naakte vertoon van emoties. Na een minuut sloeg ze een arm om zijn schouders. 'Is je moeder nou wel of niet dood?'

'Mijn echte moeder is dood,' snikte James, 'en mijn adoptiemoeder ligt op sterven.'

'Wat heeft ze?' informeerde Norma, die een kenner was op het gebied van fatale aandoeningen.

James haalde een keurig opgevouwen velletje keukenpapier uit zijn zak en veegde zijn ogen af. 'Leverkanker.'

Norma zag dat zijn lange zwarte wimpers nat waren en aan elkaar plakten. 'Zijn er uitzaaiingen?'

'Ja, een hele hoop,' snufte Jack. Hij had een levendige verbeelding en kon zijn niet-bestaande adoptiemoeder duidelijk voor zich zien in haar witte ziekenhuisbed. Ze leek een beetje op de stervende Evita zoals Madonna haar had gespeeld.

'Je mag wel een tijdje bij mij komen wonen, als je wil,' bood Norma aan. 'Je kunt in de ezelkamer slapen.'

'Ik rook weleens een joint, Norma,' bekende James. 'Dat helpt tegen mijn artritis.'

Norma, Trevor en Stuart hadden vaak samen een joint gerookt als Jack de deur uit was om naar een van zijn saaie clubjes te gaan – fotografie of stijldansen. Met weemoed dacht ze terug aan de keren dat ze samen met haar man en oudste zoon stoned was geworden. Het was zo gezellig geweest. En ook spannend natuurlijk, om met zijn drieën door het huis te stormen, ramen open te zetten en met luchtverfrisser te spuiten tegen de tijd dat Jack thuis zou komen.

Norma sloeg nog een bladzijde van het album om, en James was verbaasd toen hij het knappe, grijnzende gezicht van ex-president Bill Clinton zag. Op de achtergrond was de voordeur van Nummer 10 zichtbaar, en een politieman in hemdsmouwen, een kogelvrij vest en een helm.

Zuchtend wees Norma op de politieman. 'Ik kan het je net zo goed meteen vertellen,' zei ze op beschaamde toon. 'Dat is onze Jack, je hebt hem ontmoet. Hij is dan wel bij de politie, maar ik hou toch van hem.'

Het duurde even voordat James van de schrik was bekomen.

'Het is niet jouw schuld dat Jack zo is geworden, Norma,' zei hij troostend.

Het getjilp van het vogeltje in de keuken waarschuwde Norma dat het Peters etenstijd was. Ze stond op en schuifelde op haar pantoffels de kamer uit. James bleef achter met het album en slaakte de ene verbaasde uitroep na de andere bij het zien van de foto's van Jack Sprat samen met Nelson Mandela, Bobby Charlton, Liam Gallagher, Posh en Becks en nog een aantal anderen van wie de gezichten hem wel bekend voorkwamen maar die hij niet van naam kende.

Terwijl Norma zaad in Peters etensbakje strooide, hoorde ze James snel iets zeggen in zijn mobiele telefoon. 'We hebben een kamerbewoner, Pete,' zei ze. 'Hij heeft jonge benen, hij kan ons helpen en voor ons zorgen.'

'Norma,' riep James vanuit de zitkamer, 'vind je het goed dat ik een paar vrienden uitnodig om langs te komen?'

'Wat vind jij, Pete,' vroeg Norma aan de parkiet, 'zal ik zeggen dat het goed is?'

Maar Peter leek niet naar haar te luisteren dus haalde Norma haar schouders op. 'Ga je gang!' riep ze terug.

Ze ging naar boven om haar pantoffels voor schoenen met hoge hakken te verruilen. Het was lang geleden dat ze visite had gehad.

Veertien dagen voordat ze in het ziekenhuis overleed had Jacks tante Marilyn tegen hem gezegd: 'Het enige wat ik van je weet, Jack van ons, is dat je van bietjes houdt.' En het was zeker waar dat bietjes in hun gesprekken een belangrijke rol hadden gespeeld. Tijdens kerstdiners had Marilyn altijd geroepen: 'Verstop de bietjes, onze Jack is er!' of: 'Ik heb bietjes gekocht voor onze Jack, dus zeg maar dat hij mee kan komen.'

Er waren andere vrouwen, waaronder verschillende politievrouwen, die Jack Sprat niet kenden als een liefhebber van bietjes maar als een liefhebber van seks.

Jack had een studie gemaakt van erotische kunst en de psychologie van de vrouw, even grondig als hij zich verdiepte in alle andere onderwerpen waar hij belangstelling voor had. Hij had een gedetailleerde afbeelding van de vrouwelijke geslachtsdelen aangeschaft en een en ander uitgebreid verkend, zodat hij alles blindelings wist te vinden. Het verbaasde hem telkens weer dat hij vertrouwder was met de vrouwelijke genitaliën dan de vrouwen zelf.

Hij beschouwde het als vanzelfsprekend dat vrouwen geen idee hadden hoe ze met een penis moesten omgaan; ze behandelden het mannelijk lid als een torpedo die bij een stevige aanpak elk moment af kon gaan, of als een ouderwetse versnellingspook die zonder enig probleem naar alle kanten omgebogen kon worden.

De meeste vrouwen dachten met plezier aan Jack terug, want hij was dol op vrouwen en hun lichaam en hij vertelde hun bovendien eerlijk dat hij niet in staat was om van iemand te houden; het was een genetische afwijking en er was niets aan te doen. Hij moest gewoon wachten totdat de wetenschap iets ontdekte wat hem kon redden van een leven zonder liefde.

Jack en de premier kwamen onderweg naar Camden Town vast te zitten in een donkere, stilstaande metrotrein. De minister-president had een hekel aan het donker. Hij had een keer een rondleiding gekregen door een mijn die inmiddels alleen nog maar als museum dienstdeed, door een mijnwerker in een smetteloze mijnwerkersoverall en een glimmende helm op zijn hoofd. Eenmaal in de diepste schacht, toen ze in een ongemakkelijke houding door het beschermende perspex naar de steenkool keken, was het licht uitgevallen en was de premier in het anonieme aardedonker gaan gillen als een keukenmeid. De nepmijnwerker, zelf een museumstuk, was in lachen uitgebarsten. 'Wie is de bangeschijter, wie is er hier bang voor het donker?' had hij gevraagd.

De premier was niet moedig genoeg geweest om in die extreem masculiene ruimte op te biechten dat hij een bangeschijter was, en dat hij al sinds de dood van zijn mammie niet meer in een volledig donkere kamer had geslapen.

Hij en de anderen in de groep waren op hun hurken gaan zitten totdat er een noodgenerator naar beneden was gebracht.

Nu hing hij aan een lus aan het plafond van de metrowagon terwijl het zweet omlaag gutste tussen de stevig opgevulde cups van zijn vrouws push-upbeha. Een of andere gek begon te schelden op Sir Cliff Richard – hij beschuldigde hem ervan dat hij Hank Marvin onder dwang tot Jehovah's getuige had bekeerd.

Een eindje verderop in hun rijtuig zei een man met een bekakt accent: 'Dit is verdomme de laatste keer dat ik die klotemetro neem. Ik kruip goddomme nog liever op m'n blote knieën naar dat kloteCamden.'

'Alsjeblieft, Roddy,' zei een vrouwenstem huilerig, 'laten we naar het platteland verhuizen.'

Traag tikten de minuten voorbij, en de gestrande reizigers knoopten aarzelend gesprekken met elkaar aan. De gek richtte zich tot iedereen in het rijtuig om de passagiers te laten weten dat David Beckham de nieuwe Messias was en Jeremy Paxman de antichrist.

Er klonk een hoge fluittoon uit de luidsprekers, gevolgd door een laconieke stem met een Zuid-Londens accent. 'Dames, heren en anderen, tot onze spijt moeten wij u mededelen dat deze trein ongeveer twintig minuten stil zal staan. Dit is het gevolg van een incident dat door een van de reizigers is veroorzaakt. Namens London Transport onze excuses voor het ongemak.'

Slechts heel weinig mensen waren ooit binnen geweest in Jacks flat in Ivor Street in Camden Town. Hij vond de meeste mensen aardig, was op sommige mensen zelfs bijzonder gesteld, maar hij vond het onmogelijk om zijn woonruimte met een ander menselijk wezen te delen. Hij stoorde zich zelfs aan de kleinste details. Het deed hem pijn als een handdoek niet precies in het midden van het verwarmde rek in de badkamer hing en hij gruwde ervan als een jampot niet keurig op hoogte was gerangschikt naast de andere potten in zijn vlekkeloos schone keukenkastje. Elk voorwerp in de vier kleine kamers van zijn woning had een vaste plek, en dat luisterde bijzonder nauw. Jack was altijd het gelukkigst als elke lepel keurig in de bestekla lag en elke cd keurig in het op alfabetische volgorde gerangschikte rek zat.

Ooit had hij chaos in zijn woning toegelaten in de vorm van Gwendolyn Farmer, een buitengewoon knappe maar erg volhardende vrouw met wie Jack in 1998 verkering had gehad, in de tijd dat hij op New Scotland Yard werkte en afgeluisterde telefoongesprekken moest beoordelen. Gwendolyn had hem ervan beschuldigd dat hij getrouwd was. Wat kon anders de reden zijn dat hij haar nooit bij hem thuis uitnodigde? Ze woonde niet meer dan tien minuten bij hem vandaan, dus waarom gingen ze dan altijd naar haar huis om energiek en vindingrijk de liefde te bedrijven?

Op een onbewaakt moment had Jack zich gewonnen gegeven en haar bij hem thuis uitgenodigd, maar al een halfuur nadat ze binnen was komen lopen (waarbij ze de deurmat had verplaatst en een kussen op de bank iets te ver naar rechts had geschoven), was het uit tussen hen.

In Jacks rustige en pijnlijk keurige woonomgeving leek Gwendolyn net een olifant in de porseleinkast. Ze bracht rommel en kabaal met zich mee – planeten botsten tegen elkaar, de zon draaide om de aarde, rivieren veranderden van stroomloop, honden deden het met katten, de doden kwamen tot leven en de tijd liep terug.

Gwendolyn heeft nooit geweten waar ze in de fout ging. Voor haar gevoel was ze een onnatuurlijk schone en nette woning binnengekomen, waarop ze haar jas over een stoel had gegooid, haar schoenen uit had geschopt, en zich met een sigaret op de bank had genesteld om Jack over haar dag bij Vermiste Personen te vertellen.

'Hij werd zo wit als een doek,' bekende ze een collega de volgende dag in tranen, 'hij begon te trillen en toen vroeg hij of ik alsjeblieft weg wilde gaan. Wat heb ik nou verkeerd gedaan?'

Het liefst zou Jack de premier hebben gevraagd om buiten op hem te wachten, op straat, maar de arme drommel in zijn bespottelijke uitdossing zou een makkelijke prooi zijn voor ongure passanten. Jack wapende zich en liet de premier binnen in de kleine hal voordat hij zelf naar binnen ging en de deur achter zich dichtdeed.

'Hemel, wat heb jij een hoop boeken,' merkte de premier op. 'Heb je ze allemaal gelezen?'

'Nee meneer, ik gebruik ze als geluids- en warmte-isolatie,' antwoordde Jack op sarcastische toon.

De premier was haast opgelucht. Hij wist niet precies waarom, maar hij zou het niet prettig hebben gevonden om een week lang samen te zijn met een man die daadwerkelijk de verzamelde werken van Marx, Engels en Winston Churchill had gelezen.

'Wat zijn ze keurig gerangschikt,' zei de premier terwijl hij met een hand over Jacks kostbare boeken streek.

'Het deweysysteem, meneer.' Jack slikte moeizaam toen hij zag dat zijn gast Tom Paines *The Rights of Man* uit de kast had gehaald en het boek op de verkeerde plek terugzette, tussen *The English* van Jeremey Paxman en Jennifer Patersons kookboek *Two Fat Ladies*. Jack liet de premier achter bij zijn verzameling cd's in de woonkamer en haastte zich naar de slaapkamer om een tas in te pakken. Uit de kast met vrijetijdskleren koos hij een van de drie in plastic hoezen van de stomerij opgehangen jacks, een warm exemplaar van suède, en binnen vijf minuten was hij terug in de woonkamer en stuurde hij de premier in de richting van de deur.

'Er is dus geen Mrs. Sprat?' zei de premier toen ze op bus nummer 73 naar King's Cross stonden te wachten.

'Nee meneer,' zei Jack.

De premier gebaarde naar de rij wachtende mensen. 'Je moet echt ophouden me "meneer" te noemen,' fluisterde hij, 'zo verraad je alles. Noem me maar Edward. Of nee, misschien is Edwina onder deze omstandigheden beter.' Hij lachte zijn meisjesachtige lachje. 'Mogen we straks boven in de bus zitten?'

In stilte oefende Jack 'Edwina' bij zichzelf.

De menigte in het King's Cross-station deed denken aan een massascène uit een oude Russische film over de Oktoberrevolutie; de verwarring en wanhoop waren vergelijkbaar. Vlak buiten het Peterborough-station was een trein ontspoord, en in combinatie met een computerstoring bij de verkeersleiding in Swanwick had dit geleid tot grote drommen mensen die allemaal met de nachttrein naar Edinburgh wilden. Jack nam de premier bij de hand en trok hem door de mensenmassa.

Een toeschouwer zou hebben gezien dat een zorgzame echtgenoot zich over zijn nerveuze vrouw ontfermde. Iemand die beter keek, zou vrijwel zeker hebben gezien dat de vrouw een nogal grote adamsappel had, die hier en daar niet goed was geschoren.

Jack keek naar de borden met vertrektijden en zag dat de trein naar Edinburgh die ze hadden willen nemen met onbepaalde tijd was vertraagd. Er waren nergens zitplaatsen, dus gingen ze in arren moede maar op de grond zitten. Tijdens het eindeloze wachten liet Jack de premier een paar keer alleen bij de bagage om aan te sluiten bij de lange rijen mensen die versnaperingen wilden bemachtigen.

Soms vergat de premier dat hij een vrouw was en zat hij met zijn benen wijd uit elkaar, zijn pruik scheefgezakt, totdat Jack hem vriendelijk aan zijn nieuwe sekse herinnerde.

Een oude dame die op haar koffer zat sprak de premier aan. 'Ik heb £130 voor mijn kaartje betaald en ik zit hier al vijf uur te wachten, zonder mededelingen, zonder assistentie van het personeel. Sterker nog, er is helemaal geen personeel. Mussolini zorgde er in elk geval nog voor dat de treinen op tijd reden. Wat we in dit land nodig hebben, is een dictator.'

Pas om vijf uur 's ochtends konden ze eindelijk in een trein stappen. Jack hees de beide tassen over zijn schouder en trok de premier mee door de duwende mensen die op een zitplaats aasden. Ze liepen door het gangpad op zoek naar twee plaatsen naast elkaar en namen uiteindelijk schuin tegenover elkaar plaats aan een tafel voor vier. Een van de twee andere passagiers, een somber kijkend individu in een camouflagejack, pakte een plastic tas met zes grote blikken McEwan's extra sterk bier en zette die voor zich op de tafel. De vierde persoon aan hun tafeltje, een jonge vrouw met een streng geometrisch kapsel, pakte haar boek, *Management Systems in a Globalised World,* en sloeg het open.

Al snel waren alle plaatsen in het rijtuig bezet, maar er bleven mensen binnenkomen, zeulend met zware koffers, tassen en onhandige pakketten.

Een paar keer werd de pruik van de premier bijna van zijn hoofd gestoten, totdat Jack voorstelde om van plaats te ruilen. De premier moest zich inhouden om de vrouwen die moesten staan zijn plaats niet aan te bieden, want dit was in strijd met zijn goede manieren. Toen bedacht hij dat hij nu zelf een vrouw was, en dat vrouwen zoals Adele bovendien jarenlang hadden gevochten voor het recht om in bussen en treinen te mogen staan terwijl mannen bleven zitten.

Hij drukte zijn neus tegen het raam en tuurde naar buiten, waar de grijze dageraad boven Noord-Londen aanbrak. Hij verbaasde zich over de troep in de achtertuinen van de huizen waar ze langs reden en over de staat van verval waar de schuurtjes in verkeerden. Waarom waren er zoveel mensen die oude koelkasten en gasfornuizen en andere rommel verzamelden in hun achtertuin? Dachten ze soms dat deze apparaten in de toekomst misschien nog van pas zouden komen? Hij vroeg Jack naar zijn mening.

De man met het camouflagejack vertelde hoe hij erover dacht. 'Het kost je verdomme £150 om een afvalcontainer te huren sinds die kloteregering belasting heft op het storten van afval.'

Vervolgens stelde hij zichzelf voor. Hij heette Mick en ging naar Edinburgh voor de bruiloft van zijn broer. Hij informeerde wat de premier daar ging doen.

De minister-president sloeg zijn ogen neer en gaf heel zacht antwoord. 'Ik ga op zoek naar het graf van mijn moeder.'

'Dat lijkt me niet makkelijk,' zei Mick, slurpend uit het derde blik. 'Is dat je man?' Hij knikte naar Jack.

'Nee,' loog de premier, 'Jack is mijn broer.'

'Waar is je man dan?' drong Mick aan.

'Ik ben niet getrouwd.' Liegen ging Edward makkelijk af. Hij vond het veel moeilijker om de waarheid te vertellen. In zijn politieke wereld kon hij met één ware uitspraak de waarde van het pond doen stijgen of kelderen.

'Ik heb nooit geluk gehad met vrouwen,' vertelde Mick met een stem die droop van zelfmedelijden. 'Ik snap niet wat ik verkeerd doe. Ik neem ze mee uit, ik trakteer ze op drankjes, bier, wijn, sterkedrank, zelfs cocktails. Ik wil ook best iets te eten voor ze kopen als ze honger hebben. Kun jij me uitleggen wat ik verkeerd doe, schattebout?'

De jonge vrouw met het strenge kapsel mompelde 'Jezus' bij

zichzelf en liet de rug van haar boek kraken.

Mick ratelde verder. 'Mijn broer zou niet met dat mens moeten trouwen, het is een trut uit Easterhouse. Het is haar alleen maar om z'n geld te doen. Hij is onderaannemer.'

'Waarin?' vroeg de premier.

'In van alles en nog wat,' antwoordde Mick lachend. 'Hij hoeft nooit te werken omdat hij het werk uitbesteedt bij een andere onderaannemer, en die besteedt het óók weer uit aan een andere onderaannemer – kun je me nog volgen?' Mick lachte lang en hard.

Jack sloot zijn ogen en liet zichzelf half in slaap sussen door het ritme van de trein die over de door een onderonderonderaannemer gelegde rails ratelde. Hij hoorde Mick tegen de premier zeggen dat ze een man 'heel gelukkig' zou maken door met hem te trouwen en of het geen leuk idee was om samen iets te gaan drinken na de bruiloft van zijn boer? Sterker nog, waarom ging Edwina niet mee naar de bruiloft van zijn broer? Hij zou zo trots zijn als een pauw als hij met Edwina aan zijn arm de kerk binnen kon lopen. Hij zou zijn broer nu meteen bellen en een extra corsage bestellen.

'Dat is ontzettend aardig van je,' hoorde Jack de premier stamelen, 'maar ik ben maar heel kort in Edinburgh, weet je, en Jack en ik hebben een eh... erg druk programma, weet je, dus nogmaals, het is erg aardig van je, maar je hoeft echt geen extra corsage te bestellen.'

Helaas reageerde Mick er niet goed op. Hij was beledigd.

De premier vroeg de vrouw naast hem of hij er even langs mocht. Met grote tegenzin stond ze op, en ze bleef met haar mobiele telefoon in de hand staan. Ze was net bezig met een sms'je, en haar behendige vingers bleven woorden vormen terwijl de premier langs haar heen strompelde, onderweg naar de wc aan het andere eind van het rijtuig. Hij had behoefte aan een rustig plekje om na te denken, niet alleen over de belasting op het storten van afval en de ontsierende gevolgen daarvan, maar ook over het alarmerende feit dat hij zich in de kleren van zijn vrouw prettiger voelde dan in zijn eigen pakken.

Hij ging op het wc-deksel zitten en zocht in zijn schoudertas naar zijn lippenstift en pancake. Het was ruim tien uur geleden dat hij zich voor het laatst had geschoren en zijn baard begon zichtbaar te worden. Hij smeerde de pancake over zijn gezicht en wreef net zo lang totdat de make-up op een biscuitkleurig masker leek, waarna hij zijn mond zorgvuldig kleur gaf met de lippenstift. Kijkend in de spiegel oefende hij een paar vrouwelijke uitdrukkingen.

Ook de zwarte krullen moesten gefatsoeneerd worden, want de pruik bleef de hele tijd opzij zakken. Hij kwam tot de conclusie dat hij zich meer een blondine dan een brunette voelde, en besloot Jack op pad te sturen om een nieuwe pruik te kopen als ze eenmaal in Edinburgh waren, iets à la Marilyn Monroe in *Some Like it Hot,* een film die hem nu nog veel meer aansprak dan vroeger. En als Jack dan toch de stad in ging, kon hij net zo goed wat nieuwe en spannender kleren aanschaffen. Hij wilde zich best een week lang als vrouw verkleden, maar dan wel als een sensuele en aantrekkelijke vrouw. Het was gewoon zonde om saaie en degelijke kleren te dragen nu hij een week lang vrouw kon zijn. Hij had nog steeds de pest in dat hij zich had laten overhalen om geen hoge hakken aan te trekken. Met een beetje oefening was het hem heus wel gelukt om erop te lopen.

Jack maakte van de afwezigheid van de premier gebruik om een hartig woordje met Mick te wisselen. Hij boog zich naar hem opzij en zei met een heel zachte, dreigende stem: 'Als je nog één woord durft te zeggen tegen mijn zus, ruk ik je kop van je schouders en verkoop ik je met huid en haar aan de dierentuin als leeuwenvoer.'

Een van de weinige dingen die Jack over Edinburgh wist, afgezien van het bestaan van Arthur's Seat en het jaarlijkse festival, was dat er een dierentuin was.

Mick nam een slok uit zijn vijfde blik en knikte eerbiedig. Hij zou hetzelfde hebben gedaan als zijn eigen zus door een vreemde in de trein voor een bruiloft was uitgenodigd.

Er werd woedend op de wc-deur gebonsd. 'Wat vreet je daar godsamme al die tijd uit?' schreeuwde een stem met een plat accent.

Maar de minister-president stond zijn tanden te poetsen en kon nog niet ophouden. Hij was pas bij 122 en had nog 78 poetsbewegingen te gaan. Onder het poetsen dacht hij aan Adele, en hij vroeg zich af hoe ze zou hebben gereageerd op het nieuws dat hij in een bunker zat en een week lang 'incommunicado' zou zijn. Sinds hun eerste ontmoeting was er nooit een dag – zelfs nog nooit een halve dag – voorbijgegaan zonder dat ze elkaar hadden gesproken. Hij hoopte dat ze niet zou vergeten haar medicijnen in te nemen. Zonder die pillen werd ze een heel ander iemand – niet de zelfbewuste beroemdheid die hij kende en beminde, een vrouw die als een kolossus over het internationale podium beende, maar een zielig jammerend schepsel dat in bed lag te snikken omdat haar dijen zogenaamd te dik waren. Hij zou Jack vragen of het mogelijk was om Wendy te bellen en haar te vragen om te waken over Adele en erop toe te zien dat ze twee keer per dag haar vijfentwintig milligram lithium innam.

Jack leunde met zijn ogen dicht achterover en luisterde naar de jonge vrouw tegenover hem die met haar mobiele telefoon het ene kantoor na het andere belde. 'Fergus, ik zit in de trein. Luister, ik kan niet op tijd zijn voor de bespreking met die lui van de kippen zonder snavels en poten, de kippenvlees-lui, dus zul jij het van me over moeten nemen. Ik reken erop dat ze van een sterfte van een op de vijf uitgaan. Flauwekul. Als die kippen geen poten hebben, blijven ze heus nog wel achtenveertig uur langer in leven, dus voor een vast bedrag per lading van... Hallo, hallo? Fergus, je valt steeds weg...'

'Ik hou altijd wel van een lekker stukje kip,' merkte Mick op.

Toen Jack na een rusteloos dutje wakker werd, zag hij dat ze door Northumbria reden. De vloer van het rijtuig lag bezaaid met lege verpakkingen, en bekertjes van piepschuim rolden heen en weer door het gangpad als bosjes amarant door de straten van een winderig stadje in het Wilde Westen. Er hing een lucht van vette snacks en menselijke ranzigheid. Jack had graag even zijn benen willen strekken, maar toen hij omkeek zag hij dat hij over slapende passagiers en hun bagage heen zou moeten stappen. Hij zou blij zijn als ze in Edinburgh waren – hij had altijd een hekel gehad aan het platteland. Toen hij klein was, dreigde zijn moeder dat ze hem er voor straf naartoe zou sturen. 'Als je niet lief bent, stuur ik je naar het platteland.'

HOOFDSTUK 7

Norma had eigenlijk nooit veel met buitenlanders te maken gehad. Vroeger had je Zwarte Charlie bij de arbeidersvereniging – dat was me een portret, hij maakte altijd grapjes dat hij niet in de zon hoefde te liggen om bruin te worden, en hij werd nooit kwaad als mensen bananen naar hem gooiden. Maar sinds Charlie zomaar opeens gek was geworden en onder politiebegeleiding naar The Towers was afgevoerd, had Norma weinig contact gehad met zwarte, bruine of gele mensen. En nu leek het opeens of haar hele zitkamer er vol mee zat. Als haringen in een ton. Twee jongelui zaten met bungelende benen op Jacks bureau en lachten om een verhaal dat James vertelde over een Mercedes C-klasse die hij eens had geleend toen de auto geparkeerd stond voor het clubgebouw van de vrijmetselaars en later van het hoofd van de narcoticabrigade bleek te zijn.

'Wat stout van je, James!' zei Norma. Ze wist best wat 'lenen' betekende.

James zat in kleermakerszit op de grond en stond nu op om haar een kus op haar wang te geven. 'Sorry, moeder,' zei hij, en daar voegde hij toen ze nog lachte aan toe: 'Moeder, vind je het vervelend als we hier roken?'

In eerste instantie begreep Norma niet goed wat hij bedoelde aangezien de meeste jongens die op bezoek waren al rookten; de kamer stond blauw van de rook, en Norma had op dat moment zelf een brandende sigaret in haar hand.

'Je hebt toch geen bezwaar tegen een beetje wiet, moeder?'

Norma had nog niet zo lang geleden in het journaal gezien dat politieagenten in Brixton marihuana rookten als ze buitendienst hadden omdat het hielp tegen reumatische pijnen. 'Nee hoor, ga je gang,' zei ze. 'Steek er maar een op, dan neem ik zelf ook een trekje.'

Enkele uren later omhulde een dikke wolk van marihuanarook Peters kooi in de keuken. Het vogeltje zat te slapen op zijn stokje en had een schitterende droom: hij vloog door de lucht, hoog boven de Blue Mountains in Australië, een land waar hij nog nooit was geweest maar altijd naar had verlangd.

Jack had zich vrijwel nooit misdragen. Hij had één keer geweigerd om naar de winkel te gaan voor Norma's sigaretten omdat hij *De druiven der gramschap* op twee bladzijden na uit had, en het was ook een keer voorgekomen dat hij zijn moeders geld voor het zwembad aan een woordenboek had uitgegeven. Maar vergeleken met Stuart, die vrijwel zijn hele jeugd had gevochten en geschreeuwd, was Jack een heilige geweest – netjes, schoon, beleefd en rustig. Hij leek geen behoefte te hebben aan vrienden, hoewel er soms werd aangebeld door een jongen die John Bond heette. Meestal gingen ze dan samen naar de bibliotheek, of ze zaten te praten op Jacks kamer. Norma had een keer aan de deur geluisterd naar hun gesprek. Het ging over onbegrijpelijke dingen, ze gebruikten een vocabulaire die ze niet kende. Het was wel Engels, maar ze had zelfs niet kunnen zeggen waarover het ging als ze bamboescheuten onder haar vingernagels hadden geduwd. Soms vroeg ze zich af of Jack wel normaal was. Een leraar op zijn lagere school had tijdens het kerstconcert een keer tegen haar gezegd dat Jack een echte bibliofiel was. Ze had woedend gereageerd. 'Hij weet niets van seks, laat staan hoe je het doet!' Maar de leraar had uitgelegd dat 'bibliofiel' betekende dat Jack erg van boeken hield en dat Norma trots op hem kon zijn.

De trein stopte op het station van Newcastle. Vermoeide reizigers verzamelden hun bezittingen, zoals hen door een stem uit de luidsprekers werd verzocht, en gingen in de rij staan om uit te stappen. De jonge vrouw haalde een heel klein koffertje uit het bagagerek en deed haar laatste telefoontje vanuit de trein. 'Piers, ik sta op het punt om uit die kuttrein te stappen. Luister, doe me een lol en ga op het internet op zoek naar "kippenogen". Ja, of misschien bij "optische afvaldistributie" of zoiets. Ik ben op zoek naar een afzetgebied. Op dit moment beschouwen we de ogen als afval, maar misschien is er wel een markt voor. Het Midden-Oosten, bijvoorbeeld, ik noem maar wat, en als er echt niets mee te doen is zullen we kippen zonder ogen moeten gaan fokken. Die stomme beesten hebben geen ogen nodig, ze gaan toch nergens naartoe – ik bedoel, ze zitten echt geen borduurwerkje te doen als ze op de bijl wachten. Ja, ik weet wel dat het om een kleine hoeveelheid gaat, maar we hebben vijftig kuub over in de vriezers en die kunnen we best gebruiken. Het zou weleens een winstgevende business kunnen zijn.'

Jack dacht aan de kippen zonder ogen, snavels en poten waar de jonge vrouw in handelde. Niet voor het eerst vroeg hij zich af of er voor dat soort dieren wel een god was.

Toen de jonge vrouw met haar koffer op wieltjes wegliep over het perron, zei Jack: 'Ik ben blij dat ik niet een van haar kippen ben, Edwina.'

'We kunnen niet sentimenteel gaan worden over dieren, Jack,' antwoordde de premier. 'Deze jonge vrouw heeft de ware ondernemersgeest. Ons land heeft juist meer mensen zoals zij nodig.'

Maar de volgende keer dat de premier in slaap dommelde, ergens in de buurt van Berwick-upon-Tweed, had hij een nachtmerrie van drie seconden: een blinde kip bestuurde de trein en ze stoven met een snelheid van 150 kilometer per uur langs rode seinen.

Jack, die van plaats had geruild met de premier, had gehoopt dat er niemand meer naast hem zou komen zitten, maar toen de trein sneller ging rijden en een bocht nam, waardoor de blikjes McEwan's aan de rol gingen en een niet onplezierig tinkelend geluid maakten, sjokte een dikke man door het gangpad. Naast Jacks bankje bleef hij staan. 'Is deze plaats bezet?' informeerde hij met een wonderlijk hoge stem.

De man zette zijn laptop op de tafel en perste zich in de zitplaats. De rand van de tafel sneed in zijn dikke buik. Een marineblauwe das met een patroon van gekruiste golfclubs hing omlaag van de veel te strakke boord van zijn witte overhemd. Jack vroeg zich af waar de man het marineblauwe pak had gekocht; er was genoeg stof in verwerkt om er een windjammer mee op te tuigen.

Jack vond de hijgende ademhaling van de dikke man nogal alarmerend, maar het bleek de aanloop naar een mededeling te zijn. 'Wacht ik urenlang op een ernstig vertraagde trein, en als dat ding dan eindelijk het station binnenrijdt, sta ik net in de rij voor een broodje. Echt iets voor mij.'

Jack had geen zin om te praten, dus nadat hij even had gelachen om de ironie van het feit dat je je moest haasten voor een trein die zes uur te laat was, deed hij zijn ogen dicht, wat in elke cultuur betekent dat je geen zin hebt om een gesprek te voeren. Maar de dikke man had zich door zijn afmetingen gedwongen gezien om de rol van gezellige dikzak te spelen en kon zijn mond niet houden.

De premier werd wakker en zag dat Mick op de schouder van Adeles zijden broekpak kwijlde. Zacht duwde hij Micks hoofd weg, maar het rolde door zijn eigen gewicht weer terug.

Op tafel lag een visitekaartje. Derek F.M. Baker, financieel adviseur, gespecialiseerd in pensioenen. Derek Baker legde Jack net uit dat hypotheken in de vorm van een levensverzekering in een kwaad daglicht waren komen te staan maar voor de beginnende huizenbezitter nog steeds een goede mogelijkheid waren.

Jack had het gevoel dat hij figurant was in een cowboyfilm en in een treinwagon zat te luisteren naar een handelsreiziger met een grote stetson die slangenolie verkocht.

Toen Derek besefte dat Jack niet van plan was om een nieuwe hypotheek af te sluiten voor zijn 'Londense onroerend goed', informeerde hij naar Jacks financiële toekomst. Toen Jack zei dat alles 'prima geregeld' was, reuze bedankt, hief Derek waarschuwend een worstenvinger. 'Aha, maar is uw oude dag wel "geregeld"? U kunt wel negentig worden, misschien zelfs honderd. Betaalt uw pensioenverzekering het verzorgingshuis van uw keuze? Of wordt u in een staatstehuis gegooid waar u langzaam wegrot?'

De premier kon het niet zwijgend aan blijven horen. 'Neem me niet kwalijk, Mr. Baker, maar ik moet u op een aantal onjuiste feiten wijzen. In de eerste plaats heeft deze regering een aanvullend pensioen in het leven geroepen waar iedereen aan mee kan doen, ongeacht het inkomen, en de premie is bovendien aftrekbaar van de belasting. En in de tweede plaats, wat misschien nog belangrijker is, heeft dit land nog nooit een regering gehad die zoveel heeft gedaan om sparen voor de oude dag te bevorderen én belastingtechnisch te ontzien, en dan heb ik het nog niet eens over de ingrijpende herziening van het stelsel van oudedagsvoorzieningen.'

Derek F.M. Baker was niet stomverbaasd dat deze wonderlijk uitziende vrouw zoveel van de pensioenpolitiek bleek te weten, maar hij was wel onder de indruk van haar kennis. Jammer dat ze zo'n last had van overmatige gezichtsbeharing, maar op dat gebied kon ontharingscrème wonderen doen.

'Zit u toevallig zelf in zaken, eh...' vroeg Baker.

'Edwina,' vulde de premier vriendelijk aan. 'Nee. Ik ben...' Er was een lichte aarzeling, en Jack vroeg zich af wat de premier had gekozen. Voor hun vertrek uit Downing Street twijfelde hij nog tussen ambtenaar, huisvrouw of hoogleraar politicologie.

'Ik ben actrice,' zei de premier, en koket streek hij een zwarte krul uit zijn oog.

'Ik wist wel dat ik je ergens van kende!' riep Baker uit. 'Waar heb ik je in gezien?'

Tegen de tijd dat de trein tot stilstand kwam op het Waverleystation in Edinburgh had de premier een hele toneelcarrière verzonnen, van de strijd die hij als beginner had moeten voeren bij een repertoiregezelschap tot en met dinertjes in The Ivy met Maggie Smith en bezoekjes aan het tuincentrum samen met Judi Dench.

Jack was ervan onder de indruk dat de premier zich zo ongeremd kon laten meeslepen door zijn eigen fantasie en schrok niet eens zo heel erg door wat de minister-president tegen hem zei toen ze uit de trein stapten. 'Ha, eindelijk zijn we in Edinburgh. Hier heb ik in 1982 nog een prijs voor de beste vrouwelijke hoofdrol in ontvangst genomen.'

Ze vonden het allebei niet fijn dat ze een kamer moesten delen. Dat was echter een van de regels die ze met Alexander McPherson hadden afgesproken – Jack mocht de premier geen moment uit het oog verliezen, behalve als deze naar de wc moest.

De receptionist in het Caledonian Hotel was wel gewend aan vreemde gasten. Hemel, de figuren die tijdens het festival naar Edinburgh kwamen, dan leek de lobby net de recreatieruimte van een gekkengesticht! Vandaar dat de verdwaasd kijkende vrouw en de lange, ernstige man hem eigenlijk nauwelijks opvielen. Hij was een keer naar een kamer geroepen waar hij een man aantrof die een kreeft aan het koken was op een primus. De man had hevig verontwaardigd gereageerd toen hij te horen kreeg dat het verboden was om op de kamers eten te koken. 'Weet je wel hoeveel ze in de eetzaal voor een kreeft durven vragen?' Vandaar dat hij geen spier vertrok toen de heer en mevrouw Sprat de receptie belden en vroegen om een meetlint en een lijst van de crematoria in Edinburgh.

Jack ging naar warenhuis Bentley's op de Royal Mile om naar een Marilyn Monroe-pruik te zoeken. De jonge verkoopster wist nauwelijks wie Marilyn Monroe was en had *Some Like it Hot* nooit gezien, dus moest Jack zelf alle pruiken bekijken. Tot zijn ergernis bleek één maat iedereen te passen – hij had zich de moeite om het hoofd van de premier op te meten kunnen besparen en evenmin eeuwen op een meetlint hoeven wachten.

Toen de pruik was ingepakt en betaald, bekeek Jack het lijstje dat de premier aan de toilettafel op briefpapier van het hotel had geschreven.

1. Een sexy jurkje, maat 42. Moet glamourous zijn, glimmend of met lovertjes, passend bij actrice/cocktailparty.

Na lezing van dit eerste punt had Jack de premier erop gewezen dat actrices overdag zelden van dat soort kleren droegen. Hij had Juliet Stevenson een keer gezien in Waterstones op Trafalgar Square. Ze droeg toen een oude bruine jas en een plastic draagtas van de Kwik Save. Maar de minister-president hield voet bij stuk, zodat Jack voorstelde om dan twee jurken te kopen. Vandaar het tweede punt op het lijstje:

2. Een japon voor overdag met een nauwsluitende taille en een wijd uitwaaierende rok van een soepele stof die golft als je loopt.
3. Schoenen: BESLIST hoge hakken met enkelbandjes of een open teen.
4. Lange jas: Bont? Leer? Dierenhuid? Slangenhuid?

5. Zonnebril.
6. Diamanten.

Jack had opgemerkt dat de premier erg veel harige huid zou laten zien, dus belde de premier de balie en vroeg de receptionist om iemand naar Boots te sturen om vier tubes ontharingscrème te kopen.

Een uur later, toen Jack de crème met een klein spateltje in de knieholtes van de premier aanbracht, bedacht hij in stilte dat dit avontuur met de minuut surrealistischer werd. Jack ging de stad in met het boodschappenlijstje toen de premier onder de douche stond om de witte crème van zijn inmiddels vrijwel geheel haarloze lichaam te spoelen.

Jack had een hekel aan winkelen. Hij ging twee keer per jaar naar Marks & Spencer, in april en november, om passende kleren voor het seizoen te kopen, waarbij hij zelfs rekening hield met extreme kou en extreme hitte. Neutrale kleuren genoten zijn voorkeur – hij kocht nooit marineblauw, want die kleur associeerde hij met werk en verplichtingen. Hij had het gevoel dat hij onopvallend was in zijn kleren van Marks & Spencer, haast onzichtbaar. Opvallende kenmerken had hij niet; zijn gelaatstrekken waren in evenwicht in zijn alledaagse gezicht. Hij had het soort ogen, neus, mond en oren dat Marks & Spencer zou kunnen verkopen, als dat soort dingen verkocht konden worden.

Jack bestudeerde het bord met de verschillende afdelingen bij de roltrap van het warenhuis en ging naar de afdeling met feestkleding voor dames op de tweede verdieping. Er waren ook andere mannen op deze afdeling, ontevreden en misplaatst, die op speciaal voor hen neergezette stoelen zaten. Een van hen deed de kruiswoordpuzzel in de *Daily Telegraph*. Toen Jack langs hem liep, keken ze elkaar even aan en de man sloeg zijn ogen neer alsof hij zich schaamde. Jack begon de jurken in maat 42 op de rekken te bekijken en haalde er uiteindelijk drie uit die aan de beschrijving van de premier voldeden. Nadat hij er nog een minuutje peinzend naar had gekeken, viel zijn keus ten slotte op een nauwsluitende rode jurk met lovertjes, langs de zoom en de halslijn afgezet met chiffon. Met deze jurk over zijn arm ging Jack naar de afdeling met gewone dameskleren. Opnieuw verzamelde hij alle beschikbare japonnen in maat 42. Jack had mazzel, want de zigeunerlook was in de mode; hij kon kiezen uit een keur aan vrouwelijke jurken met aangerimpelde stroken. Uiteindelijk koos hij een veelzijdig exemplaar dat net zo min uit de toon zou vallen op een kerkhof als in een bus of in een volkswijk. Zwart was een gewaagde keus, maar hij dacht dat zwart goed zou staan bij het nieuwe blonde haar van de premier.

Tijdens Jacks afwezigheid had de minister-president de receptie gebeld om te vragen of er toevallig Rodeo toiletpapier beschikbaar was. 'Dan zult u de huishoudelijke dienst moeten bellen,' zei de receptionist, die inmiddels begon te vermoeden dat er een grap met hem werd uitgehaald. Nadat hij had neergelegd keek hij om zich heen, op zoek naar verborgen camera's, er bijna van overtuigd dat hij heimelijk werd gefilmd voor een Banana Split-achtig programma.

Toen Jack beladen met plastic tassen terugkwam, kende het enthousiasme van de premier geen grenzen. Hij droeg de witte badstof badjas die door het hotel beschikbaar was gesteld. Een geplastificeerd kaartje in de zak waarschuwde gasten om de badjas vooral niet te stelen, maar natuurlijk niet in van die ondubbelzinnige, onbeleefde woorden. Er stond: 'Indien u deze badjas wilt kopen, zullen wij £55 plus BTW op uw rekening zetten.' Onder de badjas gloeide het lichaam van de premier. Hij had zich niets aangetrokken van de waarschuwing in de gebruiksaanwijzing van de ontharingscrème om na het ontharen vooral geen huidverzorgingsproducten te gebruiken. Verrukt over de haarloosheid van zijn lichaam had hij het mandje met gratis toiletartikelen in de badkamer geplunderd. Nadat hij zich helemaal had ingesmeerd met de bodylotion, gebruikte hij ook de vochtherstellende proteïnegel. Met wattenstaafjes maakte hij zijn neusgaten en oren schoon. Hij kneep het flesje met conditioner uit boven zijn haar en droeg nu de douchemuts. Zelfs het kleine naaisetje kwam goed van pas – hij had de bandjes van Adeles beha korter gemaakt, blij dat een lerares op school de vooruitziende blik had gehad om haar leerlingen naailes te geven. Hij vijlde zijn nagels met de kartonnen wegwerpvijl en poetste de schoenen van zijn vrouw met het geïmpregneerde lapje. Toen hij daar helemaal mee klaar was, nam hij de tijd om zich heel grondig te scheren voor de scheerspiegel, die elke haar, elke porie en elke oneffenheid in zijn gezicht enorm vergrootte. Hij maakte van de gelegenheid gebruik om zichzelf zorgvuldig te onderzoeken. Was hij een goed mens? Was hij eerlijk? Verdiende hij het vertrouwen van het Britse volk? Was het terecht dat president Bush hem zijn vriend had genoemd? Het was een tikkeltje ontmoedigend om in de vergrotende spiegel te zien dat zelfs grondig scheren geen babyhuidje opleverde. Hoe hard en langdurig hij ook schraapte, de stoppels bleven zichtbaar.

Jack legde de inhoud van de tassen op het bed van de premier. De flonkerende diamanten – een setje bestaande uit oorbellen, een ketting en een ring voor £33,50 in totaal – zagen er in het licht van het leeslampje boven het hoofdeinde van het bed indrukwekkend duur uit.

Vermoeid trok Jack zijn schoenen uit en ging op zijn eigen bed liggen met zijn hoofd steunend in zijn hand, van plan om toe te kijken hoe de premier zichzelf omtoverde in Edwina St. Clare, de lieveling van het Britse theaterpubliek.

Maar het maakte de premier verlegen. 'Niet kijken, Jack,' zei hij koket.

Met zijn rug naar de premier gekeerd keek Jack naar het nieuws op CNN. Een onberispelijk opgemaakte en gekapte Amerikaanse vrouw vertelde de televisiekijkers: 'Edward Clare, de Britse minister-president, neemt deel aan het testen van een postnucleaire commandopost van de regering. Volgens een niet nader genoemde goede bekende van het gezin is Adele Clare-Floret, de echtgenote van de premier, buiten zichzelf van woede.'

Jack keek over zijn schouder om te zien hoe de premier op dit verontrustende nieuws reageerde, maar hij was in de badkamer en de deur zat dicht. Jack zette de televisie uit en deed zijn ogen dicht.

Nadat aan elk detail aandacht was besteed en de laatste hand was gelegd aan het opdirken en optutten – de bandjes van de hooggehakte schoenen waren verschillende keren versteld, het gezicht was opgemaakt en de pruik was losgewoeld tot een lekker rommelig Monroe-koppie – ging de deur van de badkamer open en zei de premier: 'Nu mag je kijken.'

De verschijning bracht bij Jack een behoorlijke schok teweeg. In het zachte licht van de hotelkamer zag de premier er betoverend uit in zijn rode jurk met lovertjes, eigenlijk heel erg als de vrouw van Jacks dromen.

'Mijn hemel, meneer,' zei Jack hees, 'wat bent u mooi.'

De premier oefende het lopen op de hoge hakken tussen de bedden, terwijl Jack zich ging wassen en scheren en een schoon overhemd aantrok. Arm in arm begaven ze zich naar de eetzaal van het hotel. De premier was een tikkeltje te extravagant gekleed.

Toen ze de eetzaal binnenkwamen, zei de ene ober tegen de andere: 'Een mooie vrouw, alleen jammer dat ze van die miezerige tieten heeft.'

Tijdens het eten praatten ze over politiek. De premier was onder de indruk van Jacks feitenkennis op economisch en sociaal gebied.

Boven een afschuwelijk pakketje van filodeeg met ansjovis en kappertjes, om onverklaarbare redenen met een touwtje dichtgeknoopt, zei Jack dat het in zijn ogen een grove belediging was om de 65-plussers zeventig penny meer AOW te geven, dat het dan beter was geweest om ze helemaal niets te geven.

Als hoofdgerecht koos de premier om nostalgische redenen *haggis, tatties* en *neeps,* allemaal typisch Schotse gerechten. Hij legde Jack uit dat *haggis,* aardappelen en raapjes, zijn lievelingseten was geweest toen hij als jongetje in Edinburgh woonde, en hij adviseerde Jack om hetzelfde te bestellen. Het eenvoudige gerecht dat de premier had verwacht was door de chef-kok, Monsieur Souris, echter opgemaakt als iets dat op de Eiffeltoren leek, en er werd geen jus bij geserveerd, zoals Edward had gehoopt, maar een plasje lauwwarme rabarbercoulisse.

'Jezus, hoe moeten we dit eten?' zei Jack. 'Begin je van bovenaf of van onderop?'

De premier haalde uit het midden van de toren een beetje *haggis* weg. 'Probeer het eens vanuit het midden, Jack.'

Bij een citroensorbet die werd verpest door muntblaadjes en onrijpe aardbeien, bespraken ze de kwestie van vervroegde pensionering bij de politie. Jack, losgekomen door de wijn en in zijn nopjes met het gezelschap van de spetterende Edwina St. Clare, liet zijn natuurlijke terughoudendheid varen en verklapte dat hij een oudere politieman kende die onlangs om gezondheidsredenen met vervroegd pensioen was gestuurd, met volledig behoud van salaris, vanwege een trauma dat hij had overgehouden aan het zien van twee dronkelappen die op een vrijdagavond voor een pub met elkaar op de vuist waren gegaan.

Tegen de tijd dat de smerige koffie werd geserveerd, zaten ze met zijn tweeën ontspannen te lachen. 'Weet je, Jack,' zei de premier, 'je zou eens van dat heel kortgeknipte haar moeten proberen. Het zou je geweldig staan.'

Jack zuchtte inwendig. Hij had er een hekel aan als een vrouw zijn uiterlijk probeerde te veranderen.

De ober die hen de hele avond had bediend, onhandig maar met de beste bedoelingen, kwam de rekening brengen. 'In mijn land,' vertelde hij, 'zou je voor de prijs van uw diner een ezel en een kar kunnen kopen.'

'Grappenmaker,' zei Jack.

Maar de premier vroeg de ober uit welk land hij kwam.

'Uit Albanië, Miss. Ik ben hier gekomen om te werken. Geen enkele Schot wil voor het minimumloon dit werk doen.'

'En hoe ben je het land binnengekomen?' informeerde de premier belangstellend.

'Dat was niet zo moeilijk,' zei de ober schouderophalend terwijl Jack de rekening tekende. 'Het is traditie dat de mannen uit mijn dorp verstopt in een vrachtwagen met raapjes naar Engeland gaan. De meeste mannen uit mijn dorp wonen tegenwoordig hier in Edinburgh en de vrouwen en kinderen komen volgend jaar.'

'Waarom importeren we raapjes uit Albanië?' wilde de premier weten.

'Het zijn biologische raapjes voor de Engelse middenklasse,' antwoordde de ober lachend. 'Ze zijn raar van vorm en ze zitten vol wormen omdat we geen geld hebben voor de pesticiden.'

Later, toen de twee mannen zich uitkleedden om naar bed te gaan, bespraken ze het probleem van de illegale immigranten. De premier wilde wel erkennen dat er een tekort aan arbeidskrachten was, en hij vroeg zich hardop af of Albanië een geschikt land was om te gaan ronselen voor de volgende lichting kandidaten voor de politieacademie.

Adele zocht in een van haar drie garderobekasten naar haar broekpak van Nicole Farhi. Wendy trok laden open, op zoek naar twee kasjmier truien. 'Jij bent verantwoordelijk voor mijn garderobe, Wendy,' zei Adele, 'ergo, jij bent verantwoordelijk als mijn kleren verdwijnen.'

'Beschuldigt u me soms van diefstal?' Wendy was moe en wilde weg om naar het ziekenhuis te gaan. Barry's been ging er de volgende dag af en ze wilde hem laten weten dat er zodra hij bijkwam na de operatie iemand zou zijn van een amputatiepraatgroep om hem op het moeilijkste moment terzijde te staan. 'Want als dat zo is, dan ga ik weg. Ik snap sowieso niet wat ik hier doe. Ik krijg geen waardering. Ik ben veel te hoog opgeleid – mag ik u eraan herinneren dat ik afgestudeerd ben in de voedingsleer...'

'Aan een universiteit waar nog nooit iemand van heeft gehoord!' schreeuwde Adele.

'Iedereen kent Bradford!' krijste Wendy terug.

De beide vrouwen begonnen te huilen en ze omhelsden elkaar troostend. 'Het spijt me,' zei Adele, 'dat was gemeen van me. Je bent veel te dik om mijn kleren te passen. Ik ben gewoon woedend op Ed omdat hij er zomaar vandoor is gegaan, zonder dag te zeggen. Ik kan hem zelfs niet bellen en hij kan mij niet bellen. Ik kan echt niet zonder hem, Wendy.'

'Ik weet hoe dol jullie op elkaar...'

'Dol? Je begrijpt er duidelijk geen snars van!' gilde Adele. 'Ik kan niet zonder hem.'

Op haar elfde was Adele van haar privé-school gehaald en naar een kostschool voor hoogbegaafde kinderen gestuurd, op kosten van de overheid. Adeles intelligentie was een bron van verrukking en zorgen geweest voor haar grootmoeder, die haar behandelde alsof ze een buitenaardse prinses was. Op haar nieuwe school was ze echter opeens niet meer dan één van de vele slimme kinderen, en van de ene dag op de andere voelde ze zichzelf veranderen in een alledaags klein meisje, dat zelfs niet mooi was en ook niet erg populair bij de andere kinderen.

Edward was Adeles enige echte vriend. Ze had nooit iemand anders gehad. Zonder hem had ze het gevoel dat ze uiteenviel, dat ze cel voor cel desintegreerde. Toen ze zichzelf bekeek in de passpiegel aan de binnenkant van de kastdeur zag ze dat ze al begon te vervagen – afgezien van haar neus, want die leek groter dan ooit. Een spottend stemmetje in haar hoofd zei: ik dacht dat jij zo slim was!

Adele had al twee dagen haar medicijnen niet genomen.

HOOFDSTUK 8

Uit voorzorg had Jack zijn zakken volgepropt met pastelkleurige tissues uit het hotel, maar hij besefte al snel dat hij beter de hele doos mee had kunnen nemen. De tranen van de premier stroomden als een waterval na een damdoorbraak. Zijn verdriet was Mediterraan, luidruchtig en opvallend. Andere bezoekers aan de begraafplaats slopen op hun tenen langs hen heen naar de graven van hun eigen doden. Dit gedeelte van de begraafplaats, waar statige sparren de wacht hielden, werd zelden opgeschrikt door het geluid van rauw verdriet.

Eerder die ochtend had de premier een enkel traantje weggepinkt in de bloemenwinkel, toen de bloemiste hem vroeg voor wie hij bloemen wilde kopen.

'Voor mijn moeder,' had hij geantwoord.

Toen het meisje vervolgens vertelde dat oudere dames doorgaans de voorkeur gaven aan traditionele boeketten boven de modernere combinaties met grillige takken, had de premier gezegd: 'Mijn moeder is geen oudere dame, ze is pas zevenendertig.'

De merkwaardig uitgedoste blonde vrouw moest worden getroost door de lange, zwijgzame man die bij haar was, en het meisje had zich even teruggetrokken om wilgenkatjes in een gegalvaniseerde emmer te schikken. Ze maakte het wel vaker mee dat klanten in alle staten waren – eigenlijk vond ze dat het vak psychologie verplicht moest zijn op de bloemistenschool. Het aantal huwelijken dat ze niet had gered! Ze besteedde altijd extra zorg aan de boeketten met een kaartje waar alleen het woord 'sorry' op stond. Soms had ze zelfs meegehuild met klanten die net een dierbare hadden verloren. Bloemstukjes voor kinderen waren altijd erg bewerkelijk; bij een rouwkrans in de vorm van een teddybeer waren vooral de ogen lastig. En bruiloften! Wat een gedoe was dat altijd. Tegenwoordig waren er veel bruiden die zich op het laatste moment bedachten. Niet dat ze het hen kwalijk kon nemen. Waarom zou een jonge vrouw zichzelf levenslang op willen zadelen met één enkele man, als ze zo ongeveer een baby kon kopen van een laboratorium als ze kinderen wilde?

'Misschien iets lenteachtigs?' opperde het meisje toen ze de vrouw met de zonnebril aan een emmer met blauwe hyacinten zag ruiken.

Het leek Jack een goed idee om er wilgenkatjes bij te doen, en met zijn drieën stelden ze een zoetgeurend boeket samen.

Een man reed op een grasmaaimachine over de grafzerken. Jack vroeg zich in stilte af of dat de reden was dat de graven in deze hoek geen staande zerken hadden – om het grasmaaien met de machine te vergemakkelijken, of was het een plaatselijk gebruik?

De wijde rok van de zwarte jurk die de premier droeg werd opgetild door het briesje van de verre zee. 'Ik ben toegelaten op Ampleforth, mam,' zei hij. 'Ik heb eerst als advocaat gewerkt, en tegenwoordig ben ik de minister-president. Ik wil je dus nog een keer heel erg bedanken voor het... je weet wel, het mooie begin. Ik heb enorm genoten van de jaren dat jij mijn moeder was.'

De man op de kleine maaimachine liet de motor ronken en keek naar het lange gras rond Heather Clare's graf. Met zachte hand voerde Jack de premier weg voordat hij opnieuw tegen zijn dode moeder kon gaan praten; het was al erg genoeg dat mensen in films het deden. Over een licht glooiende helling liepen ze terug naar de ingang. 'Nou, ze ligt op een beeldig plekje, meneer,' zei Jack.

Ze bleven staan om een bord te lezen. 'Klachten en inlichtingen betreffende het onderhoud van de graven gaarne rechtstreeks op sterfbv.co.uk.'

'De as van mijn vader is uitgestrooid boven de sloppenwijken van Glasgow,' vertelde de premier.

'Hoezo dat, meneer?' vroeg Jack.

'Mijn arme vader schreef zijn testament toen hij nog communist was en verwachtte dat hij in het harnas zou sterven. Het geld van zijn erfenis is naar de Communistische Partij van Engeland gegaan, waar iedereen versteld van stond aangezien hij ten tijde van zijn dood voorzitter was van de Conservatieve Bond van Berkshire. Hij had zijn testament moeten veranderen.'

'Of zijn principes,' zei Jack.

'Principes?' De premier herhaalde het woord alsof hij het nooit eerder had gehoord.

'Ik begrijp gewoon niet helemaal hoe het mogelijk is dat iemand zijn principes zo radicaal verandert, meneer,' legde Jack uit. 'Heeft hij zich op een gegeven moment niet bij de liberalen aangesloten?'

'Hij verhuisde naar het zuidwesten,' voerde de premier ter verdediging aan. 'De Liberal Party bood hem een goed sociaal leven.'

Jack bleef volhouden; het was hem een raadsel dat mensen hun opvattingen konden veranderen. 'Zat hij niet ook een paar jaar bij de sociaal-democraten?'

'Hij is korte tijd in de ban geweest van Shirley Williams, ja,' gaf de premier toe.

Jack bedacht dat iemand wel heel diep gezonken moest zijn als hij zich door Shirley Williams had laten inpalmen. 'Dus u zegt dat principes even veranderlijk zijn als het weer?'

'Hoor eens, Jack, je kunt principes niet eten, je kunt er niet in wonen, je kunt je er niet mee kleden en je kunt er geen academische titel mee behalen,' zei de premier.

Het was hun eerste ruzie. Ze zaten op de achterbank van de taxi en dachten allebei het hunne over de ander. Het waren geen erg vriendelijke gedachten.

Clarke en Palmer hadden geen geheimen voor elkaar – wat had dat voor zin? Niets was nog langer geheim. Vroeger ging Clarke graag wandelen in de South Downs. Op vrije dagen reed hij de stad uit zonder iemand te vertellen waar hij naartoe ging en dan trok hij alleen met zijn gedachten de heuvels in. Soms zong hij psalmen die hij vroeger op school had geleerd, en hij verliet de platgetreden paden om te voorkomen dat hij andere wandelaars tegenkwam. Hij genoot van het gevoel dat hij een anoniem stipje in het landschap was. Op een maandag toen hij terugkwam op zijn werk vertelde hij Palmer dat hij de dag ervoor was gaan wandelen in de South Downs.

'Dat weet ik,' zei Palmer. 'Je had nieuwe wandelschoenen aan, en je vond de laatste paar honderd meter naar het Goosehill Camp op de flank van de Stoughton Down behoorlijk zwaar.'

'Waar was jij?' vroeg Clarke.

'Hier op kantoor,' zei Palmer.

Clarke was op zijn collega gesteld – hield zelfs een beetje van hem – maar hij vond het vreselijk dat Palmer zijn privacy schond en hij had hem laten beloven het nooit meer te doen. Palmer had het beloofd, maar Clarke kon er niet zeker van zijn dat Palmer de verleiding nooit zou weerstaan.

De taxichauffeur keek naar de premier in de achteruitkijkspiegel. 'Neem me niet kwalijk, mevrouw,' zei hij, 'vergeef me dat ik het vraag, maar waarom zou iemand op een dag als deze een zonnebril willen dragen? Ik kan zien dat u geen blinde bent; heeft u soms last van uw ogen of zo? Of wilt u alleen maar dat andere mensen u mysterieus vinden, is dat het? Is het een persoonlijkheidsstoornis, of bent u een vermomde crimineel, of wat?'

Achter de glazen van de zonnebril knipperde de premier tranen weg.

Jack gaf in zijn plaats antwoord. 'Hou verdomme je smoel en rij een beetje door.'

De rest van de rit naar het vliegveld verliep in doodse stilte. Als een echte avonturier had de premier voorgesteld om de eerste de beste vlucht naar een bestemming in eigen land te nemen.

Voor de terminal van Edinburgh Airport had zich een boze menigte verzameld. De luchtverkeersleiding in Swanwick hield een werkonderbreking omdat hun leider had gezegd: 'We kunnen de veiligheid van de toestellen in het Britse luchtruim niet langer garanderen. De laatste computerstoring is nog maar achtenveertig uur geleden en we hebben de achterstand nu pas weggewerkt.'

Om halftwee 's middags, terwijl zevenennegentig toestellen wilden landen of opstijgen, was het computersysteem van slag geraakt en waren beelden van een oude aflevering van *Star Trek* op de schermen verschenen.

In de cafetaria was inmiddels niets meer te krijgen, dus ging de premier in de rij staan voor de frisdrankautomaat. Een vrouw van middelbare leeftijd die voor hem stond, zei op boze toon tegen niemand in het bijzonder: 'Door dat gesodemieter met Swanwick ben ik een exportcontract ter waarde van een half miljoen pond kwijtgeraakt.'

De premier, altijd alert op mogelijke tekorten op de handelsbalans, vroeg de vrouw wat voor bedrijf ze had. 'Ik vervoer *haggis*-burgers per vliegtuig naar hotels aan de Costa del Sol,' vertelde ze. 'Dat probeer ik althans,' voegde ze er verbitterd aan toe. 'Het kan deze kloteregering allemaal geen moer schelen.'

'O, maar dat is niet waar,' protesteerde de premier. 'We proberen de buitenlandse handel juist te bevorderen!'

De rij schuifelde naar voren. De man vooraan beukte met zijn vuisten op de frisdrankautomaat. Hij had per ongeluk een euro ingeworpen en het apparaat weigerde hem nu uit protest zijn blikje Fanta te geven. Na een gemene schop ging de man op zoek naar iemand die hem zijn euro terug kon geven.

Jack stond in de rij bij een kiosk om een nummer van de *Edinburgh Evening News* af te rekenen. Hij was geboeid geraakt door de kop: 'Vrouw van de premier: "Een wrat is heilig."'

Bij de kassa ontspon zich een verschil van mening, en Jack had de tijd om de hele voorpagina te lezen.

> *In een verbijsterend interview dat Radio Vier vanochtend uitzond in het programma* Vandaag, *vertelde Adele Clare-Floret, echtgenote van de minister-president, verslaggever John Humphrys dat het menselijk leven volstrekt onaantastbaar is en dat wratten omdat ze op het menselijk lichaam groeien als heilig moeten worden beschouwd, en dus ook met respect begraven dienen te worden. Vandaar dat zij het 'een schande' noemde om wratten te vernietigen in een verbrandingsoven. 'En hoe zit het met likdoorns?' vroeg een verblufte Humphrys. 'Zijn die ook heilig?' Waarop Mrs. Clare-Floret antwoordde: 'Uiteraard.'*
>
> *Een woordvoerder van de vereniging van chiropodisten zei later: 'Als we een uitvaartdienst zouden moeten houden voor elke likdoorn die we verwijderen, zouden we torenhoge kosten moeten doorberekenen aan onze patiënten, en dat zijn meestal bejaarden.'*

Er stond een foto van Adele Clare-Floret bij het stukje, waar ze nogal onnozel en een beetje getikt op stond. 'Vervolg op pagina 3', stond eronder. Jack sloeg de pagina om en zag opnieuw een foto van Adele, dit keer met Sir Paul McCartney. Het artikel ging verder:

> *Een regeringswoordvoerder verklaarde vandaag: 'De meningen van Mrs. Clare-Floret komen geheel voor haar eigen rekening. De regering kan zich niet bezighouden met wetgeving betreffende de manier waarop kleine lichaamsdelen worden vernietigd.' Het aartsbisdom Canterbury gaf een korte verklaring uit: 'De aartsbisschop van Canterbury geeft geen commentaar op religieuze aangelegenheden.' Peter Bowron, een peperdure chiropodist in Londen, heeft verschillende tabloids benaderd met het aanbod om tegen een bedrag met vijf nullen zijn verhaal te vertellen.*

Jack en de premier waren vrijwel gelijktijdig aan de beurt, en het resultaat was voor hen allebei even zo frustrerend. De gecomputeriseerde kassa weigerde contant geld in ontvangst te nemen en wilde alleen een chipkaart accepteren. Jack gaf de zijne en zei tegen het meisje dat de kaart door het apparaat haalde: 'Het is wel een hele hoop gedoe voor de prijs van een krantje, hè?'

'Ik vind het allang best dat ik geen geld hoef aan te raken,' zei het meisje. 'Je weet nooit waar het allemaal is geweest.'

De frisdrankautomaat gedroeg zich als een despoot in een derdewereldland: de een kreeg alles in de schoot geworpen, de ander bleef met lege handen staan. De premier vond het gewoon niet eerlijk. Hij had zorgvuldig de juiste hoeveelheid geld ingeworpen en vervolgens de toets voor het gewenste product ingedrukt, maar er was niets uit het binnenste in het daartoe bestemde vakje gerold.

Hij had vreselijk gehuild op het graf van zijn moeder en voelde zich zo uitgedroogd als een pruimedant. Hij moest zijn dorst dringend lessen. Het was uren geleden sinds hij voor het laatst iets had gedronken. Hij drukte op het knopje om zijn geld terug te krijgen, maar het apparaat hield de munten koppig gevangen in zijn mysterieuze binnenwerk. Toen deed zich echter een gelukkig toeval voor: een man in een overall met het logo van de frisdrankfabriek liep met een doortastende uitdrukking op zijn gezicht en een grote bos sleutels in zijn hand naar het apparaat.

De premier deed een stap naar achteren zodat de man het apparaat kon openen en vroeg hem toen om een blikje suikervrije sinas.

'Als u een blikje sinas wilt hebben, mevrouw,' antwoordde de man even onverschillig als een robot, 'dan moet u geld inwerpen.'

'Dat heb ik net gedaan!' protesteerde de premier.

'Hoe moet ik dat nou weten, mevrouw?'

'Omdat ik het u net heb verteld.' Hij glimlachte naar de man, die hem uitdrukkingsloos aankeek. De man maakte een paar keer per dag dit soort aanvaringen mee, maar in zijn contract stond dat hij het publiek geen geld mocht teruggeven. Tijdens een eendaagse cursus had hij geleerd dat de meeste mensen achterbakse leugenaars waren, die bereid waren om hun kleine kinderen te verkopen voor een gratis blikje fris.

'Schrijft u maar naar het bedrijf,' adviseerde de man hem. 'Het adres staat op de machine.'

'Dat kunt u toch niet menen! Al die moeite om pen en papier en een envelop te vinden, in de rij te staan bij het postkantoor om een postzegel te kopen en een heel verhaal te schrijven, allemaal voor een bedrag van zestig penny?'

'U zou versteld staan van het aantal centenneukers dat in de pen klimt.' Intussen vulde de man het apparaat met een verse lading blikjes met koolzuurhoudend water, smaakstoffen, zoetstoffen en kleurstoffen.

'Dat zijn geen centenneukers, die mensen zijn opgelicht door uw bedrijf.'

'Dit apparaat is niet van mijn bedrijf,' zei de man triomfantelijk, 'maar van de distributeur.'

'En wie is de distributeur?' wilde de premier weten.

'Hoe moet ik dat nou weten?' De man keerde hem de rug toe en maakte een einde aan het gesprek.

Jack en de premier verlieten de chaotische hal en sloten aan bij een lange rij voor de taxistandplaats. Ze waren van plan om naar het busstation te gaan, maar nadat ze anderhalf uur in de rij hadden gestaan voor een taxi, zei Jack tegen de premier: 'Laten we maar gaan lopen.'

'Op deze schoenen kan ik niet lopen,' antwoordde de premier.

'Alleen naar de snelweg,' zei Jack wervend.

Aanvankelijk probeerden ze samen een lift te krijgen, maar er stopte niemand. Het was onplezierig en angstaanjagend om in de grazige berm te staan terwijl vrachtwagens langs hen heen raasden en hen bijna meezogen in de slipstream.

Jack bedacht dat de als Marilyn Monroe verklede premier in zijn eentje meer kans maakte; van een afstand was hij aantrekkelijk genoeg om een truck tot stilstand te brengen.

Jack kroop weg achter een struik, en al na een paar minuten hoorde hij het geluid van hydraulische remmen, gevolgd door een luide, rauwe stem. Hij sprong overeind en had nog net genoeg tijd om in de cabine van de truck met oplegger te klimmen.

Het gezicht van de chauffeur betrok; wat er langs de kant van de weg had uitgezien als een lekker blond stuk bleek van dichtbij de houdbaarheidsdatum ver overschreden te hebben. En ze had ook nog een kerel bij d'r.

Hij, Craig Blundell, was geneigd ze er allebei weer uit te gooien, maar zijn ultramoderne en astronomisch dure radio was blijven steken op Radio Vier en hij had het ding nog niet zo lang geleden kwaad uitgezet, tot waanzin gedreven door Bachs cellosuites. Nu had hij tenminste iemand om mee te praten; het zou helpen om hem wakker te houden, en wie weet, misschien viel Blondie best mee in het donker.

Eerst werd er over voetbal gepraat. Blondie leek er meer van te weten dan de stille vent naast haar – hoewel het natuurlijk nergens op sloeg dat ze de rol van de regering bij het fiasco rond de verbouwing van het Wembley-stadion verdedigde.

Hij vertelde hen dat hij onderweg was naar Leeds om een lading te droppen. 'Dat komt ons goed uit,' zei Blondies vriend.

'Wat voor lading vervoert u?' vroeg Blondie.

Craig zou Blondie het liefst de waarheid vertellen: dat er onder het zeildoek van de oplegger veertien Afghaanse asielzoekers verstopt zaten.

Hij hoopte dat het goed met ze ging. Ze hadden er niet al te best uitgezien toen hij ze oppikte in de haven van Perth. Hij had bijna medelijden gehad met die arme drommels; volgens de eerste stuurman van de trawler was het een uitzonderlijk zware overtocht geweest, en drie Afghanen moesten door de anderen naar de truck worden gedragen.

Als hij ze hoorde brabbelen in hun eigen taal vroeg hij zich soms af wat ze tegen elkaar zeiden en wie het waren. Het had hem woest gemaakt toen hij in de krant las dat hij, Craig, profiteerde van menselijk leed, terwijl hij ze juist een dienst bewees. Engeland was veruit het beste land van de wereld. Oké, de diesel was hier bespottelijk duur, werkelijk bespottelijk, maar hij was zelfs helemaal in Rusland geweest met zijn truck en hij wist uit de eerste hand dat er een hele hoop onzin over Europa werd verteld. Hij wist uit eigen ervaring dat het Franse eten niet te vreten was en dat Zweedse meisjes frigide waren. Hij wist ook dat hij een zeker risico nam, maar wat moest hij anders doen? Eigen rijders zoals hij leefden van dag tot dag, hij was altijd op zoek naar lading, en soms moest hij ergens op het Europese vasteland dagen om een retourlading lopen leuren. Het was een ramp om leeg terug te rijden naar Engeland, al die diesel zonder dat het iets opleverde.

Per maand moest hij minimaal £10.000 winst draaien: de hypotheek, de afbetaling van zijn truck en Michelles Mercedes, het schoolgeld voor Emily en Jason, vioollessen, de vakantie in Cancún, Michelles kapper van honderd ballen per keer. Soms werd het hem weleens te veel, en dan vroeg hij zich af waar hij het allemaal voor deed. Hij zag Michelle en de koters bijna nooit, en als hij met ze samen was, leken ze zich te schamen voor zijn accent en zijn manier van eten. Wat had Edward Clare ook alweer gezegd? 'Tegenwoordig behoort iedereen tot de middenklasse.' Maar Craig wist dat hij zelf nog lang niet zover was. Ondertussen zat hij zelf tot over zijn oren in de ellende.

Craig keek de premier recht in de ogen – alarmerend, aangezien ze op dat moment net een tankwagen inhaalden – en zei: 'Ik heb staalplaat vanuit Polen naar Aberdeen gebracht, toen heb ik een lading aanmaakblokjes opgehaald in Perth en die breng ik nu naar Leeds.'

'Het klinkt bespottelijk om de hele tijd spullen van hot naar her te slepen,' merkte de premier op.

'Globalisering noem je dat,' zei Jack.

De premier moest opeens denken aan een gedicht uit zijn jeugd, 'Cargoes' van John Masefield:

Smerige Britse kustvaarder met een wit uitgebeten schoorsteen,
Ploegend door Het Kanaal in een maartse bui,
Met een lading kolen uit Tyne,
Weg-spoor, ruw-ijzer,
Brandhout, ijzerwaren en goedkope blikken dienbladen.

'Handel heeft ons land in het verleden groot gemaakt,' verkondigde de premier.

'Zo zou ik het niet willen stellen, meneer,' zei Jack, die even vergat dat ze een toneelstukje speelden. Hij keek naar Craig, maar Craig hield een mobieltje tegen zijn oor en praatte tegen iemand die Michelle heette.

'Ik zou zeggen,' vervolgde Jack, 'dat uitbuiting ons wel rijk heeft gemaakt, maar niet groot.'

'Wat voor soort economisch systeem zou jij hier dan willen hebben?' vroeg de premier geïrriteerd.

'Een eenvoudiger systeem,' zei Jack.

'Dus jij zou liever zien dat we allemaal onze eigen kleren weven en onze eigen groente verbouwen? En dat we volksdansjes doen rond de meiboom? En als we ziek zijn moeten we zeker de velden in om natuurlijke geneesmiddelen te zoeken!'

'Je doet geen volksdansjes rond de meiboom,' corrigeerde Jack hem, 'en bovendien ben jij een fan van de gulden middenweg.' Het was hun tweede ruzie.

Aan de andere kant van Craigs mobieltje zei Michelle: 'Ik dacht dat je radio kapot was.'

'Dat is ook zo,' zei Craig.

'Maar ik hoor de stem van de premier op de achtergrond,' zei ze.

Craig lachte. Als hij die stomme klootzak Edward Clare ooit in zijn cabine kreeg, zou hij hem eens goed de waarheid vertellen, om te beginnen over de bespottelijk hoge prijs van diesel.

Het was al donker toen ze de buitenwijken van Leeds bereikten, en er viel motregen. Craig stopte op een parkeerplaats langs een tweebaansweg. 'Blondie moest me maar eens voor de lift betalen.'

De premier trok zijn rok stevig rond zijn dijen en schoof opzij naar Jack.

'Ik heb geen bezwaar tegen een triootje, als dat soms het probleem is,' zei Craig omdat Jack niet uitstapte.

Jack was beledigd. Zag hij eruit als een man die zijn vrouw seksuele handelingen liet verrichten voor de prijs van een paar liter brandstof? Hij hielp de premier uit de cabine. 'Bedankt, Craig,' zei hij, 'dat was erg aardig van je. O, voor ik het vergeet, er heeft kennelijk iemand gerotzooid met je tachograaf, misschien toen je even niet keek.'

Craig smeet hun tassen achter hen aan en sloeg het portier van de cabine dicht. Hij pakte zijn telefoon om Michelle te bellen en vertelde haar dat hij uiterlijk om drie uur 's nachts thuis zou zijn in Sheffield en dat hij hoopte dat ze lief voor hem zou zijn als hij bij haar in bed kroop. Michelle zei dat ze de hele middag op de sportschool was geweest en bekaf was en dat ze het fijner zou vinden als hij haar lekker liet slapen.

Uit pure wanhoop legde Craig zijn hoofd op het stuur. Niemand hield van hem en voor de verandering kon zelfs de gedachte aan het geld dat hij voor zijn lading zou vangen hem niet opvrolijken.

Intussen kropen veertien Afghanen in het stikkedonker van deze maanloze nacht door een gat dat ze in het zeildoek van de oplegger hadden gesneden naar buiten, en gingen aan verschillende picknicktafels zitten die de provincie Yorkshire had neergezet voor automobilisten die onderweg een boterhammetje wilden nuttigen. Hun leider, een voormalige kno-arts, gebaarde dat iedereen zijn mond moest houden totdat de voetstappen van de man en de blonde vrouw waren weggestorven.

Jack kon zich niet herinneren dat hij ooit zo moe was geweest. Hij stelde voor om even uit te rusten in de grazige berm, maar de premier bekende dat hij een tikje fobisch was over insecten, dus sjokten ze langs de A64 in de richting van Leeds.

In de verte brandde vuur; toen ze dichterbij kwamen bleek het een brandende auto te zijn. De kleuren van de vlammen waren prachtig: dieprood, feloranje, hemelsblauw en het geel van de opkomende zon. Er waren drie politiewagens ter plaatse. De agenten stonden opgewonden te praten over de achtervolging die aan de crash en de brand vooraf was gegaan.

Op de achterbank van een van de politiewagens zat een lijkbleke jongen. Jack en de premier waren inmiddels zo dichtbij, dat ze konden zien dat de politieman voorin de jongen een brandende sigaret aangaf.

Een jonge agent versperde Jack en de premier de weg. 'Doorlopen, graag.'

Jack vroeg zich af waarom politiemensen dit altijd zeiden. Ze stonden niet in de weg en als belastingbetalers hadden ze toch zeker het recht om de sterke arm in actie te zien, of niet soms? Hij bleef staan waar hij stond, maar de premier deinsde achteruit en liep zo ver bij de brandende auto vandaan dat hij de hitte niet meer kon voelen.

'Doorlopen, meneer,' herhaalde de jonge agent kil en beleefd, 'anders slinger ik u op de bon wegens obstructie.'

'Ik sta helemaal niet in de weg,' protesteerde Jack.

'Misschien wil de brandweerwagen wel parkeren waar u nu staat.'

'Dan ga ik heus wel opzij. Ik ben niet gek.'

'Laat nou maar, Jack,' zei de premier. 'Laten we gaan.'

Jack weigerde weg te gaan. Hij vond het vervelend om door deze snotaap behandeld te worden alsof het publiek de natuurlijke vijand van de politie was.

Er golfde nog steeds adrenaline door het lichaam van de jonge agent. Het was zijn eerste achtervolging geweest en hij wilde graag terug naar zijn collega's, die de details met elkaar doornamen. Het laatste waar hij behoefte aan had, was een lastige en bemoeizieke burger die met zijn rechten schermde.

'Wat is uw naam en wat doet u op dit uur van de nacht op straat?' vroeg hij.

'Jack, laat het nou, het is niet de moeite waard,' smeekte de premier. Hij klonk als het vriendinnetje dat een vechtpartij ziet aankomen.

'Je doet alsof ik een wet overtreed, en dat bevalt me niet. Ik loop hier op een openbare weg met mijn...'

De jonge agent verloor zijn geduld. 'U bent gewoon een ramptoerist en u belemmert het werk van de politie. Als u nu niet onmiddellijk doorloopt...'

Een dikke brigadier die meer op een stripfiguur dan op een echte agent leek waggelde naar hen toe. 'Wat is d'r aan de hand, Darren?'

'Deze man weigert antwoord te geven op mijn vragen, meneer.'

Een sirene werd hoorbaar, kennelijk kwam de brandweer eraan.

'Uw naam, meneer?' vroeg de dikke brigadier.

'Mijn naam is Jack Sprat,' zei Jack.

De glimlach van de brigadier verflauwde. 'Ik heb geen zin in geintjes. Hoe heet u?'

'Ik heet Jack Sprat,' herhaalde Jack, die het kon bewijzen. Hij kreeg bijna medelijden; in het verleden, toen hij zelf nog op straat surveilleerde, had hij verdacht uitziende lieden vaak naar hun naam gevraagd, om dan te horen te krijgen dat ze Engelbert Humperdinck of Bing Crosby heetten. Jack pakte zijn portefeuille en liet de brigadier zijn bibliotheekkaart zien.

De brigadier draaide de kaart om in zijn mollige handen en gaf hem terug aan Jack. 'Oké, loop nu maar door dan laat ik het verder zitten.'

Maar Jack voelde zich te diep gekrenkt door deze twee politiemannen. Hij had niets misdaan, hij was alleen maar langzamer gaan lopen om naar een brandende auto te kijken. Als hij was doorgelopen zonder te kijken, wat zou er dan over zijn gedrag als mens zijn gezegd?

De premier was woedend over Jacks koppigheid, hij ergerde zich zo dat hij niet eens meer naar hem kon kijken. In plaats daarvan richtte hij zijn aandacht op het staartje van een gesprek tussen een paar andere politiemannen. Een agent van middelbare leeftijd met een baard zei: 'Ik krijg over twee jaar last van mijn rug, en omdat de rugklachten door mijn werk zijn veroorzaakt, wordt mijn salaris doorbetaald en heb ik recht op een volledig pensioen, dus mijn vrouw en ik gaan nu een café openen aan de Costa del Crime.'

De minister-president vond het uitermate boeiend. Hoe kon die man in hemelsnaam weten dat hij over twee jaar in werktijd gewond zou raken aan zijn rug?

'Als ze mij van de wagen halen,' zei een andere politieman, 'doe ik mijn rug al volgend jaar. Ik verdom het om de straat op te gaan.'

Iedereen ging opzij toen de brandweerwagen eraan kwam en op een strategisch punt stil bleef staan. De premier raakte helemaal opgewonden van de glimmende rode wagen en de brandweermannen in hun stoere uniformen. Moest je tegenwoordig knap zijn als je brandweerman wilde worden? Werd je alleen maar aangenomen als je brede schouders en een heldhaftig voorkomen had? Snel pakte de premier zijn lippenstift en woelde met zijn vingers door de blonde krullen, maar hij bleef wel in de schaduw staan, zich ervan bewust dat die stomme baard alweer zichtbaar begon te worden.

Jack voerde inmiddels een heftige discussie over mensenrechten met de dikke brigadier. In het recente verleden had hij zich laatdunkend uitgelaten over de rechten van de burger, maar op dat moment vond hij niets zo belangrijk als dat. Maar toen de brandweermannen de brand met een schuimblusser hadden bedwongen, had hij opeens geen zin meer in het twistgesprek en liep hij naar de premier. Samen begonnen ze aan de lange wandeling naar Leeds.

Na een tijdje bevonden ze zich in een wijk die meer weg had van een spookstad. Hele straten hadden huizen met dichtgetimmerde ramen en deuren. Een heel blok rijtjeshuizen was uitgebrand. Een taxi stopte voor een van de dichtgetimmerde huizen, en een aantal tienermeisjes in korte topjes en heupbroeken stapte uit. Door een met metaal verstevigde voordeur verdwenen ze naar binnen.

Jack rende naar de taxi toe. De taxichauffeur, Ali, zat in een soort ijzeren kooi achter het stuur. Hij was blij toen Jack hem vroeg of hij hem en zijn vriendin naar een goed hotel in het centrum van Leeds kon brengen.

'Ik breng jullie naar het beste hotel van de stad, ja,' zei Ali enthousiast. 'Er staat antiek in de kamers en er is muziek en telefoon in de badkamer en ze hebben zelfs katten die je kunt aaien, zodat je je er thuis voelt. Ze hebben tachtig televisiekanalen en het citroen- en sinaasappelsap is gratis.'

Het uitzicht uit de taxi bleef troosteloos. Bij een rotonde merkte de premier op dat het ongebruikelijk was dat gemeentepersoneel 's nachts nog aan het werk was. Stevige kerels lichtten stoeptegels en stapelden die in de laadruimte van een witte bestelbus.

'Het zijn smerige dieven!' riep Ali uit. 'Ze stelen de stoeptegels, ja.'

'York-steen,' legde Jack uit. 'In Londen brengen ze vijftig pond per tegel op.'

De premier vertelde Jack dat David Samuelson onlangs £7000 pond had betaald voor een patio met York-steen, aangelegd door een 'aannemer' uit Leeds.

'Deze wijk heet Gumpton,' vertelde Ali. 'De meeste taxi's weigeren hier na het donker nog te komen. Er wonen hier allemaal wilde mensen. Barbaren.'

Boven hun hoofden klonk lawaai, en even later werd de taxi beschenen door een felle lichtbundel. 'De politiehelikopter is in de lucht!' kraaide Ali opgewonden. Hij zei het alsof hij net de eerste koekoek van de lente had gehoord.

De helikopter bleef nog een paar minuten boven hen in de lucht hangen, maar vloog weg toen ze het centrum naderden. Een vermoeide stem klonk uit de krakende radio.

'Meld je, Ali, meld je, Ali, meld je. Waar ben je, Ali?'

'Ik ga naar huis, baas. Ik sta nu voor de deur.'

De premier tuitte afkeurend zijn lippen, want op dat moment stonden ze voor de deur van The Falls, een verbouwd graanpakhuis aan een gracht. Jack reserveerde Ali voor de volgende dag en verzocht hem om tien uur klaar te staan. De sluis waaraan het hotel zijn naam te danken had was hoorbaar toen Jack en de premier over de natte keien naar de voordeur liepen. Een nachtportier die Norman heette liet hen binnen en zette de futuristische gashaard in de minimalistische schouw in de lobby aan.

Terwijl Jack hen inschreef, pakte de premier de bovenste appel van een kunstige appelpiramide op een glazen schaal. Norman fronste zijn wenkbrauwen toen hij dit zag; de clientèle van The Falls begreep dat deze toren van fruit een *objet d'art* was en dat alleen een idioot ervan at.

Jack schreef hun namen op – Mr. Jack Sprat en Miss E. St. Clare – terwijl Norman intussen twee glazen bisschopswijn in de magnetron achter de receptiebalie zette. De wijn was veel te heet om te drinken, dus zagen Jack en de premier zich gedwongen om met Norman te blijven praten totdat hun slaapmutsje voldoende was afgekoeld. Norman vertelde sterke verhalen over alle beroemde en belangrijke mensen die in The Falls hadden gelogeerd. Hij noemde een actrice uit *Coronation Street* van wie Jack nog nooit had gehoord, die om vier uur 's nachts een krentenbol met kaas had besteld. Norman tikte tegen de zijkant van zijn neus. 'Vraag me niet hoe ik het voor elkaar heb gespeeld, maar twintig minuten later had ze d'r krentenbol.'

Jack snoerde Norman halverwege een anekdote over Sir Cliff Richard en een pot nachtcrème van Clarins de mond.

De premier was zo moe dat hij in bed stapte zonder eerst zijn gezicht schoon te maken. 'Ik weet dat het slonzig van me is, Jack,' zei hij, 'maar ik beloof je dat ik morgenochtend extra zorgvuldig zal scrubben.'

Ze lagen samen in het tweepersoonsbed en babbelden nog wat over de noodzakelijke hervorming van de politiemacht. Jack vond dat straatagenten hoger ingeschaald moesten worden dan hun collega's die per auto surveilleerden. De premier fluisterde slaperig dat hij het erover zou hebben met zijn minister van Binnenlandse Zaken, John Hay, als hij terug was in Downing Street.

HOOFDSTUK 9

Norma liet bacon aanbranden in de koekenpan. Zo vonden James en zij bacon het lekkerst. James had haar verteld hoe bleek en waterig de bacon in het kindertehuis was geweest, dat het vet er niet uit was gebakken en dat het spek zo taai was geweest dat je het nauwelijks kon doorslikken. Vandaar dat het kleine keukentje nu naar verbrand vet en knapperige bacon rook.

James wapperde rook weg bij Peters kooi met de nieuwste editie van de *Sun*. Een vette kop luidde: 'Adele: Tenenman doet boekje open.' James vertelde Norma dat hij seksueel was misbruikt door iemand die nu in het Hogerhuis zat. 'Met Kerstmis kreeg ik een leren jack van hem en het jaar daarop een keyboard van Yamaha. Maar niemand wilde de muziekles betalen dus heb ik dat ding geruild tegen een racefiets, en die werd een week later voor de sociale dienst gejat.'

Alle verhalen van James waren deprimerend als je goed luisterde en negeerde dat hij tussendoor steeds zat te gniffelen.

Norma haalde het knapperige spek met een zwartgeblakerde houten spatel uit de pan en verdeelde de stukjes over twee sponzige witte boterhammen. Vervolgens druppelde ze zorgvuldig gelijkmatige kloddertjes HP-saus over de belegde boterhammen en legde ze de brooddeksels erop. Tot slot sneed Norma de boterhammen schuin doormidden. James vond dat dit van klasse getuigde en zei tegen haar dat ze een deftige dame was – en dat was ze die dag ook. Ze was in haar garderobekast gedoken en had er de dingen die ze altijd voor bijzondere gelegenheden bewaarde uitgehaald. Ze droeg het turquoise ensemble dat ze had gekocht voor Stuarts tot mislukken gedoemde en kortstondige huwelijk met bonenstaak Karen. Op haar platte witzijden schoenen torende Karen boven alle andere aanwezigen uit, zelfs boven de uitsmijters. Stuart had een laag krantenpapier in zijn nieuwe schoenen gepropt in een vergeefse poging om het verschil in lengte tussen hen te minimaliseren, maar sommige gasten lachten nog steeds in hun vuistje.

Jack was met de auto uit Londen gekomen om de plechtigheid bij te wonen, in gezelschap van een knappe jonge vrouw van gemiddelde lengte die Celia heette. Toen duidelijk werd dat de vechtpartij op de receptie nog wel even zou duren, nam Jack Celia weer mee zonder eerst afscheid te nemen van Norma, die een van de kemphanen was. Jack hoopte op promotie naar een speciale eenheid, dus wilde hij niet in de buurt zijn als de politie van Leicester roet in het eten kwam strooien.

In de auto onderweg terug naar Londen had Celia, een klinisch psychologe, verklaard dat Suart, die duidelijk een agressief karakter had, met Karen was getrouwd omdat ze altijd en overal werd bespot, hetgeen hem de perfecte aanleiding gaf om op de vuist te gaan wanneer hij er zin in had.

Het was al snel een gewoonte geworden dat James hardop voorlas uit de *Sun*. Norma vond het veel te veel gedoe om zelf te lezen, maar ze had altijd van een leuk verhaal gehouden.

Opgetekend door onze verslaggever, David Grubb.
'Ik leerde Mrs. Clare-Floret in 1997 kennen. In die tijd had ik een wachtlijst, maar ze liet via een van mijn landelijk bekende cliënten weten dat ze haar voeten graag door mij wilde laten doen. Ik geloof dat Lulu haar over me heeft verteld tijdens een liefdadigheidsdiner voor Personen van Beperkte Grootte.

Ik moet eerlijk bekennen dat haar voeten er vreselijk aan toe waren. Ze had ze in de zes weken voorafgaand aan de verkiezingen schandalig misbruikt. De problemen waren niet te overzien: likdoorns, eelt, knobbels en beginnende hamertenen.

Tijdens de eerste urenlange afspraak werkte ze op haar laptop, maar de keren daarna zaten we altijd gezellig over ditjes en datjes te kletsen. Op een dag zei mijn levensgezel Gregory: "Je babbeltjes met de vrouw van de premier zijn van historisch belang en zouden opgenomen moeten worden." Vandaar dat ik ben begonnen om mijn gesprekken met Mrs. Clare-Floret op te nemen, zuiver en alleen om toekomstige historici ter wille te zijn. Ze heeft het zelf nooit geweten. Het zou haar misschien nerveus hebben gemaakt, en stress is slecht voor haar voeten en als gediplomeerd en veelgevraagd chiropodist denk ik natuurlijk in de eerste plaats aan het welzijn van de voeten van mijn cliënten.'

'Ik sta zelf op een wachtlijst om mijn voeten te laten doen,' zei Norma. 'Nou, tegen de tijd dat ik aan de beurt ben, heb ik zoveel eelt dat ik mijn schoenen niet eens meer aan kan.'

Peter schommelde tevreden op zijn trapeze en keek toe terwijl Norma en James gretig hun boterhammen met bacon verslonden. 'Je voelt je wel lekker in die kooi van je, hè, Peter?' zei Norma. 'Het is toch een gezellig kooitje?'

De vorige middag was een verongelijkte vrouw van Slachtoffers Vechten Terug, Marjorie Makinson, bij Norma langsgekomen om psychische hulp aan te bieden bij het verwerken van de traumatische beroving. Norma had de vrouw meegenomen naar de keuken en haar uitgelegd dat ze weer aardig van de schrik was bekomen en dat James, haar nieuwe kamerhuurder, aan de weet was gekomen wie haar had beroofd en hem flink op z'n lazer had gegeven, al was het hem helaas niet gelukt om haar spulletjes of geld terug te krijgen.

Marjorie was ontzet. 'Ik vind het zeer verwerpelijk dat u het recht in eigen hand hebt genomen, Mrs. Sprat.'

'We hebben hier altijd het recht in eigen hand genomen,' antwoordde Norma. 'Ze breken je poten als je jat van de buren, of een oudje of een kind te grazen neemt.'

Even kon Norma ervan genieten dat ze haar bezoekster de wind uit de zeilen had genomen, en ze dacht terug aan het advies dat Trev zijn jonge stiefzoons had gegeven: 'Schijt nooit in je eigen nest, jongens, en steel nooit van de armen. Ga maar naar een buitenwijk en blijf daar rondhangen totdat je zo'n modaal gezinnetje op pad ziet gaan – picknick, de sportvelden, je weet wel wat ik bedoel. Het is geen misdaad om van de middenklasse te stelen; die lui zijn verzekerd en bovendien is het goed voor de economie.'

Marjorie keek naar Peters kooi. Ze was niet alleen maatschappelijk werkster bij slachtofferhulp maar ook lid van het dierenbevrijdingsfront, en ze stelde vast dat Peters dierenrechten werden geschonden. Zijn kooi was niet alleen kleiner dan in het wetsvoorstel 'Rechten voor het Dier' werd aangegeven, Peter had bovendien recht op een wijfje.

Marjorie legde uit wat de wettelijke richtlijn voorschreef, hetgeen ze uit haar hoofd had geleerd. 'Volgens voorschriften van de landelijke dierenbescherming, Mrs. Sprat, heeft uw parkiet recht op een ruime volière, zodat hij in een stimulerende omgeving, waar takken en speeltjes deel van uitmaken, gezellig met andere parkieten samen kan zijn.'

'Peter is heel gelukkig in zijn kooi,' zei Norma, 'en hij vindt het fijn om enigst vogeltje te zijn.'

'Dat kan wel waar zijn,' zei Marjorie, 'maar de wet is de wet.'

Adele plukte een kruimeltje croissant van haar sweater en nam vervolgens Wendy's hand in de hare om haar op indringende en evangelische toon toe te spreken. 'Wendy, Barry's been is – of liever was – een groot deel van zijn lichaam. Je kunt het niet zomaar weggooien alsof het een kippenpoot is of zo.'

'Ik zou het heus niet weggooien als het een kippenpoot was,' viel Wendy kwaad uit. 'Die zou ik in de oven stoppen en opeten.'

'Wat ben je toch een vervelende betweter, Wendy,' zei Adele. 'Het is een van je minst prettige eigenschappen. Luister, ik heb een zekere bevriende kardinaal gesproken, en hij is bereid om de mis op te dragen tijdens de begrafenis van Barry's been. Het zou een besloten plechtigheid zijn, alleen familie – en ik, uiteraard. Op Kensal Rise hebben ze een gaatje... Als je nu ja zegt, kan ik de boel in gang zetten. Ik heb eigenlijk alleen de maat van Barry's been nodig voor de kist.'

'Heeft Barry zelf nog iets te zeggen?' vroeg Wendy.

'Maar natuurlijk,' antwoordde Adele. 'En hij is er erg blij mee. Ik heb hem vanochtend gesproken.'

'Maar hij staat stijf van de morfine!' sputterde Wendy. 'Hij heeft een trauma van hier tot Tokio.'

'Ja, en dit is dé manier om het rouwproces te stimuleren. Hij kan aanwezig zijn op de begrafenis van een van zijn eigen lichaamsdelen. Hij kan praten over wat het been voor hem betekende, herinneringen ophalen. Je mag hem deze kans niet ontnemen, Wendy.'

Wendy vroeg zich niet voor de eerste keer af wie er nou eigenlijk gek was, Adele of zijzelf. Was het onredelijk dat ze zich verzette tegen de begrafenis van het rechterbeen van haar zoon? Adele was hyperintelligent en een spraakmakende amateur-theoloog, en ze hield er, wat nog belangrijker was, originele denkbeelden op na.

'Ik wil graag wachten tot uw man terug is en het dan met hem bespreken,' zei Wendy.

Adeles gezicht vertrok van verdriet; die nacht hadden de stemmen haar verteld dat Ed nooit meer terug zou komen.

Alexander McPherson stormde de kamer binnen en smeet een stapel kranten op de salontafel. Behalve de *Catholic Herald* openden alle kranten met Adeles wrattenverhaal.

'Heb je de kranten gezien?' Het kostte hem moeite zijn woede in toom te houden. Adele had een heilige regel met voeten getreden. Ze had zich voor het programma *Today* door John Humphrys laten interviewen zonder dat de persvoorlichter het wist. Het was alsof een christen vrijwillig had aangeboden om een robbertje te stoeien met een colosseum vol leeuwen en verwachtte dat hij zonder een schrammetje weg zou komen.

Het gaf Adele een enorme kick dat ze op alle voorpagina's stond. En ze was trots op de context. Ze verdedigde de onaantastbaarheid van het leven en kwam op voor het gewijde lichaam van gewone mannen en vrouwen.

'Adele heeft geregeld dat Barry's been door een kardinaal wordt begraven op Kensal Rise,' zei Wendy tegen Alexander. Ze moest het aan iemand vertellen die met beide benen op de grond stond, en deze man was weliswaar een bullebak en een manipulator, maar hij was tenminste overduidelijk bij zijn volle verstand.

Adele pakte de *Independent* van de stapel en begon het artikel op de voorpagina te lezen. Alexander en Wendy wisselden een blik van verstandhouding, en Alexander bracht zijn hand omhoog en draaide zijn wijsvinger rond bij zijn slaap in een internationaal erkend gebaar. 'Adele,' zei hij, 'wie is jullie huisarts?'

HOOFDSTUK 10

Jack zat in een achttiende-eeuwse berceuse en keek uit het raam naar het stilstaande grijze water van de gracht. Een kat van zwart hout lag aan zijn voeten. Hij was er die nacht een paar keer over gestruikeld. Zijn geduld werd danig op de proef gesteld, want de premier was zich nu al een uur lang aan het optutten. Jack vroeg zich af wat de premier nu nog meer zou kunnen verzinnen. Er moest toch een grens zijn aan de hoeveelheid make-up die hij op kon brengen en aan het aantal keren dat hij voor de spiegel plukjes haar kon verschikken.

Het hotelpersoneel had die ochtend vroeg een gratis *Daily Telegraph* onder hun kamerdeur door geschoven. Jack was zich wild geschrokken van de kop: 'Premiersvrouw verstrikt in fundamentalistische controverse', maar toen hij het stuk aan de premier liet zien, zei Edward alleen: 'Wat geweldig dat Adele een debat over zo'n belangrijke theologische kwestie heeft aangezwengeld,' en ging naar de badkamer om zijn wimpers te krullen.

De wijk Gumpton, een deprimerend voorbeeld van sociale woningbouw, lag aan alle kanten ingeklemd tussen zesbaans snelwegen. Een aantal lange voetgangersbruggen en -tunnels verbond de wijk met de buitenwereld. Zoals een van de bewoners in de *Yorkshire Post* had gezegd: 'Nu weet ik precies hoe het voelt om een hamster te zijn!'

De bewoners van dit zoveel mogelijk vergeten gebied waren ervan overtuigd dat het weer in hun wijk altijd slechter was dan in andere delen van Leeds, dat de wolken er lager hingen en dat de wind er kouder was. Er bestond geen meteorologisch bewijs voor dit volksgeloof, maar het bleef hardnekkig bestaan en het versterkte het gevoel dat de bewoners bij wijze van sociale straf naar Gumpton waren gestuurd. Sommige jongeren die de gevangenis hadden geprobeerd, zeiden dat ze het daar prettiger vonden dan in Gumpton; in de nor was meer te doen.

Als je naar de huizen keek, kreeg je de indruk dat deze wijk op de een of andere manier gescheiden was geraakt van de rest van Groot-Brittannië en nooit enige vorm van bestuur had gekend. Er heerste totale anarchie. Soms kwamen er weleens dagjesmensen vanuit de buitenwereld – maatschappelijk werkers, leraren en gemeenteambtenaren – maar die deden zo snel mogelijk hun werk en maakten voor het vallen van het donker dat ze wegkwamen.

Voordat Ali de heuvel naar de beruchte wijk afreed, vroeg hij Allah met een schietgebedje om bescherming. Onderweg had hij zijn passagiers, de stuurs kijkende man en de knappe blonde dame, al gewaarschuwd dat hij zijn taxi onder geen beding ook maar een seconde alleen zou laten. De tienerjongens van de Gumpton-clan waren cultureel geprogrammeerd om elk voertuig te stelen. Onlangs hadden twee jongens van twaalf een Landrover van de politie gestolen en er rondjes mee gereden door de buurt, gefeliciteerd en toegejuicht door het grootste deel van de plaatselijke bevolking.

Om te beginnen reed Ali door de buurt om de belangrijkste bezienswaardigheden aan te wijzen. Alle clichés over extreme armoede lagen er voor het oprapen. De premier kreeg het te kwaad toen ze langs dichtgetimmerde huizen reden, over onverharde paden die ooit bestraat waren geweest. Hij had eens een werkbezoek gebracht aan de sloppenwijken van Rio de Janeiro, waar de mensen van minder dan het bestaansminimum rond moeten komen, maar daar voelde je tenminste nog dat er werd geleefd en dat er soms zelfs van het leven werd genoten. Hier wees echter niets erop dat het leven van de bewoners ook maar iets waard was.

Ali parkeerde bij een modderig terrein met hier en daar een polletje gras dat ooit misschien een park was geweest. Zware regenval belemmerde inmiddels het zicht, en Ali zette de ruitenwissers aan. Ze zagen een pick-up stoppen voor een huis aan de overkant en twee ongespierde, kwabbige mannen, allebei in een trainingspak met gympen, stapten uit de cabine en begonnen te sjorren aan het touw waarmee een oude tweepersoonsmatras in de laadbak van de pick-up was vastgebonden. De regen was overgegaan in een hoosbui en al snel plakte het haar van de twee mannen aan hun hoofd. Hun monden vormden obscene krachttermen terwijl ze de matras zo snel mogelijk los probeerden te krijgen om hem naar binnen te dragen voordat het ding doorweekt was. Jack, Ali en de premier keken naar de race alsof het een sportwedstrijd was.

Een grote, stevig gebouwde vrouw met gewichtheffersarmen deed de voordeur van het huis open. Een peutertje in een T-shirtje van Spider-Man en verder niets, een zuigfles bungelend in zijn mond, klampte zich aan haar trainingsbroek vast. Zo te zien moedigde ze de mannen aan, maar toen Ali het raampje opendraaide, hoorde het trio haar krijsen: 'Schiet verdomme een beetje op, stomme vetzakken!'

'Wil je die matras of niet, Toyota?' riep een van de mannen terug.

De mannen hesen de matras op hun hoofd en strompelden zonder veel te zien over het pad naar de voordeur. Het halfnaakte peutertje rende enthousiast naar hen toe.

Toyota achtervolgde de peuter, kreeg hem te pakken, tilde hem aan de achterkant van zijn opgestroopte T-shirt in de lucht en gaf hem een ferme pets op zijn blote billen en dijen. Het kind haalde heel diep adem en hield die in. De instinctieve reacties van zijn lichaam lieten hem in de steek.

In de auto zaten de drie mannen te wachten totdat de peuter opnieuw naar adem zou snakken. De lippen van de premier trilden. 'Dit is gewoon barbaars, Jack, je moet iets doen!'

Toyota's sterke armen hadden de halfblote peuter hoger in de lucht getild, zodat het gezicht van het kind ter hoogte van het hare was, en ze begon het kind in een gestaag ritme te slaan. Ze krijste recht in het gezicht van het jongetje en zette elk woord kracht bij met een klap. 'Hoe-vaak-moet-ik-nog-zeg-gen-dat-je-niet-naar-bui-ten-mag, Tush-in-ga?'

'Tush-In-Ga?' vroeg de premier, die onder de dikke laag foundation van Max Factor nogal bleek was geworden.

'Tushinga,' zei Ali. 'Dat is een Afrikaanse naam.'

Jack bedacht dat alleen puissant rijke en straatarme mensen hun kinderen zulke ongewone namen gaven.

De twee mannen stonden ongeduldig te wachten onder hun matrasparaplu totdat het peutertje voldoende was gestraft. Het kleintje had inmiddels genoeg lucht in zijn longen om te kunnen krijsen. Dit vreselijke geluid was voor de premier de druppel. Hij stapte uit de auto en liep naar het pad, manoeuvreerde om de matras heen en bleef voor de vrouw staan. Tushinga hing nog steeds in de lucht, met rode vlekken van de klappen op zijn lichte huid.

'Hou alstublieft op,' smeekte de premier.

'Wie ben jij, verdomme?' Toyota hijgde van inspanning. Het slaan van een peuter was zwaarder dan je zou denken.

'Ik ben maatschappelijk werkster,' loog de premier.

'Niet de mijne,' zei Toyota gevat.

Een van de kwabbige mannen begon er genoeg van te krijgen. 'Kunnen we die klotematras nou naar binnen brengen, of hoe zit dat?'

De premier, Toyota en het peutertje gingen opzij om de mannen langs te laten, en de matras verdween met moeite in het huis.

De premier bukte zich om het zuigflesje op te rapen, zo te zien gevuld met Coca-Cola, en hij gaf het aan het snikkende kind. 'Hier, Tushinga, niet huilen. Mammie zal je niet meer slaan.'

'Ik draai verdomme z'n kop d'r af als ie niet wil luisteren,' zei Toyota. 'Hij mot 't leren.'

'Hij leert het heus niet door geslagen te worden,' betoogde de premier.

'Zo heb ik 't geleerd,' zei Toyota in alle redelijkheid.

'Hallo, Tushinga.' De premier kriebelde het jongetje onder zijn kin, maar hij draaide zijn hoofd om en kroop weg in de hals van zijn moeder. Hij huilde nu minder hard en zijn moeder streek zijn haar weg uit zijn betraande gezicht en drukte een patroon van kleine kusjes op een van zijn mollige handjes.

'Heb jij 't soms van Andy overgenomen?' vroeg Toyota.

De premier borduurde voort op de leugen. 'Ja, Andy heeft een zenuwinzinking gehad en ik ben zijn vervangster.' Hij wist dat er een schrijnend tekort aan sociaal werkers was; er waren te weinig aanmeldingen en het ziekteverzuim was hoog.

'Dat verbaast me niks,' meldde Toyota. 'Hij was de laatste keer al zo'n stresskip.' Ze gebaarde dat de premier binnen moest komen. 'Ik zet effe een bakkie thee.'

Argwanend keek ze naar de taxi aan de overkant van de straat. 'Geen wonder dat d'r geen plek is bij de kinderopvang van de gemeente, ze geven al hun stomme rotcenten aan taxi's uit.'

Smekend keek de premier om naar Jack voordat hij achter Toyota aan naar binnen liep. Jack zwaaide naar hem en maakte het zich op de achterbank van de taxi gemakkelijk met de *Daily Telegraph*.

Ali trok aan een hendel onder zijn doorgezakte stoel en de rugleuning ging naar achteren. Hij sliep vrijwel meteen. Dit klusje beviel hem wel; de meter stond al op £39,40 en het was pas halverwege de ochtend.

Tushinga speelde met een lege videoband en een paar wasknijpers op een tot op de draad versleten kleed, gadegeslagen door Toyota en de premier. Op een tafeltje van rookglas stond een grote televisie met flatscreen, afgestemd op een natuurprogramma – een meute jakhalzen scheurde net een zebra aan stukken. Er was een driedelig bankstel bekleed met iets dat op leer leek maar het niet was, en boven de gaskachel hing een huiveringwekkend uitvergrote foto van baby Tushinga.

In de kamer waren tienduizenden sigaretten gerookt en het plafond en de muren waren geel van de nicotine.

De premier moest denken aan de inrichting van zijn eigen woonkamer. Adele had zich dagenlang het hoofd gebroken over de kleur van de verf, samen met een peperdure binnenhuisarchitect die vijfhonderd pond per uur rekende voor adviezen en meer voor het aanbrengen van een paar laagjes verf in de kleur 'melancholisch camel'.

Hij haalde een kleine blocnote uit zijn handtas en maakte een paar aantekeningen. Toyota maakte zich overduidelijk schuldig aan uitkeringsfraude, en onder het schrijven stelde de premier zich voor dat hij deze aantekeningen in het Lagerhuis zou gebruiken om de leden van zijn eigen partij die tegen een hardere aanpak van uitkeringsfraude waren de mond te snoeren.

Toyota stak een Berkeley-sigaret op en bood de premier er beleefd een aan. 'Nee, bedankt, ik heb nooit gerookt,' zei hij, zijn hand opgestoken in het stopteken.

'Nooit?' zei Toyota. 'Hoe kun je nou weten dat je 't niet lekker vindt als je 't nooit hebt geprobeerd?'

Ze gaf hem een ongemakkelijk gevoel, alsof het een schande was om een niet-roker te zijn.

De dikke mannen stonden in de deuropening te roken en televisie te kijken. Ze bleven onvoorgesteld.

'Kom op, probeer d'r een,' drong Toyota aan. 'M'n ma gaf me m'n eerste peuk toen ik elf was.'

'We gaan d'r vandoor, Toy,' kondigde een van de dikke mannen aan. 'Ik krijg tien piek van je, weet je nog?'

'D'r zit nog geen stuiver in m'n tas,' zei Toyota. 'Kijk zelf maar.'

Toyota bleek de matras voor vijf pond te hebben gekocht van een kennis van een van de twee mannen, en het bezorgen kostte nog eens vijf pond. Haar oude matras, die inmiddels in de achtertuin lag, was onherstelbaar beschadigd toen Tushinga haar aansteker te pakken had gekregen.

'Daarom moet ik zo streng voor 'em zijn,' legde Toyota de premier uit. 'Ik wil niet dat ie later een hooligan wordt.'

'Doe niet zo lullig en geef ons in elk geval vijf pond voor de diesel,' zei de andere man. 'D'r zit geen druppel meer in de tank.'

Onmiddellijk vloog Toyota op. 'Lul! Jullie hebben van tevoren niks over betalen gezegd. Ik moet op m'n uitkering wachten.'

'M'n tank is leeg, verdomme, en we hebben allebei geen poen. En we hebben over een halfuur een nieuwe klus.'

'Waarom hebben jullie geen poen?' vroeg Toyota.

'Omdat we moesten betalen voor de steiger die we vanochtend hebben opgezet.'

'Bel Derek maar. Misschien wil die eikel me wel een vijfje lenen,' zei Toyota.

Een van de twee mannen haalde een mobiele telefoon uit zijn zak, toetste een nummer in en begon te praten. 'Toyota moet een tientje hebben voor d'r matras en de diesel.' Hij luisterde even, kreunde en keek naar Toyota. 'Hij zegt dat je de pot op kan. Je hebt 'em nog steeds niet betaald voor de klotebuggy.'

'De wielen van dat kloteding vielen eraf voor de Lidl,' tierde

Toyota, 'en Tushinga ging op z'n bek. Ik heb in dat kutziekenhuis verdomme zes uur bij de eerstehulp gezeten!'

De aantekeningen van de premier werden steeds onsamenhangender. Hij had geschreven: 'matras, aansteker, dikkerds, btw-nummer?'

De ene man zei tegen de andere: 'Vraag Polio John of ik wat diesel af kan tappen uit z'n invalidenkarretje, anders zijn we verdomme de lul met die volgende klus!'

Polio John werd gebeld en vertelde dat hij op het postkantoor was om zijn gehandicaptenpensioen te innen, maar dat hij langs zou rijden als hij klaar was.

Het licht ging uit en de televisie gaf een klikje, waarop het scherm zwart werd.

'Ik heb een stroomkaart nodig,' verzuchtte Toyota.

Toen de premier haar niet-begrijpend aankeek, legde ze uit dat ze bij het energiebedrijf als wanbetaler te boek stond, zodat ze een meter hadden geïnstalleerd. Een meter vol muntgeld was echter een grote verleiding voor jongeren die droomden van Nikes en crack, dus moest er in plaats daarvan een plastic kaart voor het apparaat worden gekocht. De kaarten waren te koop bij bepaalde winkels, garages, het politiebureau en zelfs bij de brandweerkazerne.

Een van de dikke mannen leek op een idee te komen. 'Laten we Lucky Paul bellen en vragen of ie effe langs wil gaan bij de garage. Kan ie op de pof een kaart en een liter diesel meenemen.'

Er werd contact opgenomen met Lucky Paul, maar hij vertelde dat hij niet langer op rekening kon kopen bij de garage. De vorige manager was ontslagen omdat hij onder de toonbank vieze video's verkocht, en de nieuwe was 'een bekakte eikel uit Manchester'.

Een sombere stilte daalde over de kamer neer terwijl de drie berooide mensen probeerden te bedenken hoe ze hun financiële problemen moesten oplossen.

'Ik wilde dat ik kon helpen,' zei de premier.

''t Geeft niet,' zei Toyota. 'Ik weet dat jullie geen geld mogen geven.'

Zonder het kunstlicht was het erg donker in de kamer. 'Straks heb ik ook geen sigaretten meer,' zei Toyota, en haar stem klonk oprecht bang.

'Als we niet op tijd komen voor die klus worden we niet betaald,' zei een van de mannen, 'en dan kunnen we de rest van de huur voor die klotesteiger niet betalen en dan raken we die klus óók kwijt.'

De premier moest denken aan een gedicht dat zijn vader hem vroeger vaak had voorgelezen, iets over het ontbreken van een spijker en een oorlog die werd verloren.

Opeens kreeg Toyota inspiratie. 'Robby Rochel heeft verleden week toch z'n asbestgeld gekregen?'

'Jawel, maar hij heb zondag z'n longen uit z'n lijf gehoest en hij ging de pijp uit in de ambulance.'

Opnieuw schoot Toyota uit haar slof. 'Waarom heeft niemand me dat verteld? Ik deed boodschappen voor 'em en ik haalde friet voor 'em als ie zich beroerd voelde.'

Ze kreeg tranen in haar ogen en snikte een paar keer luid, nerveus in de gaten gehouden door de drie mannen. Niemand deed pogingen om haar te troosten. De premier voelde zijn borst samentrekken. Het gonsde in zijn oren en kreeg hij echt pijn in zijn linkerarm? Hij leunde naar achteren in de zwarte stoel en probeerde regelmatig adem te halen. Het probleem van de tien pond leek onoverkomelijk; in het verleden had hij zich minder zorgen gemaakt om de miljarden die Engeland de Wereldbank schuldig was.

Belangstellend las Jack een uitgewerkt gesprek tussen Adele en haar chiropodist, Peter Bowron:

PB *Er zit een plekje eelt op de hiel... Ja, Graham Norton heeft echt popperige voeten en hij is er heel erg zuinig op.*

AC-F *Ik heb Eddy gevraagd of hij alsjeblieft een afspraak met je wil maken. Zijn voeten zijn eh... onplezierig.*

PB *Ze ruiken niet prettig?*

AC-F *En ze zweten.*

PB *Ja, ik zie hem vaak genoeg op de buis. Ook in close-up. Hij zweet inderdaad eh... flink.*

AC-F *Het zijn de zenuwen. Hij ziet eruit als Mister Cool maar vanbinnen, Pete, die man is een rampgebied.*

Nu wordt het gesprek gedurende één minuut en vijf seconden overstemd door het geluid van een voetenschuurmachine.

PB *Ziezo, dat is weer lekker glad.*

AC-F *Fijn. Bedankt.*

PB *Weet je wie er nou echt geweldige voeten heeft? Roy Hattersley. Hij is hier maar één keer geweest, hij had een ingegroeide teennagel, maar ik zal zijn voeten nooit vergeten. Puur en oprecht. Prachtige wreef, onwaarschijnlijk lenige tenen. Hij had voetenmodel kunnen worden.*

AC-F *Maar hij is een verrader, Pete.*

PB *Misschien, maar hij heeft prachtige voeten. Wil je een pepermuntmassage?*

AC-F *Ja, graag. Zeg Pete... is het waar dat je Posh en Becks doet? Dat hoorde ik laatst iemand zeggen.*

PB *Ik kan niets over Posh en Becks zeggen, Adele. Ik heb getekend voor geheimhoudingsplicht.*

AC-F *Mij kun je het toch wel vertellen. Ik ben enorm*

	discreet. Ed vertelt me altijd alles. Dat is natuurlijk niet de bedoeling, maar hij moet het toch kwijt. Neem nou dat Star Wars-plan van Bush. Volgens Ed is Bush niet goed bij zijn hoofd dat hij...
PB	*Wil je dat ik alleen je onderbenen doe of helemaal?*
AC-F	*Helemaal. Ik heb nog twee uur de tijd voordat ik op het paleis moet zijn.*
PB	*Wat is de koningin voor iemand?*
AC-F	*De koningin? Mijn god, dat mens is nog saaier dan een goudvis. Het gaat alleen maar over honden, paarden en postzegels. Een gesprek met haar is net alsof je door havermoutpap moet waden. Ze heeft zelfs nog nooit van Wittgenstein gehoord! Heel vreemd voor een nazi zoals zij. (Gelach)*

Jack vouwde de krant op en keek opzij naar het huis, waar Toyota nu voor het raam stond. Hij stapte uit de auto en liep over het pad naar de voordeur. Even later stond hij binnen en gaf hij een van de matrasdragers een briefje van tien pond.

Ali reed de premier, Jack, Toyota en Tushinga naar het wijkcentrum. Het was een laag gebouw van rode baksteen zonder ramen, en langs de rand van het dak was prikkeldraad gespannen.

Een geüniformeerde bewaker liet hen door naar de parkeerplaats. Naast het wijkcentrum, via een overdekt pad met de parkeerplaats verbonden, was het Gumpton Zwemparadijs. Een gezin van vier personen liep naar de ingang met opgerolde handdoeken onder hun arm. Aan hun accent te oordelen woonden ze niet in Gumpton.

Toyota had tijdens de rit van tien minuten onophoudelijk gepraat. Jack zou in het wijkcentrum een stroomkaart voor haar kopen waar ze drie dagen mee kon doen, als ze tenminste zuinig was en het elektrische kacheltje in haar slaapkamer niet gebruikte.

Hoewel ze geen idee had hoe ze die kutmatras droog moest krijgen. Ze had een opleiding voor bejaardenhulp gedaan. Ze was echt dol op oudjes, die hadden zoveel meer te vertellen dan jonge mensen. Haar moeder paste toen op Tushinga, maar hij was te lastig nu hij kon lopen, en d'r moeder was slecht ter been door een versleten knie. En de kinderopvang van de gemeente zat vol, dus kon Toyota niet werken, al zaten ze in de bejaardentehuizen te springen om hulp. Particuliere opvang kostte meer dan honderd pond per week, godsamme, dus was ze aangewezen op de Sociale Dienst en moest ze van de hand in de tand leven en kon ze voor haarzelf en Tushinga alleen lullige tweedehandskleren kopen.

Tushinga was de dag daarvoor uitgenodigd voor een partijtje, maar hij was niet gegaan omdat ze geen geld had voor een cadeautje. Zwaar klote! En hij had schoenen nodig. Goede schoenen, want hij kon nu echt lopen, ze wilde dat zijn eerste schoenen nieuw zouden zijn, geen lullige tweedehands.

Op school was ze altijd goed geweest in aardrijkskunde. Ze had een werkstuk over Afrika gemaakt en elk land met een andere kleur viltstift ingekleurd. Op een dag wilde ze er graag een keer naartoe om de dieren in het wild te kunnen zien.

Ze deed er alles aan om rond te komen van haar uitkering. Ze verstopte geld in verschillende potjes en doosjes en eierdopjes, maar wisten ze wel hoeveel wegwerpluiers kostten? Tushinga moest zo snel mogelijk zindelijk worden. Andy, de opbouwwerker, had tegen haar gezegd dat Tushinga te jong was om zijn ontlasting op te houden, maar de kleine begreep het donders goed als de ijscoman voor de deur stond en dat stomme klotedeuntje liet horen. Hij was gewoon te lui om z'n potje te gaan halen.

Andy had gezegd dat ze moest stoppen met roken, maar het waren er nu nog maar vijf per dag – en bovendien, Andy rookte zelf dus dat was de pot en de ketel.

Ze ging nooit uit, en ze was pas negentien. Tushinga's pa had hem maar één keer gezien, in het ziekenhuis de tweede dag na zijn geboorte. Hij was langsgekomen met zijn vrienden en hij had hem een reusachtige teddybeer gegeven die z'n ma op de kermis had gewonnen – lullig, hè? – dus eigenlijk telde het niet als cadeau. Soms stuurde hij wat geld via Polio John, maar hij was de eerste verjaardag van z'n zoon mooi vergeten, de eikel. Ze wist dat ze groot van stuk was en niet echt mooi, maar dat vonden sommige mannen niet erg. Ze had een goed karakter en ze wist alles van de dieren in Afrika. Vroeger haalde ze vaak boeken over dieren uit de bibliotheek in de wijk. Daar was het zo fijn met die hoge, ronde ramen, en het was er lekker stil en het rook er naar boenwas. Maar daar zat nu een tapijtcentrale, en de nieuwe bibliotheek was maar één lullig kamertje in het buurtcentrum, en ze waren nooit open als je er naar binnen wilde.

Ze wist niet wat 'Tushinga' betekende in het Afrikaans, maar daar kwam ze op een dag nog wel achter.

Terwijl Toyota de stroomkaart ging kopen, lazen Jack en de premier de mededelingen op het prikbord in de hal van het buurtcentrum. Op een van de posters lazen ze dat de Gumpton Jongerenclub op donderdagen van zeven tot negen bij elkaar kwam in de grote zaal, waar kennelijk ook bingoavonden voor bejaarden werden georganiseerd en overdag een speelgroep voor peuters (geen plaatsen beschikbaar).

'In de oorlog zat er op elke straathoek een crèche zodat de vrouwen konden werken,' merkte Jack op.

De premier reageerde geïrriteerd. 'Er zijn allerlei maatregelen genomen die het voor alleenstaande ouders makkelijker maken om weer aan het werk te gaan, Jack.'

Boven, achter een deur met een cijferslot, vergaderden gemeenteambtenaren, opbouwwerkers, sociaal werkers, jeugdwerkers, reclasseringswerkers en de wijkagent met de bewonersvereniging. Er werd afgesproken dat er subsidie zou worden aangevraagd en dat er dan, als de subsidie werd verleend, een nieuwe pingpongtafel, vier batjes en een doos pingpongballen zouden worden aangeschaft in een poging om vandalisme en joyriding in de buurt tegen te gaan.

Jack en de premier gaven Toyota een lift terug naar huis. Jack droeg Tushinga voor haar naar de deur. Hij genoot ervan de armpjes van het kleintje om zijn nek te voelen. Binnen stopte hij Toyota een briefje van twintig in handen. 'Doe er maar wat leuks van, meissie.'

Terug in de auto viel hij woedend uit tegen de premier. 'Het was woensdagmiddag, dus waarom was de bibliotheek dan om kwart over twaalf niet open?'

De premier gaf geen antwoord, hij schaamde zich een beetje. Weer was er dat samentrekken van zijn borst en de vingers van zijn linkerhand voelden alsof ze sliepen, maar hij zei nog steeds niets. Het kon geen hartaanval zijn – hij was kerngezond, hij tenniste en had twee keer per week seks. Zijn hart moest in een uitstekende conditie zijn. Hij pakte Jacks krant en bekeek het voorpaginaverhaal. Dus Adele had de koningin een nazi genoemd. Nou en? Dat had ze als privé-persoon gezegd en ze had recht op een eigen mening. De premier had het volste vertrouwen in Alex McPherson, die zou zich uit de naad werken om de schade aan de regering zoveel mogelijk te beperken. Hij leunde achterover en trok de gordel over zijn buik. Er waren nog drie dagen van zijn vakantie over en hij besloot niet meer aan vervelende dingen te denken.

'Waarheen, baas?' vroeg Ali.

Jack vroeg de premier wat hij nu graag wilde gaan doen.

'Is er hier een kerk in de buurt?' vroeg de minister-president.

HOOFDSTUK 11

St. Luke's was een kolossaal kerkgebouw, tegenwoordig ingeklemd tussen goedkope sociale woningen en een rij dichtgetimmerde winkels. De glas-in-loodramen werden door stevig gaas beschermd en het dak glom van het antivandalenvet. Confetti was in de modder voor de hoofdingang getrapt. Muziek klonk uit een gebouw aan de achterkant, 'Red Sails in the Sunset'.

Jack en de premier baanden zich een weg over het modderige en met afval uit een omgevallen vuilcontainer bezaaide pad en kwamen bij de pastorie. Het gebouwtje leek nog het meest op een vesting: er waren tralies, gemene ijzeren punten en prikkeldraad. De deur zat op slot, dus gluurden ze tussen de tralies voor de ramen door, en zagen oude dames en een paar bejaarde heren met elkaar walsen. Ze droegen glimmende dansschoenen. De vrouwen waren gekleed in zwierige jurken, de mannen in het pak met overhemd, compleet met stropdas. Hun gewone, alledaagse schoenen stonden in een rij tegen een van de muren.

Tot zijn verbazing merkte Jack dat zijn ogen vochtig waren geworden, hoewel hij nooit erg dol was geweest op 'Red Sails in the Sunset'.

Een jonge zwarte man in een donker pak met priesterboord kwam door de deur van de pastorie naar buiten. Hij glimlachte naar Jack en de premier en vroeg met een zwaar Afrikaans accent: 'Komen jullie voor de dansmiddag?'

'Ja,' antwoordde de premier. Opeens had hij erg veel zin om lekker te zwieren op de muziek en weg te zijn bij de modder en het prikkeldraad en de koude wind.

De priester stelde zich voor. Hij was Jacob Mutumbo en was als missionaris uit Pretoria gekomen om de arme mensen in de wijk Gumpton te helpen. Hij was nog maar een halfjaar geleden in deze kerk begonnen maar had nu al grote vooruitgang geboekt. De dansclub voor bejaarden was zijn eigen idee, want dansen was goed voor de ziel, en hij vond het jammer dat hij het moest zeggen – en ze moesten het zich vooral niet persoonlijk aantrekken – maar de ziel van de mensen in de wijk Gumpton was beschadigd en daar moest iets aan worden gedaan.

Jack nam de premier in zijn armen op het Latijnse ritme van Edmundo Ross. Het was voor hen allebei jaren geleden dat ze voor het laatst een rumba hadden gedanst, maar het ging heel goed samen en Jack vond het bijna jammer dat een kortademige man die Ernie Napier heette de premier ten dans vroeg en hem meevoerde naar de andere kant van het zaaltje.

Jack ging zitten om op adem te komen en zag dat verschillende oudere dames giftige blikken op de premier wierpen toen deze suggestief met zijn heupen rolde op de klanken van 'Guantanamera'.

Toen Jacob Mutumbo een wisseldans aankondigde vroeg een bejaarde vrouw met glinsterende rode pumps en een loszittend kunstgebit Jack voor een quickstep. Terwijl ze samen door het zaaltje sprintten, vertelde ze Jack dat ze als kind altijd een penny van haar zakgeld voor de zending in Afrika had gegeven. 'En nu is 't omgekeerd en hebben wij hun nodig,' voegde ze eraan toe.

Ernie Napier sloofde zich enorm uit met pasjes en draaibewegingen die hij geleidelijk van zijn dansrepertoire had geschrapt naarmate hij meer last kreeg van artritis en stramme ledematen. Maar nu, geïnspireerd door de nog betrekkelijk jonge en charmante premier, trok hij alle registers open. De premier, die het niet gewend was om zich als vrouw te laten leiden en bovendien werd gehinderd door hoge hakken, had moeite om hem bij te houden.

In de pauze hield Jacob een praatje over God. Hij praatte over Hem alsof God een gemoedelijke pater familias was die er alles aan deed om Zijn zes miljard 'kinderen' op het rechte pad te houden.

Tijdens deze preek legde Ernie Napier zijn hand op de dij van de minister-president. 'Ik ben misschien wel negenenzeventig,' zei hij, 'maar ik kan het nog steeds.'

De premier duwde de hand weg. 'U danst heel goed.'

Ernie bracht zijn nattige mond bij het oor van de premier en hijgde erin. 'Wie heeft het over dansen? Ik kan hét nog als de beste.'

De premier kreeg het benauwd bij de gedachte aan seksuele gemeenschap met de kortademige, kwijlende Ernie Napier, en zijn handen begonnen te zweten. Hij gebaarde naar Jack dat hij graag weg wilde, maar toen hij ging staan voelde hij zich duizelig en zakte hij langzaam in elkaar op de grond.

AOW'ers dromden om hem heen, verstikten hem met de geur van oude kleren en mottenballen. Hij kreeg niet genoeg lucht in zijn longen en voelde paniek opkomen in zijn pijnlijke borst. Opeens zag hij de koningin met een hitlersnorretje voor zich. Ik ga dood, dacht hij, en deed zijn ogen dicht.

De ambulance deed er veel langer over dan volgens de wettelijke richtlijn was toegestaan. De ziekenbroeders gaven de anti-joyrijd-barricades en hun gecomputeriseerde centrale meldkamer de schuld.

Jack had de premier neergelegd zoals hij het op de EHBO-cursus had geleerd; met zijn ene heup naar voren en een arm boven zijn hoofd zag hij eruit alsof hij poseerde voor een volledig aangeklede versie van de centerfold.

Ernie Napier barstte na het vertrek van de ambulance in tranen uit en biechtte de pastoor op dat de inzinking van zijn danspartner aan hem te wijten was. 'Ik ben over seks begonnen,' snikte hij.

Jacob troostte Ernie door te zeggen dat God zelf van seks hield en dat hij zich niet schuldig hoefde te voelen. Toen Ernie zijn dansschoenen uittrok, vroeg hij zich af met wie God seks had. Het was een kwestie die hem vrijwel de hele nacht uit zijn slaap zou houden.

Jack had beloofd dat hij Alexander McPherson niet zou bellen behalve als het om leven of dood ging en toen hij in Ali's taxi achter de ambulance met de gevelde premier naar het ziekenhuis reed, concludeerde hij dat dit een noodgeval was. Hij belde Alexander op het afgesproken nummer en kreeg hem direct aan de lijn.

'McPherson.'

'Met Jack. Ik bel vanwege Edwina. Hij/zij is in een ambulance onderweg naar het ziekenhuis.'

'Godallemachtig! Wat is er met hem/haar aan de hand?'

'De ziekenbroeders behandelen hem/haar voor een hartaanval.'

'Snakt hij/zij naar adem, is er sprake van zweten, pijn op de borst, een gevoel dat de linkerarm slaapt, duizeligheid, hoge bloeddruk?'

'Ja,' antwoordde Jack.

'Jack, het is gewoon hyperventilatie. Daar heeft hij zo vaak last van. De laatste keer was verleden maand, vlak voordat hij het Amerikaanse congres moest toespreken. De cardioloog van Bush heeft hem onderzocht, en hij was zo gezond als een vis. Wat was hij aan het doen vlak voordat hij...'

'Hij danste de rumba met Ernie, een AOW'er.' Jack kon de verleiding niet weerstaan en voegde eraan toe: 'Hij/zij is tegenwoordig uitgedost als Marilyn Monroe.' Hij werd beloond met een zeldzaam geluid – Alexander McPherson lachte.

'We zijn nu bijna bij de eerste hulp. Zal ik straks nog een keer bellen?'

'Ja, hou me op de hoogte.' Vervolgens deed hij een heel aardige imitatie van Marilyn Monroe door met een hese stem te zingen: *'Ooo shooby doo'*.

Nu was het Jacks beurt om te lachen, waarop Ali hem niet-begrijpend aankeek. Als zíjn vrouw in een ambulance naar het ziekenhuis werd gebracht met een zuurstofmasker zou hij echt niet lachen, dan zou hij het in zijn broek doen en al zijn familieleden bellen om te zeggen dat ze naar het ziekenhuis moesten komen en hij zou aan één stuk door lopen bidden, ja toch? Soms vroeg hij zich af of Engelse mensen net zoveel gevoel hadden als andere mensen. Zijn eigen kinderen waren in Engeland geboren en het was hem opgevallen dat ze maar heel even hadden gehuild toen hun konijn dood was gegaan van de kou en dat ze, voorzover hij wist, Flopsy's naam nooit meer hadden genoemd.

Jack betaalde Ali het bedrag op de meter plus een fooi van twintig procent. Tevens adviseerde hij Ali om zijn linker remlicht te laten repareren.

Ali schreef zijn telefoonnummer op de achterkant van het bonnetje en zei dat Jack altijd welkom was bij hem thuis, dat zijn vrouw en kinderen het leuk zouden vinden als hij langs kwam. 'Allah waakt over uw vrouw, ja,' voegde hij eraan toe, 'zelfs al is ze geen moslim.'

Jack bedankte hem voordat hij uit de taxi stapte.

De premier lag op het harde smalle bed in de ambulance en luisterde naar een discussie over een trolley op wielen tussen de ziekenbroeders en een persoon die hij niet kon zien. Om de zoveel tijd boog iemand die naar sigaretten en aftershave rook zich over hem heen om te mompelen: 'Blijf lang en diep ademhalen, Edwina.'

De premier genoot van de geur van de zuurstof en het gevoel van het masker. Het was werkelijk heerlijk om betutteld te worden en te horen dat hij zich niet mocht bewegen. Een verrukkelijke inertie nam bezit van hem en hij viel in slaap, wetend dat hij, gezien zijn status als bonafide patiënt, minstens vierentwintig uur helemaal niets meer hoefde: hij hoefde geen meningen te hebben, geen beslissingen te nemen, geen verklaringen af te leggen.

Het verbaasde Jack dat de premier nog steeds in de ambulance lag. Hij had verwacht dat de minister-president naar binnen zou zijn gebracht om met vliegende spoed door artsen te worden onderzocht. Men legde hem uit dat er geen trolley beschikbaar was en dat de patiënt beter af was waar 'ze' was zolang er geen rijdend materieel beschikbaar was.

Uit de sarcastische manier van praten maakte Jack op dat het geslacht van Edwina in twijfel werd getrokken en dat was heel begrijpelijk. De baard van de premier was duidelijk zichtbaar onder het doorzichtige plastic masker, de lippenstift was eraf en zonder de hoge hakken zagen zijn voeten er onmiskenbaar mannelijk uit, vooral de harige grote tenen.

'Kunnen jullie geen dokter hierheen laten komen?' vroeg Jack.

Hij kreeg te horen dat er een motorrijder gereanimeerd moest worden en dat een man die met zijn penis vastzat in een stofzuigerbuis een woede-uitbarsting had gekregen op de afdeling kleine ongevallen toen de dokter hem liet weten dat zijn vrouw als naaste familie op de hoogte gebracht moest worden van het feit dat hij in het ziekenhuis lag.

'Dus de hele afdeling ligt lam?' concludeerde Jack.

Hij liep weg van de ambulance en ging zelf op zoek naar een trolley. Hij duwde een stel dubbele deuren open en kwam in een andere wereld terecht: de wachtruimte van de eerste hulp.

Het was een zaal zonder ramen, en het fluorescerende licht scheen op de ongelukkigen die hier terecht waren gekomen: de stuntelaars, de pechvogels en de onschuldigen. Met hun breuken, brandwonden, snijwonden, verstuikingen, schaafwonden, pijntjes, constipatie, braakaanvallen, koorts, bloedneuzen, stuipen, overdoses drugs en lusteloze baby's kwamen ze naar deze ruimte. Ze waren van ladders of daken gevallen, ze hadden bleekwater of whisky of juist niets gedronken. Ze hadden kokend water over hun voeten gegoten, ze waren in glas gaan staan of ze waren gestruikeld over een blokje Lego en van de trap gevallen. Ze hadden schedelletsel en ze waren de anticonceptiepil vergeten en hun kinderen hadden verschillende kleine voorwerpen ingeslikt. Ze waren gestuurd door hun huisarts of telefonische hulplijnen, en behalve de enkele lijder aan het syndroom van Münchausen wilde niemand daar zijn.

De scharnieren van de deuren piepten zo doordringend dat Jack er kippenvel van kreeg.

In een groot glazen hok met het bord 'receptie, hier melden' zaten drie vrouwen in grijze uniform. Voor elk van de drie loketten stonden mensen in de rij. Boven een deur achter in de wachtkamer hing een bord met de tekst: 'eerste onderzoek'. Rijen zwijgende mensen zaten te wachten en luisterden naar de vertrouwelijke informatie die vanuit de receptie via de intercom in de hele wachtkamer te horen was.

Terwijl Jack in de rij wachtte om naar een trolley te vragen, viel zijn blik op een wit bord waar met zwart krijt op was geschreven:

Welkom op de eerste hulp
Wachttijden:
Kinderen: 2 uur
Zware verwondingen: 2 uur
Lichte verwondingen: 2 uur

Hij was verontwaardigd, niet over de mededeling zelf, hoewel die verontrustend was, maar over het bord met de slordige hanenpoten. Hij verwachtte heus niet dat het ziekenhuis een kalligraaf in dienst had – al waren er genoeg mededelingen om zo iemand fulltime bezig te houden – maar ze hadden toch wel iets netter kunnen schrijven om patiënten het gevoel te geven dat men in dit ziekenhuis serieus en zorgvuldig was?

Een mollige vrouw die twee plaatsen voor Jack in de rij stond, gaf haar naam en geboortedatum op. Emily Farnham, vier, vijf, drieënvijftig. De intercom piepte en de mensen in de wachtkamer drukten hun handen gepijnigd tegen hun oren.

'Ik ben van een paard gevallen. Ik had de teugels los moeten laten maar... Ik denk dat mijn enkel gebroken is.'

'Neemt u maar even plaats, er komt zo een verpleegster naar u kijken.'

Emily keek om zich heen en hopte zonder hulp naar een plekje.

De man voor Jack hield zijn hand omhoog. Er was een wit kussensloop omheen gebonden, maar er sijpelde toch bloed uit. Hij had een shock en kon zich zijn naam en geboortedatum nauwelijks herinneren.

'Is er iemand bij u?' schreeuwde de receptioniste. Er was zoveel rumoer dat de vrouw haar woorden drie keer moest herhalen voordat de man haar verstond.

'Mijn vrouw. Ze zet de auto weg.'

Jack keek om zich heen. Er zou nu toch zeker iemand worden geroepen om de man te helpen?

Een vrouw van middelbare leeftijd werkte zich naar voren. 'Mijn vader zit buiten in de auto,' vertelde ze de receptioniste. 'Hij is op zijn hoofd gevallen en hij moet de hele tijd overgeven. Hij is tachtig en hij heeft suiker. Ik kan hem niet tillen. Kan er iemand komen?'

'Ik ben nog even met deze meneer bezig,' zei de vrouw achter het loket.

'Maar hij is tachtig! Hij heeft diabetes. Hij is op zijn hoofd gevallen. Hij geeft de hele tijd over.'

'U zult hem uit de auto moeten halen,' zei de receptioniste.

'Hij is te dik, ik kan hem niet ondersteunen,' legde de vrouw uit.

'Dan had u een ambulance moeten bellen,' zei de receptioniste.

De vrouw ventileerde urenlang opgekropte spanningen. 'Ik heb verdomme vijf en een half uur op een ambulance zitten wachten!' krijste ze, en ze draaide zich om naar de man met de bloedende hand in de hoop dat hij haar kon helpen. 'Ik heb de motor laten draaien en ik sta hier pal voor de deur.'

'Er is een stuk van mijn vinger af,' legde hij uit. 'Ik heb het bij me. Het zit in een plastic zakje in mijn achterzak.'

Jack was een sterke kerel maar hij bezweek haast onder het gewicht van sergeant-majoor b.d. Philip Doughty toen hij de oude man van het kleine Fiatje naar de wachtruimte droeg. Eenmaal binnen legde hij Mr. Doughty over vijf plastic stoelen, de enige plek afgezien van de grond waar hij hem neer kon leggen. De dochter van de oude baas trok haar jas uit en vouwde die op om hem als een kussen onder het hoofd van haar vader te leggen.

Woedend stormde Jack door een deur met 'geen toegang' erop, daar stond hij in een gang met aan beide kanten zieke mensen op verrijdbare bedden; sommige lagen aan een infuus, andere aan een hartmonitor.

Een jongeman in een leren motorpak lag bleek en roerloos op een bed met zijn hoofd vastgezet tussen twee speciaal daarvoor bestemde blokken. Zijn rode helm was tussen zijn voeten gelegd. Een oude vrouw met wit haar riep Jack toen hij langsliep. 'Help me, jongen, ze willen me vermoorden!'

Op zoek naar een brancard op wielen of een leeg kamertje liep Jack loerend door de gangen. Op een gegeven moment stond hij voor een deur met het bordje 'opname'. Niet wetend wat hij anders moest doen, vroeg hij het meisje dat hier de scepter leek te zwaaien om hulp. Er rinkelden twee telefoons, allebei met een ander geluid.

Het meisje vertelde Jack dat het een rustige dag was, en dat er vast en zeker snel een paar brancards vrij zouden komen.

Jack verliet de ruimte en zette zijn zoektocht door de gangen voort. Hij zag een leeg kantoortje, ging naar binnen en pakte een stapel papier. Bijna iedereen kon overal komen, zolang ze er maar uitzagen alsof ze wisten wat ze deden en een stapel papieren onder hun arm hadden. Hij trok zijn jasje uit, rolde de mouwen van zijn overhemd op en kon ongestoord gaan en staan waar hij wilde.

In de lege röntgenkamer vond hij twee brancards en een bode, en die vorderde hij alledrie. Jack was nu dokter Jack Sprat, en binnen enkele minuten lagen de premier en sergeant-majoor b.d. Doughty in een gang op een echte dokter te wachten.

De premier sliep onrustig, hij werd geplaagd door vreemde dromen. De koningin hield een toespraak in Neurenberg en hordes jongelui met goudkleurig haar die opvallend op de jonge prins Philip leken juichten 'Mein Führer'. Snakkend naar adem werd hij wakker, en het duurde even voordat Jack hem weer tot bedaren had gebracht. Jack verzekerde hem dat hij niet doodging en dat er nu snel een dokter zou komen.

De middag ging over in de avond, en tegen de tijd dat het donker was, waren de vrienden en familieleden van de brancardpatiënten de beste maatjes geworden. Door de omstandigheden ontpopten ze zich tot handige verpleeghulpen, waar ze zelf versteld van stonden.

Rond middernacht gingen de vrienden van de motorrijder op pad en kwamen terug met dozen van Domino's pizza, en iedereen die kon eten kreeg een stuk. De premier kreeg een punt extra knapperige pizza Napoli. Een sliertje paprika viel uit zijn mond op een van de zuignapjes waarmee zijn hartslag werd geregistreerd.

Jack haalde het flintertje weg en veegde de kin van de premier af met een papieren zakdoek die de vrouw die van haar paard was gevallen hem had gegeven. Vervolgens haalde hij een lippenstift uit de handtas van de premier en droeg hem op zijn lippen bij te werken.

Dokter Singh was minder geïnteresseerd in de man met de blonde pruik en het damesondergoed dan zijn collega's. Hij kwam uit Rajahstan en had in Pushkar weleens een groep travestieten gezien – beeldschone, prachtig geklede schepsels – die dansten voor een mannelijk publiek. Hij was er vrijwel zeker van dat deze arme kerel – die zich nodig moest scheren en van wie de blonde pruik telkens scheefzakte – een kerngezond hart had, maar toch speet het hem dat hij hem de hartmonitor af moest pakken omdat een andere patiënt, een oudere man met een hartbeklemming, het apparaat harder nodig had.

De man die zichzelf Edwina noemde had zich verzet toen de verpleegster de zuignappen los wilde maken. Hij was hysterisch geworden en gaan schreeuwen dat hij al zijn hele leven braaf de ziekenfondspremie betaalde en dat hij er recht op had om langer dan tien lullige minuutjes van de monitor gebruik te maken. Hij was de minister-president en als hij in dit ziekenhuis doodging zouden ze er nog spijt van krijgen, want Malcolm Black, de minister van Financiën, was ervan overtuigd dat de National Health Service over meer dan genoeg middelen beschikte maar er gewoon inefficiënt mee omging. Dokter Singh had de arme drommel glimlachend aangekeken. De man leed overduidelijk aan een acute angstneurose, en hij zou hem die nacht ter observatie in het ziekenhuis houden en hem de volgende ochtend door een psychiater laten onderzoeken.

HOOFDSTUK 12

Om drie uur 's nachts werd de premier naar de Bevan-observatieafdeling gebracht. Jack hielp een volkomen uitgeputte arts-assistent bij het invullen van de formulieren voor de officiële opname, waarna hij in een leunstoel aan het bed van de premier ging zitten en probeerde een beetje te slapen. Het was nog net niet echt kermis op de zaal – men kon zich niet door het aanschaffen van een kaartje aan de patiënten vergapen – maar er was wel voortdurend rumoer en onrust. Sergeant-majoor b.d. Doughty lag in het bed tegenover de premier onophoudelijk te roepen, menend dat hij in een ponton de landing op het strand van Normandië nog eens dunnetjes ging overdoen.

'Zuster, zuster, zuster!' riep een vrouw in het bed ernaast, maar geen van de engelen kwam.

De man van de stofzuigerbuis in het bed aan de andere kant verstopte zijn hoofd onder de dekens en huilde van de pijn en de vernedering en de afschuwelijke zekerheid dat zijn vrouw nu gegarandeerd bij hem weg zou gaan. Hij vertelde Jack dat het dit jaar al de tweede keer was dat hij in de slaapkamer met zijn broek rond zijn enkels op de stofzuigerbuis was 'gevallen' nadat de hond per ongeluk de stofzuiger had aangezet. Het tartte de geloofwaardigheid, zelfs hij moest het toegeven.

Jack was blij toen de lichten in de zaal om zes uur precies aanfloepten. De premier werd wakker en meldde dat hij zich stukken beter voelde, maar hij zag eruit als een vogelverschrikker. Jack gaf hem zijn lippenstift aan en ging op zoek naar een scheermes.

Achteroverliggend in de kussens keek de premier naar een slonzige vrouw in een slechtpassende nylon overall die met een smerige mop een baantje trok door het midden van de zaal.

Sergeant-majoor b.d. Doughty brulde: 'Je moet onder de bedden dweilen, daar zitten de bacteriën!'

Jack kocht een zakje wegwerpscheermesjes in het slechtgesorteerde ziekenhuiswinkeltje en ging toen naar buiten om Ali te bellen met zijn mobieltje. Hun tassen stonden nog in het hotel, en hij vroeg Ali om de bagage op te halen en naar het ziekenhuis te brengen. Ali beloofde het zo snel mogelijk te doen, maar hij moest eerst naar de moskee.

Toen Jack terugkwam op de afdeling zat de premier te praten met de somber kijkende vrouw met de mop.

'Jack, dit is Pat. Ze heeft me net verteld dat ze veel te hard moet werken; ze moet in drie uur tijd twee zalen schoonmaken, helemaal in haar eentje. Voordat het schoonmaken werd geprivatiseerd waren ze op elke afdeling met zijn tweeën en waren ze nog trots op hun werk en konden ze zelfs de verpleging helpen. Als we terug zijn, ga ik met de minister van Volksgezondheid praten.'

Nadat Jack de premier had geschoren, zette hij een bosje bloemen in een vaas voor een broodmagere oude vrouw die nog maar een paar pieken wit haar op haar roze schedel had. 'Ligt u hier al lang?' informeerde Jack beleefd.

'Vijf weken,' zei ze met een kinderlijk stemmetje. 'Ik ben een bedplakker – dat zei de dokter de vorige keer dat hij bij me was. Hij stond aan het voeteneinde van mijn bed en zei tegen de studenten: "Mrs. Alcott is een bedplakker." Wat betekent dat?'

Jack schikte de laatste anjer in de vaas en zei dat hij het niet wist, maar de premier riep vanuit zijn bed: 'Het betekent dat u niet naar huis gestuurd kunt worden omdat er niemand is die voor u kan zorgen.'

'Ja, en die stomme kutregering heeft alle verpleegtehuizen gesloten omdat ze nergens anders meer op konden bezuinigen,' voegde een ordinaire vrouw in een geruite pyjama eraan toe.

De gang van zaken op de afdeling leek op het eerste gezicht efficiënt, maar in feite heerste er chaos. Gegevens raakten zoek, medicijnen werden aan de verkeerde mensen gegeven, mensen die allang naar huis mochten bleven per abuis liggen en er werd een boeket bloemen bezorgd bij het bed van iemand die al twee dagen dood was. Twee mensen met de achternaam Smith werden op dezelfde operatie voorbereid, en een suikerpatiënt kreeg een kom Kellogg's Rice Crispies, en suiker in de thee. Een patiënte die niets mocht eten of drinken kreeg de vraag wat ze voor de lunch wilde hebben. Ondertussen draafden verpleegsters quasi-gejaagd af en aan, een getergde uitdrukking op hun gezicht.

Artsen kwamen op hun ronde naar de zaal, maar de enige die naar de premier kwam informeren, was een psychiater met een zachte stem die in Zagreb was opgeleid.

In zijn verslag schreef hij later dat hij aan het bed was geweest van een mannelijke persoon die zichzelf Edwina St. Clare noemde. Het viel hem op dat 'Edwina' de hele tijd glimlachte. 'Hij bleef glimlachen gedurende ons hele gesprek, dat een uur duurde. Valerie Sinason, de bekende psychotherapeute, noemde dit verschijnsel in een recente publicatie de "Gehandicapte Glimlach", een strakke grijns die als verdedigingsmechanisme wordt gebruikt.

Toen ik Ms. St. Clare vroeg of ze bepaalde zorgen had, antwoordde ze: "Ja, ik maak me grote zorgen."'

Het verslag vervolgde:

Ik vroeg haar een aantal van haar zorgen op te noemen, en haar antwoord duurde een volle twintig minuten. Uit tijdgebrek noem ik hier slechts een aantal van de door haar opgesomde zaken: de

Gaza-strook, herziening van het kiesstelsel, de vossenjacht, Rail-Track, bijstandstrekkers die uit hun huizen worden gezet, de enquêtecommissie Parlementaire Privileges, de vorige cover van Private Eye, *discriminatie van allochtonen, de politiemacht in Ulster, voormalig Joegoslavië, de Wet terrorismebestrijding, kinderarmoede, het huizentekort voor gemeenteambtenaren, illegale immigranten, 11 september, de staatkundige vernieuwing, etnische buitenlandse politiek, genetisch gemanipuleerde gewassen, decentralisatie, het verbod op tabaksreclame, het broeikaseffect, de beurskoersen, de komende top van de G8, de vragen aan de minister-president, Osama bin Laden, de euro, Kashmir, de toelage van leden van het koninklijk huis, de vangstbeperking voor kabeljauw en de Europese visserijpolitiek, de verkeersleiding in Swanwick, het nationale voetbalstadion, Al-Qaeda, de werkeloosheid in het noordoosten, Robert Mugabe, Saoedi-Arabië, een nieuwe uitbraak van mond- en klauwzeer, Rupert Murdoch, verdwaalde asteroïden, het tekort aan ziekenfondstandartsen, dode dolfijnen op Britse stranden, zijn dwangneurose om Rodeo wc-papier om zijn penis te wikkelen, kroongetuigen, Keltische nationalisten, het financieringstekort, straatroof, verplichte legitimatiekaarten (moet er misschien een andere naam voor worden verzonnen?), Bush, Iran, Irak en Star Wars.*

Ik heb geprobeerd 'Edwina' te kalmeren door haar te verzekeren dat dit niet haar problemen zijn maar die van de regering, en dat van niemand verwacht kan worden dat hij/zij verstand heeft van zoveel verschillende onderwerpen. Ik grapte dat zelfs God in staking zou gaan als Hij verantwoordelijk zou zijn voor zo'n uitgebreide lijst van taken. Hierover raakte 'Edwina' behoorlijk van streek. 'God is een zeer bekwame godheid,' liet ze me weten, 'en ik wil er geen twijfel over laten bestaan dat Hij mijn volledige steun heeft.'

Hij geeft blijk van angst voor differentiatie en heeft een duidelijke voorkeur voor vaagheden; androgynie. Toen ik hem vroeg naar zijn favoriete bloem antwoordde hij: 'Voorjaars- en zomerbloemen.' Ik vroeg of hij een voorkeur had voor een bepaalde rockband, en hij zei: 'De bands waar iedereen naar luistert.' Ik vroeg hem naar zijn lievelingsboek, en hij antwoordde: 'De klassieken'. Hij is niet in staat om een bepaalde mening te uiten, uit angst dat deze ergernis zal wekken bij degene die de vraag stelt, in dit geval ikzelf. Ik informeerde naar zijn jeugd. Hij zei: 'Ik wil er geen enkele twijfel over laten bestaan dat ik een geweldig fijne jeugd heb gehad.' In dit stadium begon hij te huilen.

Mr. Jack Sprat, 'Edwina's' begeleider/partner, vertelde me dat 'Edwina' al jaren achtereen onder enorme druk staat. Ik heb tegen Mr. Sprat gezegd dat 'Edwina' zeer zeker baat zal hebben bij een vakantie. Mr. Sprat vroeg of 'Edwina' behandeld moest worden. Ik heb gezegd dat ik hem dat nog zal laten weten.

Het viel voor de patiënten niet mee om de ene verpleegster van de andere te onderscheiden. De premier maakte een pijnlijke *faux pas* door de plaatsvervangend hoofdzuster te vragen of ze zijn kussens wilde opschudden.

Jack kreeg er schoon genoeg van om eindeloos te wachten op iemand die bevoegd was om de premier naar huis te sturen. Bovendien was hij bang dat de psychiater terug zou komen en hem langer zou willen houden. Om vier uur 's middags schond hij de regels van het ziekenhuis en gebruikte hij zijn mobiele telefoon op de zaal om Ali te bellen en hem te vragen hen op te pikken bij de hoofdingang en hen naar een landelijk hotel te brengen. Het leek hem een goed idee om de premier in een rustige omgeving op verhaal te laten komen.

Ali zei dat hij precies het juiste hotel wist – hij had er een keer een soapsterretje afgezet nadat ze 'ruzie' had gehad met haar man. Het lag kilometers bij de bewoonde wereld vandaan, en vroeger was het een gekkengesticht geweest.

'Klinkt ideaal,' zei Jack.

Morgan Clare haalde de videoband uit de blanco doos en deed die in de sleuf van de video. Het apparaat zoog de band naar binnen en even later verschenen de eerste beelden. Morgan keek naar de deur van zijn slaapkamer. Moest hij de deur op slot doen of wekte een afgesloten deur juist de indruk dat hij zich schaamde voor de beelden die hij ging bekijken? Hij wist dat zijn ouders het niet goed zouden vinden dat hij ernaar keek, maar dat soort dingen moest hij toch zeker zelf weten?

Tijdens de aanloop naar het hoogtepunt voelde Morgan een rauwe opwinding opkomen. Hij haalde sneller adem en zijn benen voelden alsof hij er niet op zou kunnen staan als hij het probeerde. Hartstochtelijke gevoelens namen bezit van hem; eindelijk wist hij wat passie was.

Malcolm Black, de minister van Financiën, had hem de band de vorige dag heimelijk toegestopt. 'Zorg dat je moeder het niet te weten komt, knul.'

Dat had Morgan zelf ook al drommels goed begrepen. Op school hadden ze er een paar lessen over gehad – zelfs zijn grootvader Percy was er eens bij betrokken geweest, hoewel er in de familie nooit met een woord over het schandaal werd gerept. Nu zou hij eindelijk weten waarom. Maar waarom voelde hij zich dan zo schuldig?

Hij ging nog iets dichter bij de televisie zitten. De film was in zwartwit en sommige beelden waren erg vaag.

De inleiding naar de spectaculaire onthullingen was een kwelling voor Morgan, maar hij hield er rekening mee dat hij een hele hoop tamme onzin te zien zou krijgen voordat de echt spannende dingen aan de beurt kwamen.

Morgan stond op en schoof de grendel voor de deur. Hij wist dat hij een van de huisregels schond; zijn moeder en vader hadden geen behoefte aan privacy, soms kreeg Morgan zelfs de indruk dat ze bang waren om alleen te zijn.

Hij ging weer voor de televisie zitten en werd al snel beloond met beelden van het voorwerp van zijn bewondering, van zijn liefde zelfs. Aneurin Bevan hield een toespraak tijdens het partijcongres van Labour in Blackpool en alle afgevaardigden in de enorme zaal hingen aan zijn lippen. Morgan luisterde geboeid naar de cadans van zijn stem, naar zijn grappen en wijze woorden. De felheid waarmee Mr. Bevan opkwam voor de arbeidersklasse fascineerde hem, net als diens vernietigende minachting voor de Tory's.

Iemand rammelde aan de deurknop, gevolgd door de luide, boze stem van zijn moeder. 'Morgan, ik ben het, mama. Waarom zit je deur op slot?'

Snel pakte Morgan de afstandsbediening om de video stop te zetten, daarna liep hij naar de deur om Adele binnen te laten. Ze kwam bijna nooit in zijn kamer – ze had een hekel aan de sterke geur die tienerjongens uitzweten en ze vond het vreselijk dat de ramen en gordijnen altijd dicht waren. Morgans kamer deed haar denken aan een wandeling door de souk, maar zonder het genoegen om leuke oriëntaalse snuisterijen te kunnen kopen.

'Wat ben je aan het doen?' Omdat hij geen antwoord gaf, voegde ze eraan toe: 'Het is nog een beetje te vroeg om nu al te masturberen, Morgan. Je hebt je huiswerk toch nog niet af?'

'Ik ben bezig met mijn werkstuk,' mompelde hij. Hij vond het ontzettend irritant dat ze steeds weer over masturberen begon. In zijn ogen was het een ziekelijke obsessie van haar; ze moedigde het zelfs aan, alsof het een gezonde sport was, zoals cricket of tennis.

Morgan maakte zich zorgen over zijn moeder. Ze dééd altijd van alles, ze zat nooit stil. De vorige dag had hij haar er nog op betrapt dat ze Poppy de borst gaf terwijl ze ondertussen de drukproef van haar nieuwe boek corrigeerde.

Wantrouwig keek ze om zich heen in Morgans kamer. Ze had rechercheur moeten worden, dacht Morgan in stilte, of spion. Opeens pakte ze de afstandsbediening en drukte op play. Aneurins mooie hoofd verscheen op het scherm en zijn stemgeluid vulde de kamer. 'De taal van prioriteiten is de religie van het socialisme.'

Adele haalde de band uit het apparaat. 'Hoe ben je aan deze video gekomen?' vroeg ze met zachte, gekwetste stem.

Morgan bleef zwijgen.

'Je verraadt alles waar je vader voor staat,' zei Adele. 'Wil je nou echt terug naar vroeger, naar de tijden van Old Labour, toen de vakbonden ons allemaal gegijzeld hielden terwijl het vuil en de doden zich opstapelden in de straten?'

De jongen had geen idee waar ze het over had. Wat was nou een beetje afval op straat vergeleken bij de prachtige idealen die Mr. Bevan en zijn vriend Mr. Beveridge vroeger verkondigden?

Nadat Adele de kamer had verlaten, mét de videoband, ging Morgan op zijn bed liggen en gaf zich over aan zelfmedelijden. Hij was een soort martelaar van links geworden, bedacht hij, en hij werd gestraft voor zijn politieke overtuiging. Het kon hem niet schelen als hij nooit Nikes kreeg; hij zou wel op blote voeten naar school gaan als het nodig was, precies zoals in de Victoriaanse tijd voordat de arbeidersbeweging de gewone man schoenen had gegeven.

Estelle hoorde een luide stem in Morgans kamer, iemand die het had over 'het gewone volk' en 'productiemiddelen'. Morgan werd echt met de dag stommer, dacht ze, hij had geen idee wie er in het Big Brother Huis zat of wie er op de hitlijst van MTV stond. Hij had niet eens vrienden! Ze hoorde haar moeder huilen en wilde het liefst naar haar kamer gaan om te zeggen dat ze zich niet zo moest opwinden, dat het helemaal niet erg was om een keer een paar dagen géén carrièrevrouw te zijn.

Estelle wilde later geen carrière maken. Misschien dat ze een paar jaar zou gaan werken – totdat ze haar eerste kind kreeg – maar het zou een baantje worden waar ze nooit 's nachts van wakker hoefde te liggen. Ze kon bijvoorbeeld loodgieter worden, of huisschilder of stukadoor – er was toch een tekort aan vakmensen? Estelle had met eigen ogen gezien dat vrouwen alleen maar ongelukkig werden van een carrière. Carrièrevrouwen hadden nooit genoeg tijd om dingen grondig te doen. Haar moeder noemde het multi-activiteit, maar dat betekende gewoon rondrennen om vijf dingen tegelijk te doen en dan in paniek raken en roepen dat je te laat zou komen voor een vergadering.

Het betekende dat je tegen je kinderen moest zeggen: 'Niet nu.' En dat je soms in huilen uitbarstte omdat je je tas en je sleutels niet kon vinden. Estelle liet zich niet voor de gek houden door het voorgebakken brood dat haar moeder soms in de oven deed. Het rook lekker maar het was geen echt zelfgebakken brood.

De carrière van haar vader was natuurlijk nog véél erger. Daardoor was Estelle een gevangene geworden. Ze was net een prinses in een toren, alleen had ze geen lang haar omdat haar moeder 's ochtends niet te veel tijd kwijt wilde zijn om Estelles haar te doen. Haar vader deed wel of hij belangstelling voor haar had, maar Estelle kon merken dat hij maar met een half oor naar haar luisterde. Ze wilde belangrijker voor hem zijn dan al het andere, maar als ze zich tegenover hem beklaagde, zei hij: 'We kunnen nu eenmaal niet alles hebben, Estelle.'

HOOFDSTUK 13

Die ochtend had Alexander McPherson een bijeenkomst belegd om te bespreken hoe de crisis die rond Barry's been was ontstaan moest worden aangepakt. Aanwezig waren McPherson zelf, vice-premier Ron Phillpot, de minister van Financiën, Malcolm Black, David Samuelson, Sir Niall Conlon, hoofd van MI5, en Adeles psychiater, Lucinda Friedman.

Mrs. Friedman was nog maar een uur voordat de bespreking zou beginnen op vliegveld London City geland. Alexander had haar met een privé-vliegtuig op laten halen van Skíros, een Grieks eiland dat tevens een NAVO-basis was, hetgeen nu goed van pas kwam. Persoonlijk vond McPherson dat Adele zich al drie dagen lang in het openbaar als een gekkin gedroeg. Zelfs haar kleren waren gek. Toen hij haar die ochtend had gezien, droeg ze zelfs een soort clownspak. Ze had alleen nog een ontploffende auto nodig en ze kon solliciteren bij het Russisch Staatscircus.

Eenmaal aangekomen op Nummer 10 was Mrs. Friedman meteen door naar boven gegaan, naar de slaapkamer van Adele, waar ze haar in de foetushouding in bed had aangetroffen, met haar handen tegen haar oren gedrukt. Al snel werd duidelijk dat Adele haar medicijnen niet meer slikte en dat de stemmen Eddy's val voorspelden.

'Malcolm Black zit overal achter,' vertelde Adele haar psychiater. Hij straalde boodschappen door de scheidingsmuur tussen nummer 10 en nummer 11 en beschikte over demonische krachten. Malcolm was persoonlijk verantwoordelijk voor de overstromingen, treinbotsingen en de uitbraak van mond- en klauwzeer die het land de afgelopen jaren hadden geteisterd. Besefte Lucinda wel dat Eddy de nieuwe Messias was? Hij was veel geschikter voor dat werk dan Jezus was geweest, voegde Adele er strijdlustig aan toe. 'En Eddy zou zich nooit hebben laten kruisigen voordat zijn werk op aarde was gedaan. Hij zou een of andere afspraak hebben gemaakt met Pilatus, precies zoals hij met de Liberal Democrats heeft gedaan.'

Toen Mrs. Friedman opmerkte dat Malcolm Black er tot dan toe goed in was geslaagd de inflatie laag te houden, fluisterde Adele: 'Je snapt het niet, Lucinda. Hij houdt ons aan het lijntje met schijnzekerheden. Kijk hem de volgende keer dat je hem ziet maar eens recht in de ogen, dan zul je zien dat de vlammen van de hel branden in zijn binnenste.'

'Wil je soms beweren dat hij de duivel is, Adele?' verzuchtte Mrs. Friedman vermoeid. 'Moet ik soms ook op hoorntjes en gespleten hoeven letten?'

Adele lachte. 'We leven in het postmoderne tijdperk, Lucinda. De duivel schuilt in de kleinste details en M.B. heeft een obsessie voor details.'

Dit soort religieus geklets kwam Mrs. Friedman maar al te bekend voor. Ze vond dat psychiaters de verschillende wereldgodsdiensten dankbaar mochten zijn voor de gestage stroom verknipte patiënten die het geloof hen opleverde.

Ze zag erop toe dat Adele een flinke dosis van een nieuw psychofarmacon slikte. Voordat ze de kamer verliet vroeg ze nog aan Adele: 'Denkt Eddy dat hij de nieuwe Messias is?'

'Zou ik met hem zijn getrouwd als hij dat níét dacht?' antwoordde Adele gepikeerd.

Lucinda ging naar beneden, waar ze zich bij de heren voegde. Ze liet het eminente gezelschap rond de tafel weten dat Adele last had gehad van psychoses, maar dat ze haar nu met nieuwe medicijnen behandelde en dat Adele over een week of twee weer min of meer de oude zou zijn.

'Min of meer?' herhaalde David Samuelson.

'Het is mogelijk dat ze enorm aankomt,' zei Lucinda. 'Het is een van de bijwerkingen.'

'Hoe enorm?' vroeg Samuelson.

'Sommige patiënten wogen in heel korte tijd meer dan 120 kilo,' zei Lucinda.

'Het is misschien wel goed voor Ed om een dikke vrouw te hebben,' merkte Alexander McPherson op. 'De gemiddelde vrouw in dit land draagt maat 42.'

Ron Phillpot rechtte strijdvaardig zijn schouders en tierde: 'En totdat de medicijnen aanslaan is dat mens alleen maar een sta-in-de-weg! We laten haar toch zeker niet naar de begrafenis van een been gaan?' Phillpot vond zichzelf een sprekend voorbeeld van een pragmaticus.

'Wees maar niet bang,' mompelde Sir Niall Conlon. 'Ik reken wel af met Barry's been.'

Malcolm Black, die de kracht van de stilte kende, hield zijn mond.

'Ze zal nu wel een paar uur slapen,' zei Lucinda, 'maar er moet iemand bij haar zijn als ze wakker wordt. Heeft ze vriendinnen?'

'Niemand die we kunnen vertrouwen,' klaagde Alexander McPherson. 'En Wendy is in het ziekenhuis bij onze grote vriend Barry.'

Lucinda slaakte een diepe zucht. 'Hè verdorie, en ik was zo hard aan vakantie toe, Nou ja, ik ga nu een paar uur naar huis en ik zorg dat ik hier ben als ze wakker wordt.' Ze verontschuldigde zich en vertrok.

Toen ze weg was, konden de mannen zich ontspannen.

'Het stomste wat een politicus kan doen,' zei Phillpot, 'is trouwen met een slimme vrouw. Mijn vrouw is te dom om voor de duvel te dansen, maar ze ziet er goed uit aan mijn arm als ik ergens een lint moet doorknippen en ze zorgt dat er altijd schone overhemden in de kast hangen. En voorzover ik weet heeft ze echt helemaal nergens een mening over, al helemaal niet over de heiligheid van extramurale lichaamsdelen.'

'Volgens mij bedoel je extracorporale,' zei Malcolm Black binnensmonds.

'Is dit misschien een goed moment om de naam van de partij te veranderen?' vroeg David Samuelsen zich hardop af.

'Waarin?' snoof Phillpot.

Samuelson vormde een puntdak met zijn vingers. 'Het is er de hele tijd geweest, alleen waren wij er blind voor,' zei hij. 'Het staat voor vrolijkheid, pret maken, het loslaten van remmingen, feestelijkheid, en het betekent ook een groep mensen die zich voor hetzelfde doel inzetten.'

Sir Niall Conlon bleek er meer van te weten. 'Is het soms de Party Party?' vroeg hij. 'Iedereen bij MI5 had het er vanochtend over. Je zou echt wat voorzichtiger moeten zijn met je e-mails, David. Privacy behoort tot het verleden.'

Ron Phillpot lachte twee rijen scherpe kleine tanden bloot. 'Dus jij wilt ons de Party Party noemen?'

'De Party Party,' herhaalde Alexander. Hij stelde zich de woorden voor op billboards en met ballonnen en serpentine versierde verkiezingsposters. Het zou een andere betekenis kunnen geven aan het scheldwoord 'champagnesocialist'. Aan de andere kant was het klinkklare onzin.

Malcolm Black lachte schamper. 'De Party Party, zo goed dat ze de naam herhalen.'

'Het zou jongeren enorm aanspreken, denk je niet?' Samuelson had zijn puntdak afgebroken en masseerde nu een voor een zijn vingers.

'Ik zou niet graag een partij willen leiden die al bij zijn naam in herhaling vervalt. Bovendien, als je naar de demografische ontwikkeling in de toekomst kijkt, dat we allemaal langer leven, is het misschien handig om juist aantrekkelijk te zijn voor ouderen. Zelf stel ik voor dat we ons Old Labour gaan noemen.'

Hij keek om zich heen en wachtte op een reactie, maar niemand keek hem aan. De mannen dachten stuk voor stuk na over hun eigen politieke toekomst.

HOOFDSTUK 14

The Grimshaw was een voormalig gekkengesticht dat in 1987 tot hotel was verbouwd. Boven de lambrisering in de majestueuze ontvangsthal hing een groepsfoto van de laatste gekken die er hadden gewoond voordat Margaret Thatcher ze eruit had gegooid om ze in de samenleving als paria's te laten verkommeren. Een ingelijste dwangbuis was grappig bedoeld.

De eigenaar van het hotel, Clive Bostock, kwam Jack en de premier tegemoet om hen te begroeten. Hij droeg een tweedpak in de kleur van sinaasappelmarmelade. Zijn begroeting was zo uitbundig, zijn handdruk zo lang en hartelijk, dat zowel Jack als de premier zich afvroeg of dit kleine mannetje met zijn ruige grijze snor misschien een goede vriend was die ze tot nu toe over het hoofd hadden gezien.

Mrs. Daphne Bostock was minstens net zo blij om hen te zien. Ze leek de details over hun reis geweldig spannend te vinden en was ogenschijnlijk door het dolle heen toen Jack opmerkte dat de door de weerman voorspelde regen misschien toch over zou waaien.

Clive Bostock schonk de gasten een glas sherry in uit de karaf die op de balie stond. Jack verlangde naar hun kamer zodat hij zijn schoenen uit kon trekken, maar toen hij vroeg of ze zich konden inschrijven en met een creditcard wapperde, reageerde Clive alsof het een staaf dynamiet was. 'Goeie god, man,' zei hij, 'je hoeft echt niet meteen te betalen, jullie zijn hier te gast. Kom, dan laat ik jullie het huis zien en kan ik jullie voorstellen aan de schatten van mensen die ons helpen het iedereen naar de zin te maken.'

'We houden er niet van om onderscheid te maken tussen onszelf en het personeel,' legde Daphne uit. 'We zijn hier gewoon één grote, blije familie.'

Ze werden door een lange gang meegenomen naar een enorm grote keuken waar een stuk of zes humeurige Oost-Europeanen hun werkzaamheden staakten om handen te schudden. Vanuit een ooghoek zag Jack dat een van de personeelsleden achter Mrs. Bostocks rug een obsceen gebaar maakte.

Mr. Bostock praatte aan één stuk door, zonder een moment adem te halen. 'Toen Daph en ik hier de eerste keer kwamen was het een enórme puinhoop, ja toch, Daph? Het dak was ingestort en er groeiden braamstruiken in de isoleercellen, maar we zagen de mogelijkheden direct. Het was al een hele tijd een droom van ons om een echt gastvrij hotel te exploiteren. We wilden dat gasten lekker hun eigen gang konden gaan, dat ze naar de keuken konden als ze trek hadden in een stukje kaas of ons heerlijk versgebakken brood, dat ze gezellig zouden eten met het gezin, dat ze in onze woonkamer de krant konden lezen of televisie kijken met Daph. Bij ons vind je geen minibar op je kamer, aan dat soort onzin doen we niet; iedereen die zin heeft in een slokje kan dat zelf inschenken. We vertrouwen op de eerlijkheid van onze gasten, al vragen we wel om een fles niet leeg te drinken om teleurstellingen bij anderen te voorkomen.'

De moed zonk Jack in de schoenen. Vluchtig keek hij naar de premier, en hij zag dat hij, net als Daphne Bostock, lippenstift op zijn tanden had.

'Onze gasten krijgen ook geen kaart waarop ze hun wensen voor het ontbijt kunnen aankruisen, zoals in van die anonieme hotelketens. Iedereen ontbijt in de keuken. Bijna iedereen kiest voor een eenvoudig ontbijt, maar we kunnen desnoods een uitgebreid Engels ontbijt serveren – alleen moeten we het dan wel de avond van tevoren weten, zodat de kok extra vroeg kan komen met de eerste bus. Sommige gasten voelen zich hier zo thuis dat ze na het eten de afwas doen en de honden uitlaten. De meeste mensen maken zelf hun bed op en zijn ook niet te beroerd om even een borstel door de wc te halen.'

Jack keek uit het raam en zag in de verte een man die het gras maaide. Hij vroeg zich af of het een betaald personeelslid was of een betalende gast.

Ze werden naar de Ophelia-suite gebracht. In de gang op de eerste verdieping waren ze langs de Koning George III-suite gekomen en kamers die naar andere beroemde gekken uit het verleden waren genoemd.

De suite bestond uit drie kleine kamers met tussendeuren. In een van de kamers, niet veel groter dan een kast, zaten nog tralies voor de ramen. Eindeloze meters roze en groene chintz, bedrukt met roosjes, waren rond het raam en het bed gedrapeerd. Foeilelijke meubelstukken stonden verslagen tegen de muren.

De premier voelde depressiviteit toeslaan en zijn glimlach begon te verzuren. Hij bleef geforceerd zijn mondhoeken optrekken en ging naar de badkamer om het resultaat te bekijken. Hij wist dat hij verloren zou zijn als zijn glimlach hem in de steek liet, dat hij dan zou verzuipen in herinneringen aan een ongelukkige jeugd en de zorgen van zijn leven als volwassene. De glimlach hield hem bij elkaar en vormde een beschermende ring om hem heen, precies zoals in de tandpastareclame werd beloofd.

'Ga toch lekker in bad met dat schuimspul uit The Falls,' stelde Jack voor.

De premier had het mandje met aromatherapieproducten, kruidenextracten en andere toiletartikelen omgekiepered boven zijn reistas. Jack had het hem zien doen en in stilte bedacht dat hij nooit iemand had meegemaakt die zo opgewonden was geraakt over zulke onbeduidende geschenken.

Jack draaide de kranen van het bad open maar er kwam niets uit. Ongeduldig stond hij te wachten, totdat er een klein straaltje lauwwarm water uit de warme kraan sijpelde.

Intussen stond de premier al met een flesje ontspannende lavendelolie in de aanslag. Nu Jack erover was begonnen snakte hij opeens naar een heerlijk warm bad, en toen duidelijk werd dat het feest niet door zou gaan, gaf hij Jack de schuld. Het was niet eerlijk, dat wist hij zelf ook wel, maar Jack had hem min of meer een belofte gedaan en die belofte toen min of meer verbroken.

In de heftige ruzie die hierop volgde, schreeuwde Jack: 'Lul toch niet over verbroken beloftes! Hoe zit het met jouw belofte om de belastingdruk niet te laten stijgen?'

Andere gemene dingen werden gezegd, dingen waar ze allebei meteen weer spijt van hadden. Jack bood als eerste zijn excuses aan en zei dat hij de receptie zou bellen om bij een van de Bostocks zijn beklag te doen. Naast het bed stond een telefoon die zo te zien nog uit de tijd van het gekkengesticht dateerde. Jack kon kiezen uit verschillende nummers. Hij draaide het nummer van de receptie en wachtte af. De telefoon ging wel over maar er werd niet opgenomen. Hij probeerde nog verschillende andere toestellen, waaronder het nummer 'Elektroshocktherapie'.

Een vrouw met een Amerikaans accent nam op. 'Sissy Klugberg.'

'Er is geen warm water in de Ophelia-suite,' meldde Jack.

'Wij hebben ook geen warm water,' antwoordde ze.

'U bent zeker een van de gasten?' informeerde Jack.

'Tja, eigenlijk wel, maar mijn man is al sinds onze eerste dag hier bezig het gras te maaien, dus...'

'Mrs. Klugberg,' onderbrak Jack haar, 'heeft uw kamer eigen sanitair?'

'Nee, we hebben geen bad en geen douche. We zitten in de

Napoleon-kamer en Mrs. Bostock heeft ons uitgelegd dat Josephine zich van Napoleon niet mocht wassen. Je zou het natuurlijk een reden kunnen noemen...' Haar stem stierf weg en voor de zoveelste keer probeerde ze de redelijkheid in te zien van de argumenten die Mrs. Bostock voor het ontbreken van sanitair had aangevoerd. 'O ja, en Mrs. Bostock zei ook nog dat we bewust voor een typisch Engels hotel hebben gekozen en dat het wassen met koud water typisch Engels is. Dat ze daar zo sterk van zijn geworden.'

Jack zei dat hij zich erop verheugde om Sissy en haar man te leren kennen.

'Mijn man heet Glade,' vertelde Sissy nog.

Blijkbaar zou de gong gaan om de gasten te laten weten wanneer ze zich moesten kleden voor het diner, en later nog een keer als het eten werd opgediend.

Opnieuw dacht Jack verlangend aan de Holiday Inn. Hij wilde in zijn ondergoed op het bed liggen, naar CNN kijken en door roomservice een vegetarische maaltijd laten brengen.

Poppy Clare lag op haar rug in haar ledikantje en oefende het schoppen met haar dikke rechterbeen. Haar blik was strak gericht op een opwindbare mobile die boven haar hoofd langzaam ronddraaide en *Yellow Rose of Texas* speelde; het was een cadeautje van de president van de Verenigde Staten en zijn vrouw.

Bij elk voorwerp aan de mobile dat in beeld kwam, strekte ze haar korte armpjes uit in een energieke poging om de cowboylaars te pakken, de stetson, de ja-knikker, de stier, de cactus, de ster, de gele roos en het grote dikke dollarteken.

Het opwindbare mechaniek liet de mobile elf minuten draaien. Dan was het afgelopen en begon Poppy te huilen. Inmiddels wist ze dat er altijd wel iemand naar haar kamer kwam als ze maar genoeg misbaar maakte. De beste persoon was haar moeder – zij had de melk en de zachte borsten en de warmte – maar Estelle was ook fijn. Estelle tilde haar uit bed en gooide haar in de lucht en danste met haar voor de spiegel en deed alsof ze haar moeder was.

Su Lo was lief voor haar, en zij nam haar mee naar buiten om haar de bomen te laten zien en haar de wind en de zon op haar gezicht te laten voelen.

Papa rook wel lekker maar hij hield haar veel te stevig vast, alsof hij bang was om haar te laten vallen.

De mobile begon langzamer te draaien, de tijd tussen de muzieknoten werd steeds langer, en Poppy wist dat het nu bijna afgelopen was. Ze begon een beetje te kermen en toen te jengelen, en even later hoorde ze de stem van Su Lo uit de babyfoon naast haar bedje. 'Hallo, Poppy, ik hoor je wel. Mammie kan je de borst niet meer geven, Poppy, ze is ziek en haar melk zit vol medicijnen. Ik ben nu dus in de keuken, Poppy, om een lekker flesje voor je klaar te maken. O, wat een lekker flesje maak ik voor je klaar, Poppy!'

Poppy wist niet wat een flesje was – melk was altijd maar uit één bron gekomen: haar moeder. Ze wist alleen dat iedereen in haar wereld lief voor haar was.

De mobile stopte, en Poppy staarde geboeid naar het grote dikke dollarteken dat zacht heen en weer schommelde boven haar hoofd.

De premier ging aan het tafeltje zitten dat als toilettafel en bureau dienstdeed en begon aan het schrijven van een gedicht. Het heette 'Pamela' en het begon met de regel: 'Wie is Pamela, wie is zij?'

Hij streepte de woorden door toen hij bedacht dat er al een beroemd gedicht over Pamela bestond dat min of meer hetzelfde begon.

Hij wist niet waarom hij opeens aan Pamela moest denken. Ze woonde in de buurt van Bourton-on-the-Water met haar man Andrew, een onaangename kerel die iets met honden deed, maar

Edward had haar al drie jaar niet gezien. Toen Edward premier werd had zijn zus hem een kaart gestuurd om hem te feliciteren. Op de kaart stond een foto van een bloeddorstig ogende dobermann, en aan de andere kant had ze geschreven: 'Beste Ed, De jonge hond heeft nu dus de hondenbaan. Gefeliciteerd. Laten we geen slapende honden wakker maken – jij praat niet over mij en ik praat niet over jou. Liefs, Pamela.'

'Het spijt me heel erg,' verzuchtte Jack. 'We hadden naar een Holiday Inn moeten gaan.'

De premier glimlachte in de spiegel. 'De Bostocks zijn geweldige mensen en dit is een geweldig hotel, alles is echt even geweldig. Ik heb het echt geweldig naar mijn zin.'

Het diner werd geserveerd in de voormalige wasserij, nu de eetzaal. Mr. Bostock sneed een taaie homp vlees aan en verdeelde de porties over de koude borden van de gasten.

De premier droeg speciaal voor het diner zijn rode jurk met lovertjes en zag er in het zwakke licht van de spaarlampen aan de muren bijna vrouwelijk uit.

Het humeurige personeel bracht verschillende schalen met lauwwarme knolgewassen naar de tafel. Een zwaar en compact brood lag klaar op een houten plank.

Glade Klugberg, een Amerikaan in een geruite wollen trui, zei: 'Dit is echt helemaal te gek.'

'Zoiets als dit zul je in de States nergens vinden,' voegde zijn vrouw Sissy eraan toe.

'Hebben we morgen wel warm water?' wilde Jack weten.

Clive Bostock gaf antwoord. 'Dat hangt af van de luimen van onze nogal excentrieke boiler, ben ik bang, Mr. Sprat.'

Jack slikte een smerige hap eten door. 'Voor 260 pond per nacht verwacht ik geen luimen, daarvoor verwacht ik gewoon warm water.'

Het werd stil aan de tafel, totdat Daphne Bostock zei: 'Dit is geen Holiday Inn, Mr. Sprat.'

'Ik weet het,' antwoordde Jack. 'Alle keren dat ik in een Holiday Inn heb geslapen, was er dag en nacht onbeperkt warm water.'

Clive Bostock lachte kort. 'Werkelijk, Mr. Sprat, je zou nog gaan denken dat warm water een obsessie voor u is.'

De premier staarde met gebogen hoofd naar de tafel, die door de Bostocks op de vroegere afdeling bezigheidstherapie was gevonden. Deze tafel werd ooit gebruikt voor het mandenmaken en andere rustgevende vormen van handvaardigheid. Hij had een hekel aan dit soort conflicten. Strubbelingen in Kosovo of Sierra Leone deden hem niet zoveel, dat waren abstracte twisten die hem niet persoonlijk raakten, maar op dit moment had hij het gevoel dat hij als bemiddelaar moest optreden. Bostock deed hem op een onaangename manier aan zijn vader denken. 'Persoonlijk heb ik altijd gevonden dat warm water, hoe zal ik het zeggen, altijd wordt overschat.'

'Precies,' beaamde Clive Bostock. 'Bij mij op school jengelden alleen de watjes om warm water!'

Opeens vond Jack het van het grootste belang om Bostock in de warmwaterkwestie te verslaan. Hij had het gevoel dat hij en Bostock in het *centre court* van Wimbledon tegenover elkaar stonden, dus sloeg hij de bal terug naar Clive. 'De stoerste man die ik ooit heb gekend was Mitch Bates, bevelhebber bij de commando's. Hij nam twee keer per dag een warm bad.'

Bostock bleef nog een fractie van een seconde bij de baseline staan en rende toen naar het net om de bal met veel effect terug te slaan. 'Ik heb eens gelezen dat wetenschappelijk is aangetoond dat te langdurig contact met warm water het sperma verzwakt. Neem me niet kwalijk, dames.'

Handig speelde Jack de bal terug. 'Mitch Bates heeft twaalf kinderen, acht jongens en vier meisjes, allemaal meer dan een meter tachtig lang.'

Bostock was niet op tijd bij de bal. Hij miste.

'Game, set en match,' mompelde Jack bij zichzelf.

Daphne Bostock stond op van tafel en ging naar de keuken. De gasten hoorden haar tegen de buitenlanders schreeuwen dat ze koffie moesten zetten en naar de woonkamer moesten brengen.

De premier vertikte het om met Jack te praten of hem zelfs maar aan te kijken. Hij had zich bespottelijk betweterig gedragen over dat warme water. Wat mankeerde die man? De Bostocks waren het zout der aarde.

De Bostocks namen iedereen mee naar de woonkamer. Jack zag naast de lege open haard een paar sokken van Clive op de grond liggen. Daphnes borduurwerkje lag op de bank, en overal stonden foto's van de kinderen en kleinkinderen van de Bostocks, allemaal even onnozel, in zilveren lijstjes. Op de enorme televisie begon net *Who Wants to be a Millionaire?*

'Ga zitten en doe alsof jullie thuis zijn. Jullie zijn hier als onze vrienden.'

Het ontging Jack niet dat de Bostocks zelf de beste plaatsen kozen en dat Clive, toen de koffie door een somber kijkende vrouw binnen werd gebracht, eerst voor zichzelf en zijn vrouw inschonk.

Jack ergerde Clive mateloos door op alle vragen in het programma het juiste antwoord te geven en een miljoen pond te winnen. De Amerikanen waren onder de indruk. 'Hey man,' zei Glade, 'ben jij soms een genie, of wat?'

Zelf was Jack al net zo verbaasd. Hij had niet eens geweten dat hij wist dat panamahoeden oorspronkelijk uit Equador kwamen.

'Jack is een product van onze uitmuntende openbare scholen,' zei de premier.

Daphne Bostock trok haar neus op alsof de woorden 'openbare

school' stonken en in deze kamer hun vieze geur verspreidden.

'Edwina,' zei Jack, 'als je de openbare scholen zo uitmuntend vindt, waarom stuur je je eigen kinderen er dan niet heen?'

'Wij hebben jarenlang op alles beknibbeld om onze kinderen, Mark en Gillian, naar een goede particuliere school te kunnen sturen,' zei Mrs. Bostock.

Jack nam een slok koffie. 'Het is jaren geleden dat ik eikeltjeskoffie heb gedronken.'

Bostock vatte dit op als een compliment. Jack gebaarde naar de premier dat het tijd was om naar bed te gaan. Toen ze naar de trap liepen konden ze Clive's schallende stem horen vertellen dat Robin Hood zijn kornuiten al in de elfde eeuw op een pittige drank van geroosterde eikeltjes trakteerde.

Terug op hun kamer belde Jack zijn moeder. Norma zei dat ze niet lang kon praten omdat ze bezoek had, en op de achtergrond kon Jack stemmen en nu en dan gelach horen. Ze vertelde Jack dat James als een zoon voor haar was, en Jack voelde een steek van jaloezie. Norma zei dat haar eten koud werd, dus rondde Jack het gesprek af en hij zei tegen haar dat ze hem altijd op zijn mobiele telefoon mocht bellen. 'Veel te veel gedoe,' zei ze, 'maar toch bedankt.'

Jack zou het fijn hebben gevonden als zijn moeder had gevraagd hoe het met hem ging; soms miste hij dat soort kleine attenties. Hij haalde het etui met schoenpoetsspullen uit zijn tas en poetste zijn eigen gaatjesschoenen en de pumps van de premier. Hij vroeg de premier wat ze de volgende dag gingen doen.

'Ik wil bij Pam langs,' zei de premier. Toen hij oppositieleider werd, had de binnenlandse veiligheidsdienst hem gewaarschuwd dat zijn zuster een 'reden tot bezorgdheid' was. Hij wilde weten waarom. Nu wilde hij opeens met haar over hun moeder praten.

HOOFDSTUK 15

Norma had weer een huis vol visite. 'Het is hier net de Verenigde Naties,' zei ze tegen James, kijkend naar de jongens en meisjes die in de voorkamer zaten en patat aten van witte plastic bordjes. Norma had James gevraagd om een stukje kabeljauw voor haar te gaan kopen, maar James was teruggekomen met een zielig forelletje en had uitgelegd dat kabeljauw tegenwoordig een luxe was en alleen de rijken die vis nog konden betalen.

'Het wordt met de dag gekker in deze wereld!' riep ze uit.

Ze had de sneetjes van een gesneden brood met boter besmeerd en netjes in tweeën gesneden, en de halve boterhammen op een schaal met een zilverkleurige onderlegger geschikt. Ze had de schaal rond laten gaan, en de jongens en meisjes hadden er zelf sandwiches met patat van gemaakt. Ze hadden allemaal keurig 'graag' en 'dank u wel' gezegd en de meesten hadden gebruik gemaakt van de theedoek die ze in plaats van servetjes had aangeboden.

James plaagde haar en zei dat zijn jonge vrienden trollen uit het woud waren en zulk soort verfijning helemaal niet konden waarderen, maar Norma kon merken dat hij er zelf wél prijs op stelde.

Er waren een paar dingen die Norma niet fijn vond van deze avonden, en een daarvan was alle gevloek. Het was fuck dit, fuck dat, klootzakken, eikels en nog veel meer. Een meisje had in Norma's aanwezigheid *motherfucker* gezegd en Norma was kwaad op haar geworden. 'Let een beetje op je woorden, stomme trut,' had ze getierd. '*Mother* is een heel bijzonder woord, zonder een moeder zou jij niet eens bestaan!'

Het meisje had van James haar verontschuldigingen aan moeten bieden. Norma was trots op hem. Alle jongens en meisjes waren een beetje bang voor hem en ze deden min of meer wat hij hen opdroeg. Hij was een geboren leider. Hij had Norma uitgelegd dat de jongens en meisjes in de wijk 's avonds nergens meer terecht konden sinds het buurthuis was gesloten. Het was voor alle betrokkenen beter als ze bij Norma waren en een stickie rookten dan dat ze over straat zwalkten en overlast veroorzaakten.

Wat ze ook niet fijn vond was de muziek. Om te beginnen begreep ze al niet wat er muzikaal was aan al dat boem, boem, boem. In haar oren klonk het als boze mannen die schreeuwden dat ze hun wijf in elkaar gingen slaan. Maar het was makkelijker om ernaar te luisteren als ze een paar joints had gerookt – alles werd dan makkelijker. Ze dacht niet meer aan Stuart, ze maakte zich geen zorgen meer over Yvonne of over Jack omdat hij eenzaam was. Ze had zelfs geen last meer van haar artritis, en als ze naar bed ging had ze prachtige dromen.

Toen de jongens en meisjes weg waren en James en Norma samen de keuken opruimden, zei James tegen haar: 'Hoe zou je het vinden om in het weekend een beetje jongerenwerk te doen, Norma? Je kunt er honderd pond voor krijgen.'

'Ik ben veels te oud om buiten de deur te werken!'

'Dat is nou juist het mooie ervan,' betoogde James, 'je hoeft helemaal de deur niet uit. Ik breng die arme stakkers hierheen en dan blijven ze van vrijdagavond tot zondagavond.'

'Wat is d'r met ze aan de hand?' vroeg ze. Ze dacht aan het minibusje waarmee het mongooltje van verderop vroeger werd opgehaald.

'Ze kunnen niet zonder een bepaald illegaal middel,' legde hij uit. 'En ze hebben een moeder nodig die voor ze zorgt als ze onder invloed zijn. Ze hebben een veilige plek nodig, Norma, zodat ze geen gevaar vormen voor zichzelf of anderen.'

'Wat zou ik dan moeten doen?' vroeg ze.

'Niet veel,' zei hij. 'Je geeft ze te eten en je doet een keer de was. Soms kunnen ze de boel niet ophouden, van onderen, als je snapt wat ik bedoel.'

'Hebben we het soms over crack, James?' Ze had in de speciale bijlage over drugs van de *Mirror* over crack gelezen. Een van de kenmerken was diarree die de gebruiker niet op kon houden; crackgebruikers versneden het spul met dubbelkoolzure soda en daarvan raakten ze aan de dunne.

'Je zou het fantastisch doen, Norma,' ging James verder. 'Ik bedoel, je veroordeelt andere mensen niet, nee toch? Ik bedoel, je hebt toch sympathie voor verslaafden, ja toch? Ik bedoel, je hebt voor Stuart toch ook je best gedaan, ja toch? Je zou het toch fijn hebben gevonden als Stuart iemand zoals jij had gehad om voor hem te zorgen, ja toch, Norma?'

'Ben jij soms een van die arme stakkers, James?'

'Om je eerlijk de waarheid te zeggen, Norma, helaas wel.'

'Hoe lang al?' vroeg ze.

'Nog maar een paar weken, Norma,' antwoordde hij. 'Maar sinds de eerste keer, sinds mijn eerste hit, kan ik alleen nog maar daaraan denken.'

Norma probeerde zich te herinneren wat ze nog meer in de bijlage van de *Mirror* had gelezen. Werden gebruikers niet psychotisch van crack? En gewelddadig? Of was dat XTC? Ze wist het niet meer.

Ze kon er niet tegen dat hij zo'n vreselijke blik in zijn ogen had. 'Als ik stinkende poepbroeken moet gaan wassen, James, wil ik meer dan honderd pond.'

'Afgesproken,' zei James. Hij gaf haar een nachtzoen en ging naar bed.

Toen Norma de deur van de ezelkamer dicht hoorde vallen, schopte ze haar schoenen uit en frunnikte ze aan de haakjes van het korset dat ze onder haar cocktailjurk droeg. Een van de meisjes had haar die avond een complimentje gemaakt over haar slanke figuur en gezegd dat ze er niet uitzag als iemand van eenenzeventig.

Norma keek naar Peter, die heen en weer schommelde op zijn trapeze. 'Je mag het niet aan Jack vertellen, Pete, want daar kan ie problemen mee krijgen.'

Peter sprong met fladderende vleugels van zijn schommeltje en hupte op zijn waterbakje in de hoop dat Norma het had bijgevuld. Maar het was nog steeds leeg.

De Bostocks maakten ruzie in de keuken toen de premier en Jack de volgende ochtend beneden kwamen voor het ontbijt. Glade en Sissy Klugberg waren aan het afwassen, zo te zien de pannen van de vorige avond.

'Ik wil dat je nú gaat bellen om meer buitenlanders te bestellen, Daphne,' zei Bostock tegen zijn vrouw. 'Het is jouw schuld dat de vorige lading ervandoor is gegaan.'

Daphne richtte zich tot Jack en de premier om de situatie uit te leggen. 'Het enige dat ik tegen de buitenlanders heb gezegd, is dat ik er geen bezwaar tegen zou hebben om een keer een glimlach van ze te zien, gewoon uit waardering omdat we zo goed voor hen zijn. Ik weet best dat ze een moeilijke tijd achter de rug hebben, martelingen, gevlucht uit hun dorpen en zo. Maar Clive en ik zijn altijd heel erg goed voor ze geweest. Ik bedoel, ze hadden hier een prima slaapzaal en ze kregen te eten. Oké, niet hetzelfde eten als wij, maar ze kregen tenminste te eten. En we gaven ze zakgeld, en als er wat vaker een glimlachje af had gekund, zouden ze fooien hebben gekregen van de gasten. Ze hadden ons dankbaar moeten zijn.'

Clive schoof een half brood, overgebleven van de vorige avond, naar Jack en de premier toe, gevolgd door een kleverige pot jam. 'Het gaat vanochtend een beetje op z'n janboerenfluitjes,' zei hij, 'doordat de buitenlanders 'em vannacht zijn gesmeerd, en we hebben vandaag een congres... Zeg, kunnen jullie ons misschien helpen met het klaarzetten van de stoelen?'

Voordat de premier zijn mond open kon doen, gaf Jack al antwoord. 'Het spijt me, we hebben allebei een zwakke rug, en we vertrekken naar Gloucestershire zodra onze auto er is.'

'Glade en ik willen wel helpen,' bood Sissy aan.

Het congres werd gehouden in de vroegere gymzaal, waar ooit de gekken met het personeel dansten op het jaarlijkse kerstfeest. Op foto's aan de muren stonden vrolijke mensen met papieren hoedjes. Je kon onmogelijk de cipiers van de gevangenen onderscheiden.

Jack en de premier stonden in de deuropening te kijken naar Glade en Sissy, die stoelen van hoge stapels tilden en in rijtjes zetten voor een klein podium.

Op een spandoek achter het podium stond: 'De verplichte legitimatie: een buitenkans voor het bedrijfsleven.'

'Straks voelen we ons allemaal zoals de mensen in Big Brother,' merkte Jack op.

'Dat is gewoon paranoïde hysterie,' snauwde de premier.

'Ed,' zei Jack tegen de premier, 'je snapt zelf toch drommels goed dat ieder mens weleens anoniem wil zijn? Dat het prettig is om een keer je gang te kunnen gaan zonder dat iemand weet wie je bent of wat je doet?'

'Waar zou je bang voor zijn als je niks te verbergen hebt?' zei de premier alsof het een mantra was.

'Maar ik heb wel dingen te verbergen,' betoogde Jack. 'Mijn

bestedingsruimte, het soort bibliotheekboeken dat ik leen, de politieke partij die ik steun, het strafblad van mijn stiefvader, hoe mijn broer is gestorven, hoeveel drank ik per week koop, mijn genetische code. Waarom zou een of andere verzekeringsmaatschappij dat allemaal moeten weten?'

Daar moest de premier over nadenken. Zou de chip in de verplichte legitimatiekaart ook de informatie bevatten over wat hij met Rodeo wc-papier deed? Hij wist honderd procent zeker dat Adele de enige was die wist waar hij het voor gebruikte. Maar hij zou stérven van schaamte als de *Daily Mail* het aan de weet zou komen.

Terwijl de premier pakte, ging Jack naar buiten om Ali te bellen en te vragen hoe lang hij erover zou doen. Hij wilde zo snel mogelijk weg uit dit oord. Over de oprijlaan zag hij een hele vloot minibusjes aankomen. Mannen en vrouwen in donkere kleren stapten uit en verzamelden zich voor het huis. Clive Bostock kwam naar buiten om hen te begroeten en nam de afgevaardigden mee naar binnen.

Adele lag genietend te soezen. Het bed was heerlijk zacht en warm en ze voelde zich gewichtloos, alsof ze werd omhuld door sprookjesachtige materialen – ganzendons, zwanenveren en de ragdunne draden die gloeiwormen sponnen.

Drie zwanen hielden de zijdeachtige touwen in hun snavel en trokken haar *bateau lit* door de lucht terwijl de ondergaande zon een middeleeuws landschap warm oranjeroze kleurde.

Ze werd naar Sprookjesland gebracht, een utopia waar ze samen met alle andere elfjes ochtenddauw uit bloemkelken zou drinken en bessen zou eten en door moedertje natuur in de watten zou worden gelegd.

Adele ging overeind zitten in haar bed en zei tegen de zwaan die de formatie leidde: 'Volgens mij ga je verkeerd. Had je bij de Melkweg niet linksaf moeten slaan?'

'Neem me niet kwalijk,' antwoordde de zwaan, 'maar ik zit nu al zo'n jaartje of duizend op de route naar Sprookjesland, dus ga mij nou niet vertellen hoe ik mijn werk moet doen.'

'Wanneer krijg ik mijn ragdunne vleugeltjes?' vroeg Adele aan de zwaan.

'Die worden bij aankomst rondgedeeld,' zei de zwaan geprikkeld. 'Probeer je toch lekker te ontspannen.'

Maar dat kon Adele niet. 'Wat ga ik in Sprookjesland allemaal doen?'

'Hetzelfde als de andere elfjes,' zei de zwaan. 'Je slaapt in een hangmat van spinrag tussen twee grassprieten, je wordt 's ochtends wakker en wast je gezicht in een waskom die van een half eikeltje is gemaakt, je ontbijt met nectar en bessen en dan ga je eens bedenken wat je met de rest van je dag wilt doen.'

'Denk je dat iemand het vervelend vindt als ik gewoon de hele dag niets doe?' vroeg Adele aarzelend.

'Integendeel,' zei de zwaan. 'Nietsdoen wordt in Sprookjesland enorm gewaardeerd.'

'Net als onwetendheid,' vulde een andere zwaan aan.

Terwijl ze op de zwanenvleugels naar de horizon werd gedragen, maakte Adele plannen voor haar toekomstige leven. Ze zou een omgekeerd grasklokje op haar hoofd dragen en een elfjeskleermaker opdracht geven een jurk van rozenblaadjes voor haar te maken. Dat kon ze onmogelijk zelf, ze was hopeloos slecht met naald en draad.

Lucinda zat aan het voeteneinde van Adeles bed in een stoel en las een artikel in de *Spectator* waarin Adele werd geprezen voor haar moedige standpunt inzake een van de belangrijkste kwesties van dat moment: Barry's Been. Lucinda vond het interessant om te lezen dat de paus in meerdere talen de volgende woorden had gesproken: 'Barry's Been is door God gegeven en door God verwijderd, en nu moet God Zich ervan ontdoen.'

Adele keek over de rand van haar bed. De lichtjes van Sprookjesland twinkelden in de diepte, en ze begon zich nu toch zorgen te maken; misschien was het sociaal-economische systeem in Sprookjesland wel vergelijkbaar met dat in de wereld die ze achterliet. Was het een klassenmaatschappij? Woonden sommige elfen in riante vliegezwammen, in exclusieve enclaves te midden van een paradijselijk landschap, terwijl andere bij elkaar hokten in wormstekige champignons aan de rand van een zompig moeras?

'Zijn er ook boeken?' vroeg Adele aan de leidende zwaan.

'Nee, er zijn geen boeken in Sprookjesland,' vertelde de zwaan haar.

'Dan zal ik mijn eigen boeken moeten schrijven,' besloot Adele.

'Als je dat doet,' waarschuwde de zwaan, 'word je eruit gegooid. Boeken veroorzaken alleen maar ellende.'

'Maar ik moet iets te lezen hebben!' protesteerde Adele.

'Waar hebben al die boeken en tijdschriften en uitvindingen en beroemde filosofen en politieke systemen van jou nou helemaal toe geleid?' schamperde de zwaan.

Ze begonnen te dalen. Adele hoorde tinkelend lachen en zag duizenden elfjes lachend naar haar omhoogkijken. Allemaal hadden ze net zo'n neus als zij.

Lucinda zag dat Adele toen ze wakker werd meteen naar die enorme gok van haar greep.

'Ik droomde dat ik in Sprookjesland woonde,' vertelde Adele slaperig.

'Hoe was dat?' vroeg Lucinda met professionele belangstelling.

'Hemels,' zei Adele. 'Er was echt helemaal niets te doen.'

Lucinda vroeg door. 'En de andere elfjes?'

'Verrukkelijk,' zei Adele.

Toch voelde Lucinda dat Adele iets voor haar verzweeg. 'Was Ed er ook bij?'

'Nee, maar dat was best,' antwoordde Adele.

'Wat was er dan niet best?' drong Lucinda aan.

'Niets.'

'Toe nou, Adele, je bent al veel te lang bij me in therapie. Ik weet het precies als je me iets niet vertelt,' zei Lucinda.

Adele bracht haar hand omhoog naar haar neus.

Lucinda greep haar kans. 'Adele, er is maar één ding waar we nooit over hebben gepraat en ik vind het de hoogste tijd om je met je neus op de feiten te drukken. Ja, Adele, je neus.'

Adele trok het laken op zodat alleen haar ogen er nog bovenuit staken.

'Adele, dat ding in je gezicht moet weg! Ik weet een plastisch chirurg die –'

Adele ontstak in woede. 'Dat is lichamelijk fascisme!' tierde ze. 'Waarom zou ik moeten beantwoorden aan het schoonheidsideaal dat de media ons opdringen?'

'Geef het nou maar toe,' zei Lucinda. 'Je neus is een enorm probleem. Je neus zit je psychologisch in de weg.'

Een uur later bladerden Lucinda en Adele in de catalogus van een plastisch chirurg om een nieuwe neus voor Adele uit te zoeken. Er waren neuzen in alle soorten en maten.

HOOFDSTUK 16

Toen Norma en James terugkwamen van de supermarkt met de boodschappen voor de logees die ze in het weekend zouden krijgen, was de voorkant van het huis ingrijpend verbouwd. De voordeur was verstevigd met plaatstaal en voor de ramen op de benedenverdieping waren tralies geplaatst.

'Het is net een gevangenis,' zei Norma. 'Waar is mijn brievenbus gebleven?'

'Je hebt geen brievenbus nodig,' zei James. 'Je krijgt nooit brieven.'

Ze sjouwden de dozen met boodschappen van de auto naar de keuken, waar drie vrienden van James bezig waren om een stalen plaat op de achterdeur te schroeven.

Norma bood hen een kop thee aan, en een van de jongeren zei: 'We hebben zelf al een kop koffie genomen, Norma, ik hoop dat je het niet erg vindt. En we hebben Peters waterbakje bijgevuld en zo.'

'Werken jullie voor de gemeente?' vroeg Norma.

James lachte. 'Nee, ze werken voor mij. Ik wil dat mijn moeder zich veilig voelt in haar eigen huis. We willen geen dealers over de vloer, toch?'

Jack belde op het moment dat de tralies voor het keukenraam werden vastgezet. Hij zei tegen Norma dat hij in het weekend misschien langs zou komen.

'Op welke dag?' vroeg Norma. 'Vrijdag, zaterdag of zondag?'

Jack zei dat hij nog niet wist hoe het allemaal zou lopen en vroeg of het haar iets uitmaakte.

James luisterde mee en schudde zijn hoofd. 'Niet dit weekend,' zei hij zacht.

'Dit weekend komt het niet uit,' zei Norma. 'Ik heb het druk.' Omdat ze niet wist wat ze verder nog moest zeggen, voegde ze eraan toe: 'Dag.' Daarna hing ze op.

Samen pakten Norma en James de dozen uit, en ze stalden de blikjes bier, de diepvriespizza's, hamburgers en ovenfrites op de keukentafel uit.

James had genoeg eten en drinken gekocht voor acht mensen, zichzelf en Norma inbegrepen. 'Als alles over een paar weken een beetje lekker begint te lopen,' zei hij, 'kopen we een echte vriezer en een nieuwe wasmachine.'

Norma knikte, maar ze vond het niet fijn dat ze tegen Jack had moeten zeggen dat hij niet langs kon komen. Soms had ze het gevoel dat James haar hele leven overnam, maar ze durfde er niets van te zeggen. Ze wilde voor geen prijs terug naar de tijd dat ze de hele dag alleen zat en niemand had om mee te praten, behalve Pete. Het was alleen jammer dat James niet meer schoonmaakte. 'Norma,' had hij tegen haar gezegd, 'op jouw leeftijd is het heel belangrijk dat je blijft bewegen. Zo voorkom je dat je hartaanvallen krijgt en dat soort ellende.'

Na hun vertrek uit het Grimshaw Hotel had de premier voorgesteld om de pittoreske route te nemen en door het Peak District naar Bourton-on-the-Water te rijden. Bij een benzinestation was een kaart aangeschaft en de premier had aangeboden het kaartlezen op zich te nemen. Al na een paar minuten waren ze op zijn aanwijzingen op het pad naar een boerderij terechtgekomen, zodat Ali gedwongen was geweest om moeizaam te keren op het kleine erf, gadegeslagen door de geschrokken boer en diens vrouw. Nadat het nog een paar keer hopeloos mis was gegaan, gaf de premier de kaart aan Jack. 'Doe jij het maar, Jack,' zei hij meisjesachtig. 'Iedereen weet dat vrouwen geen kaart kunnen lezen.'

'Mijn vrouw is juist briljant in het kaartlezen,' meldde Ali. 'Ze heeft ons van Islamabad naar Karachi geloodst – dat is bijna 1500 kilometer – zonder dat we ook maar één keer verkeerd zijn gereden, ja.'

De premier staarde door het raampje naar het spectaculaire heidelandschap. Hij voelde zich in zijn hemd gezet door de expertise van Ali's vrouw.

Jack pakte de kaart met tegenzin aan. Hij had het wel prettig gevonden om niets te doen en lekker naar buiten te kijken. Het landschap was elementair en ruig en er was godzijdank nergens een cottage met rieten dak te bekennen.

Ali's geduld werd op de proef gesteld door de hoogste weg van Engeland: die van Leek naar Buxton. Het ene moment reden ze nog in een stralend zonnetje en het volgende zaten ze in de dichte mist van een laaghangende wolk. Caravans hielden het verkeer op, geteisterd door krachtige rukwinden, en zij reden vlak achter een bejaarde in een Reliant Robin die het duidelijk in zijn broek deed, want hij sukkelde stapvoets voor hen uit. Inhalen was onmogelijk gezien de gestage stroom tegenliggers, en Ali kreeg het helemaal te kwaad. Voor het eerst sinds hij Jack en de premier als passagiers had maakte hij zich kwaad, en zwaaiend met een gebalde vuist schold hij op de oude baas in het driewielige voertuigje voor hen.

Toen Jack vlak buiten Bakewell een bord langs de kant van de weg zag staan met reclame voor een traditionele *cream tea,* vroeg hij Ali te stoppen op een klein parkeerterrein. De premier en Jack stapten uit maar Ali bleef achter het stuur zitten.

Jack boog zich voorover naar het raampje. 'Kom nou mee, Ali. Hier wordt je auto echt niet gestolen.'

'Nee, ik kan daar niet naar binnen.' Ali keek angstvallig naar de met klimop begroeide stenen cottage, alsof de uitspanning het hoofdkantoor van de KGB was.

'Waarom niet?' vroeg Jack.

'Het is niet mijn soort gelegenheid,' antwoordde Ali. 'Het is voor Engelse mensen, ja.'

'Maar je bent toch een Brit,' zei de premier. 'Je kunt gewoon ergens thee gaan drinken, net als alle andere Britse staatsburgers.'

Ali lachte zonder humor of vrolijkheid. 'Ik ben een keer met mijn twee zwagers naar een pub op het platteland geweest. Er was veel kabaal, want er werd veel gepraat, maar toen wij binnenkwamen werd het opeens stil. Al voordat we iets konden bestellen zei de kroegbaas: "Ik dacht dat types zoals jullie niet mochten drinken." Nou, toen zei ik: "We kunnen toch sinaasappelsap drinken." We zaten d'r misschien vijf minuten, ja, komt er een vrouw binnen en die zegt tegen de kroegbaas: "Krijg nou wat, Eric, komen ze tegenwoordig ook al buiten de stad?"'

'Heb je aangifte gedaan wegens discriminatie?' vroeg de premier.

Ali en Jack lachten allebei. 'Je vertrouwen in onze overheidsinstellingen is werkelijk roerend, Ed,' merkte Jack op.

'Als ik het elke keer moest melden dat ze me uitschelden voor Paki, zou ik voor de deur van de commissie een tent moeten opzetten,' zei Ali. 'Nee, ik blijf gewoon in m'n eigen wijk als ik niet werk. Erg jammer, want m'n vrouw houdt van 't platteland, van koeien en zo...'

'Ik sta erop dat je met ons mee naar binnen gaat. Ali,' zei de premier. '*Cream tea* is typisch Engels, en iedereen met een geldig Engels paspoort moet ervan kunnen genieten.'

'Of met een verplichte legitimatiekaart,' mompelde Jack.

Schoorvoetend stapte Ali uit zijn taxi en hij liet zich meenemen naar de theesalon in de cottage. De mensen die er thee zaten te drinken keken om en staarden, maar ze staarden niet naar Ali, ze staarden naar de premier. Travestieten waren in het Peak District zeldzamer dan Pakistanen. Ze gingen aan een leeg tafeltje zitten. Ali staarde somber naar het roze tafelkleed. Het was al erg genoeg dat hij hier het enige bruine gezicht was, maar moest je eens zien met wie hij hier zat! Hij had al na een paar uur geweten dat de vrouw met de blonde pruik eigenlijk een man was, en dat wisten alle andere mensen ook, ja. Hij had zich voorgenomen om te zeggen dat hij niet kon, als Jack nog een keer belde. Stel je voor dat het in zijn omgeving bekend zou worden dat hij met dit soort griezels omging, dan zou hij een slechte naam krijgen in de moskee. Nu al werd er druk op hem uitgeoefend om zijn vrouw een burqa te laten dragen. Toen hij er iets over had gezegd, had ze de koran geciteerd, het stukje waarin stond dat vrouwen net zo goed waren als mannen, en vervolgens had ze gezegd: 'Je weet dat ik niks rond mijn gezicht verdraag, zelfs m'n eigen haar werkt op m'n zenuwen.'

Was zijn vrouw er nu maar bij, zij zou tenminste iets kunnen bestellen van de kaart. Zij las beter Engels dan hij. Ze had haar eindexamen gehaald en voor een bank gewerkt totdat ze met hem was getrouwd.

De premier vroeg Ali wat hij wilde bestellen. 'Ik hoef niets, bedankt,' zei Ali. Dat was niet waar, maar hij kon moeilijk tegen hen zeggen dat hij niet alle woorden op de kaart begreep, toch? Ook al rammelde hij van de honger en had hij sinds het ontbijt niets meer gegeten.

'We bestellen van alles wat en dan delen we gewoon,' stelde Jack voor.

Een slungelachtig schoolmeisje met ronde schouders kwam naar hun tafeltje. 'Goedemiddag, ik ben Emma en ik ben uw serveerster voor vanmiddag,' dreunde ze als een robot op. 'Wat zal het zijn?'

'Hallo, Emma,' zei Jack. 'Ik ben je klant voor vanmiddag, en ik wil graag bestellen.' Jack keek naar de kaart met het Oud-Engelse schrift en las op: 'Een schaal versgeplukte malse slabladeren, genesteld in ambachtelijk gebakken brood uit onze eigen oven, traditionele boerenscones geserveerd met verrukkelijke dikke room en een portie gemengde bosvruchten, verschillende soorten jam en een pot Earl Grey.'

Nadat de bestelling een paar keer was herhaald en het meisje alles eindelijk begreep, zei de premier: 'Ik zou graag met je willen praten over je ervaringen met dit land, Ali, racisme, integratie en etnische tegenstellingen.'

'Ik zou veel liever over cricket willen praten, Edwina,' zei Ali, 'als je het niet erg vindt.'

De drie mannen zaten een tijdje in ongemakkelijk stilzwijgen bij elkaar. Jack deed alsof hij de kaart bekeek. Ali tekende met zijn wijsvinger op het tafelkleed en de premier probeerde zich wanhopig te herinneren wanneer er in het kabinet voor het laatst over cricket was gepraat. 'De Engelse Cricketbond,' zei hij uiteindelijk, 'heeft ons benaderd voor advies inzake de komende testmatch tussen India en Pakistan. Men vraagt zich af of de wedstrijd beter op neutraal terrein gespeeld kan worden, in Engeland.'

'Neutraal!' snoof Ali. 'Dan zitten er op Headingley straks bloedspatten tot aan het buitenveld, ja, geloof me. Begrijp me niet verkeerd, ik ben niet bevooroordeeld – sommige van mijn beste vrienden zijn Indiërs.'

Het eten werd gebracht, maar helaas beantwoordde het niet aan het beeld dat Jack voor ogen had gestaan. Het binnenste van elke sandwich was slijmerig van de mayonaise, de scones hadden te lang in de magnetron gestaan en sisten op de schaal, de room kwam uit een pak en de jam zat in kleine plastic kuipjes waarvan het dekseltje doorgeprikt moest worden met een vork.

Jack riep Emma naar hun tafeltje. 'Deze sandwiches druipen van de mayonaise.'

'Ze komen binnen met mayonaise,' mompelde Emma.

'Waarvandaan komen ze binnen?' vroeg Jack.

'Uit de fabriek in Buxton.'

'Dat is hier zeker vijftien kilometer vandaan,' zei Jack.

Ali, de professional, corrigeerde hem. 'Eerder twintig.'

'Wie bakt de scones?' wilde Jack weten.

Het meisje leek hem niet te begrijpen. 'Wie ze bakt? Ze worden geleverd door Iceland.'

'Komen ze uit IJsland?' zei de premier, die nog niet zo lang geleden in Reykjavik was geweest. 'Dat is toch werkelijk bespottelijk!'

Ali legde uit dat Iceland een landelijke winkelketen was waar uitsluitend diepvriesproducten werden verkocht.

'Zal ik de tafel dan maar afruimen?' zei Emma.

'Laat de thee maar staan,' zei Jack.

Emma bracht de rekening, en Jack betaalde zonder morren; hij had geen zin in een discussie met een nerveus wicht dat niet wist wat de woorden 'vers', 'traditioneel' of 'ambachtelijk' betekenden.

Toen ze de theesalon verlieten, zei Emma somber: 'We zullen u missen.'

Jack keek haar aan. 'Wat zei je?'

'We zullen u missen,' herhaalde ze.

'Emma,' zei Jack, 'je bent niet Amerikaans en we zijn hier niet in Amerika. Degene die je heeft geleerd om dat te zeggen, is niet goed bij zijn hoofd.'

'Nou en?' zei Emma. De magnetron piepte en ze draaide zich om.

Een kilometer verderop stopten ze bij een tankstation, waar ze snoepjes, chips, flesjes fris en een *Daily Mail* kochten. Ali las elke dag zijn horoscoop; kinderachtig, maar hij vond het nu eenmaal leuk. Hij deed een verzamelbandje met *Greatest Soul Hits* in de cassettespeler en onderweg naar Stafford en de verschrikkingen van de M6 zongen ze alledrie mee met Eddie Floyds 'Knock on Wood'.

Vier verkeersknooppunten later, na meezingers als 'Under the Boardwalk', 'Rainy Night in Georgia', 'Soul Sister', 'Brown Sugar' en 'When a Man Loves a Woman' kwam het verkeer van de M54 erbij en kwamen ze vast te zitten tussen een tankwagen met een schedel en een kruis van botten op de achterkant en een vrachtwagen met drie lagen blatende schapen.

'Waarom staan we stil?' vroeg de premier.

'De verkeersstroom is te groot, ja,' legde Ali uit. 'Zo is het hier altijd. De laatste keer dat ik deze rit maakte, heb ik drie-en-een-half uur vastgezeten. Ik heb de krant gelezen en een dutje gedaan, en toen ik wakker werd waren de meeste mensen uit hun auto's gestapt. Ze liepen rond over de snelweg en kletsten met elkaar. Het was eigenlijk best gezellig,' voegde hij er dromerig aan toe. 'Een vent in een rode Astra gaf me een blikje fris toen ik zei dat ik dorst had. Maar als die zak van een Edward Clare zich had vertoond, zou hij aan stukken zijn gescheurd.'

De premier keek om zich heen naar het stilstaande verkeer. 'Verkeer valt niet onder de verantwoordelijkheid van de premier,' zei hij nerveus. 'Ron Phillpot is de minister van Verkeer en Vervoer.'

'Ron Phillpot is een zuiplap, ja,' zei Ali.

'Ja, ik besef heel goed dat hij inderdaad een zuiplap is,' beaamde de premier. 'Hij is tot vice-premier benoemd om links aan het lijntje te houden.'

'Laat de regering hier niet ergens de noordelijke rondweg aanleggen?' vroeg Jack.

'De aanleg van die weg is voor de helft in particuliere handen,' legde de premier uit. 'Het wordt een tolweg.'

'Waarom zou ik tien pond moeten betalen om over een stukkie weg te mogen rijden?' protesteerde Ali. 'Ik betaal wegenbelasting, inkomstenbelasting, gemeentebelasting en accijns op de benzine, ja.'

'Het is struikroverij,' vond Jack. 'Dick Turpin deed tweehonderd jaar geleden precies hetzelfde.'

Twee uur lang reden ze in een slakkengang, luisterend naar een programma op Five Live Drive waarin de rol van de vrouw van de premier ter discussie werd gesteld. Luisteraars konden reageren op de vraag: moet Adele alleen gezien worden maar niet gehoord, of moet ze juist in staat worden gesteld om over zaken van nationaal belang haar mening te geven?

Toen Peter, een beller uit Truro, in de uitzending kwam en zei dat Adele Clare-Floret meer mans was dan de tuthola met wie ze getrouwd was, voelde de premier heimelijk of er nog wel iets in het slipje van zijn vrouw zat voordat hij aarzelend knikte.

Hassin uit Kettering vond dat Adele helemaal gelijk had wat Barry's Been betreft, hoewel hij van mening was dat het begraven van wratten te ver ging.

Sandra uit Cardiff belde om een compromis voor te stellen: het centraal begraven van wratten. Ze wist niet precies hoeveel wratten er in een gemiddelde doodskist pasten, maar meende dat het er honderden moesten zijn, zo niet duizenden.

Toen ene meneer Singh, hoogleraar in de wiskunde aan de Brunel University, belde om te vertellen dat er ongeveer 51.842 wratten in een gemiddelde doodskist zouden passen, deed Ali de radio uit en zette hij het bandje met de soulhits nog een keer op.

Tegen de tijd dat het verkeer weer in beweging kwam, kenden de drie mannen 'Knock on Wood' helemaal uit hun hoofd en hadden ze zelfs een vrolijk dansje ingestudeerd, waarbij ze telkens tegelijk op elkaars hoofd klopten.

De premier beleefde een moment van euforie. Nog nooit van zijn hele leven was hij zo gelukkig geweest. Elke keer dat 'Knock on

Wood' afgelopen was, smeekte hij om het nummer nog een keer te draaien.

Ali had er op een gegeven moment genoeg van. 'Nee,' zei hij, 'ik krijg d'r barstende koppijn van, ja. Zeg Jack, lees me mijn horoscoop eens voor. Ik ben een Steenbok.'

Jack las het stukje hardop voor. '"Er is storm op til in uw leven. Een persoon van de andere sekse koestert wrok – vergeet u hem/haar niet te vertellen dat u van hem/haar houdt? Uw leven zou ingrijpend kunnen veranderen als u niets doet, en daar zou u spijt van kunnen krijgen."'

Ali pakte zijn mobiele telefoon en belde naar huis. Heftig praatte hij tegen zijn vrouw in het Urdu. Toen Ali weer met twee handen op het stuur reed, zei de premier: 'Wat staat er voor Vissen?'

'Jij bent toch in mei jarig,' zei Jack.

'Jawel,' bevestigde de premier, 'maar Malcolm Blacks sterrenbeeld is Vissen.'

Weer las Jack voor. '"Grijp deze week de kans op zelfontplooiing met beide handen aan. U hebt er de moed en het talent voor, dus pak gewoon wat u toekomt. Als u van plan was om deze week te verhuizen, kunt u met enig oponthoud te maken krijgen, maar laat u niet ontmoedigen."'

'De klootzak,' fluisterde de premier. 'Ik heb mijn hielen nog niet gelicht of...'

Jack vroeg hem of hij de horoscoop van de Stier ook moest voorlezen, zijn eigen sterrenbeeld. De premier knikte, en Jack stak van wal. '"Uw oude gevoelens van onzekerheid steken de kop weer op. Geef uw queeste niet op. Misschien is dit hét moment om op uw lauweren te rusten. Laat anderen het vuile werk maar opknappen. Uw gezin heeft u nodig."'

De premier zei niets.

'Wat ben jij, Jack?' vroeg Ali.

'Een Kreeft, en het is allemaal flauwekul,' zei Jack, maar hij las het toch voor om Ali een plezier te doen: '"Er komt romantiek uw kant op. Maar als u op het beslissende moment weer in uw schulp kruipt, laat u misschien een kans op het grote geluk schieten. Heeft u de hondenbelasting wel betaald?"'

Bij een tankstation langs de M5 maakten ze een sanitaire stop. Jack en Ali gingen samen naar de heren-wc's en de premier ging in zijn eentje naar het damestoilet.

De premier bleef heel lang op de wc zitten, zelfs toen hij allang klaar was met plassen. Hij vond het vreselijk dat ze in zuidelijke richting reden en dat hij over twee dagen alweer met al zijn verantwoordelijkheden opgezadeld zou worden. Hij had het gevoel dat hij eeuwig in dit hokje kon blijven zitten, luisterend naar de geluiden van ruisend water, het gonzen van de handendrogers en het opgewekte geklets van de vrouwen die voor de spiegels hun make-up bijwerkten. Met zijn hoofd in zijn handen bleef hij zitten totdat Jack hem kwam halen.

'Edwina, zit je hier?'

HOOFDSTUK 17

Malcolm Black zat op de bank met zijn arm rond zijn vrouw, Hannah. Zijn grote hoofd lag zwaar op haar ranke schouder. Hij had tegen zijn assistent en privésecretaresse gezegd dat hij een uur lang ongestoord met zijn vrouw samen wilde zijn.

'Je moet nodig naar de kapper, Malc,' zei ze tegen hem. 'Het zag er gisteren vreselijk uit op tv, net een ziekenfondspruik.'

'Is het zo erg?' vroeg hij.

Hun uurtje samen was bijna afgelopen, en er was nog steeds geen beslissing genomen. Wilde ze dat hij de volgende premier zou worden of niet? Als ze nee zei, zou hij zich helemaal richten op het stabiliseren van de economie en het bestrijden van de kinderarmoede. Als ze ja zei, zou hij het aanzien van Engeland voorgoed veranderen.

Hij begon op zijn nagels te bijten, totdat ze zijn hand wegtrok van zijn mond. 'Wat zitten we hier gezellig,' zei hij.

'Het zou een avontuur kunnen zijn,' zei Hannah.

Hij lachte. 'Ja, zo'n roemrucht Engels avontuur dat eindigt met een afgang. Ik zou de Edmund Hillary van de Britse politiek kunnen worden.'

Hannah rechtte haar rug en keek hem aan. 'Hoe graag wil je premier worden, op een schaal van één tot tien?'

'Tien,' antwoordde hij.

'Zorg dan maar dat je het wordt,' zei ze. 'Je hebt het niet slecht gedaan voor een slimme jongen uit een arbeiderswijk, hè?' Ze lachte.

De vroegwijze Malcolm kon op zijn derde alle Gouden Boekjes uit zijn hoofd opzeggen. Hij stelde eindeloos veel vragen, wat degenen aan wie hij ze stelde tot wanhoop dreef. Hij leek in een andere wereld te leven dan zijn klasgenootjes; hij vond het vreselijk om aangeraakt te worden. Op zijn zestiende was hij toegelaten op de Universiteit van Edinburgh, waar hij verliefd werd op een prinses uit een van de Balkanstaten – als hij met haar was getrouwd, was hij misschien wel op de troon van haar vader terechtgekomen. Hij was hopeloos chaotisch en zijn verschillende zakken deden dienst als archief. Als hij naar een voetbalwedstrijd op de televisie keek, leefde hij zó hartstochtelijk mee met het spel dat Hannah weleens bang was dat hij een hartstilstand zou krijgen. Hij was opgegroeid in een achterstandswijk tussen de scheepswerven en door de armoede die hij daar had meegemaakt was hij socialist geworden. Zijn liefde voor baby's en kleine kinderen was even diep als vertederend.

Hij geloofde niet in God, en vond het onbegrijpelijk dat de premier, de minister van Binnenlandse Zaken én de minister van Buitenlandse Zaken alledrie lid waren van de Socialistisch Christelijke Beweging. Terwijl het alledrie zulke verstandige mannen leken. Malcolm was een keer een kamer binnengekomen waar ze met hun handen tegen elkaar gedrukt en hun ogen gesloten bij elkaar zaten, en hij had vurig gehoopt dat ze nadachten en niet zaten te bidden.

Hannah Black moest weg omdat ze die avond een afspraak had. Malcolm trok de map met het huiswerk van Morgan Clare naar zich toe. *Samenwerkingsverbanden tussen de overheid en het particuliere bedrijfsleven zijn minder efficiënt en kosten meer dan geheel door de overheid gefinancierde projecten. Bespreek dit thema.* Malcolm Black schreef: Er valt niets te bespreken. Dergelijke samenwerkingsverbanden blijken in de praktijk rampzalig uit te pakken. Grote terughoudendheid is vereist bij het beoordelen van toekomstige projecten. Door de nationale en regionale decentralisatie en het toegenomen belang van het particuliere bedrijfsleven kan de regering steeds vaker haar verantwoordelijkheid ontkennen als dingen misgaan, terwijl men zich op de borst kan slaan als het goed gaat.

Ali's taxi kwam bij een bord langs de kant van de weg met een tekst in Gotisch schrift. 'Happy Holiday, luxueus hondenhotel. Eerste rechts.' Ernaast stond een bord met 'Te Koop' en de naam en het telefoonnummer van een makelaar.

Ali wachtte tot een langzaam rijdende tractor hen was gepasseerd, keerde de auto en reed over het knerpende grind van de oprit. In de verte hoorden ze het geluid van een groot aantal blaffende honden.

'Zo te horen zijn er een hele hoop honden, ja,' zei Ali angstig. 'Ik heb het niet op honden. Ik had een oom in Lahore die door een hond is gebeten, en hij kreeg rabies.'

'Ik denk niet dat er honden met rabies in Pamela's kennel zitten,' zei de premier. 'Het kost honderd pond per dag om je hond hier onder te brengen.'

'Dat meen je niet!' riep Ali uit.

Ze stopten voor een fraai oud huis. Een lange vrouw met blond haar dat boven op haar hoofd was vastgezet kwam door een hek aan de zijkant met een plastic emmer in haar hand. Zelfs van een afstand leek ze sprekend op de premier. Ze droeg een jasje van grijze fleece, een verschoten spijkerbroek en groene kaplaarzen.

Ze zette de emmer neer toen de premier uit de taxi stapte. 'Jezus, Ed!' zei ze. 'Een jurk staat jou beter dan mij.'

Haar lach was aanstekelijk donker en hees en klonk alsof ze herstelde van een keelontsteking. Ze haalde een pakje St. Moritz sigaretten uit het borstzakje van haar jasje en stak er een op met een roze wegwerpaansteker. Onmiddellijk begon ze te hoesten. 'Straks ga ik nog dood aan die stomme dingen.'

Haar accent was bekakt maar niet aanstellerig. Jack was op slag weg van haar.

Eerst zag hij helemaal niet dat ze vieze nagels had, of dat haar haar was vastgezet met een herensok. De premier stelde hen aan elkaar voor, en ze gaven elkaar een hand, keken elkaar aan en glimlachten. 'Ik wist wel dat je op een dag zou komen,' zei ze.

Jack dacht eerst dat ze het tegen hem had, maar zelfs als dat zo was, gaf de premier antwoord. 'Ik ben er niet, Pam.'

'Ik weet het,' zei ze. 'Je zit in een bunker en speelt voor de grote oorlogsleider.'

De premier liep samen met haar een eindje bij de auto vandaan. 'Ali, de chauffeur, weet niet wie ik ben, Pam,' fluisterde hij. 'Verpest het nou niet.'

Ali zat achter het stuur te wachten terwijl de Engelsen bezig waren met hun merkwaardige begroetingsceremonie. Hij vroeg zich af of zijn kinderen zouden leren om te doen alsof ze niet blij waren wanneer ze hun familieleden of oude vrienden zagen. De mooie zus van de vreemde man met de blonde pruik klopte op het raampje van zijn auto en nodigde hem uit om binnen te komen voor een kop thee.

Hij vroeg naar de honden en vertelde haar van zijn oom in Lahore. Ze luisterde met veel belangstelling en verzekerde hem dat alle honden veilig in hun hokken zaten.

Nadat ze Jack de hand had gedrukt, had ze hem niet meer aangekeken, ze praatte voornamelijk met Ali, vroeg hem naar de details van de slopende ziekte waaraan zijn oom was gestorven.

Ze kwamen bij een laag, witgepleisterd gebouw. 'Hier wonen de gasten,' zei ze. 'Ik wilde ze net gaan voeren. Eddy, ga jij maar vast naar binnen en zet een kop thee voor Ali. Jack kan me helpen met de honden.'

Het was een opluchting voor de premier om weg te kunnen bij al die blaffende en grommende honden; zijn vader had hem uit hygiënisch oogpunt verboden huisdieren te houden.

Jack had een geur van ontsmettingsmiddelen verwacht, stenen vloeren en kooien. Hij was dan ook stomverbaasd bij het zien van de kamertjes, de vaste vloerbedekking en de sfeerverlichting. Elke hond kon naar buiten in een eigen ren en in elk kamertje stond een kleurentelevisie. Sommige honden keken naar *Crossroads.*

Terwijl Pamela van het ene kamertje naar het andere ging om Pedigree Pal in de voederbakken van de honden te doen, vertelde Jack haar van de hond die hij vroeger als jongen had gehad. Dat de hond het niet erg had gevonden om als voetenbankje te worden gebruikt.

'Hoe heette hij?' vroeg Pamela.

'Bob,' zei Jack. Hij vertelde Pamela niet dat hij de naam van zijn hond nooit hardop had geroepen op straat. Als hij dat wel had gedaan, zou de hond zijn uitgejouwd en uitgelachen door de buren – 'bob' stond in het plaatselijke jargon voor poep.

Ze was bijna net zo groot als hij en dat vond hij prettig; van kleinere vrouwen kreeg hij het benauwd omdat ze zo broos leken. Hij kon zijn ogen niet van haar mooie gezicht afhouden. Ze zei alles met een halve lach. Hij probeerde te schatten hoe oud ze was, maar besloot het haar uiteindelijk maar gewoon te vragen.

Ze deed er niet moeilijk over. 'Ik ben eenenveertig,' vertelde ze hem. 'En het is een leugen dat je na je veertigste de mooiste jaren van je leven meemaakt.'

'Je hebt nog maar een jaar ervaring,' zei Jack.

'Ja, en het was een absoluut klotejaar. Mijn man heeft me in januari in de steek gelaten, mijn financieel adviseur woont tegenwoordig in Tanger, en die flutregering van Eddy heeft ervoor gezorgd dat mijn pensioen is ingepikt.'

Het deed Jack genoegen dit allemaal te horen, want het betekende dat ze beschikbaar en kwetsbaar was. Hij had het gevoel dat hij haar gelukkig zou kunnen maken, en misschien zou hij haar kunnen helpen bij het opbouwen van een nieuw pensioen.

Jack vroeg of ze kinderen had en was opgelucht toen ze nee zei.

'Ik hou veel te veel van kinderen om er zelf een te nemen,' legde ze uit. 'Ik zou een vreselijk slechte moeder zijn. Ik ben aartslui en afschuwelijk egoïstisch, en bovendien heb ik een pesthekel aan pijn. Ik heb te veel cowboyfilms gezien waarin de vrouwen van de cowboys de hele ranch bij elkaar gillen als ze de zoons van de cowboys baren.'

'Het waren altijd zoons, hè?' zei Jack.

'Altijd,' beaamde Pamela. 'Ik was een dubbele teleurstelling voor mijn vader. Ik was niet alleen een ontzettend lelijk klein meisje, het was ook nog eens mijn schuld dat mijn moeder doodging.'

'Indirect,' zei Jack.

Hij moest zich beheersen om haar niet aan te raken, om zijn armen niet om haar heen te slaan en haar stevig vast te houden. Bijna had hij dan maar zijn hand op haar schouder gelegd, maar hij wilde haar niet aan het schrikken maken.

Via de keukendeur gingen ze het huis binnen. Een oude zwarte labrador sjokte naar Jack toe en legde een kerstman van rubber aan zijn voeten.

'Dit is Bill,' zei Pamela.

Jack aaide de fluweelzachte oren van de hond. 'Hallo, Bill.'

Er stond een kartonnen doos in de kleine bijkeuken waarin een stuk of zes lege wodkaflessen zichtbaar waren. Jack vroeg haar of ze alleen woonde.

Ze gaf een schop tegen de deur. 'Ja, en ik drink weleens een slok omdat ik eenzaam ben.'

Jack was blij dat ze tekortkomingen had en niet volmaakt was; het gaf hem een beetje hoop dat ze misschien zijn hulp nodig zou hebben. Hij wilde graag voor haar zorgen. En bovendien dronk hij zelf niet genoeg. In gedachten zag hij hen samen in Spanje, misschien zelfs bij een stierengevecht – zij was Ava Gardner, hij was Ernest Hemingway, ze waren dronken en misdroegen zich in het openbaar. Hij vroeg om een glas Stolichnaya. Hij voelde zich in staat om een waterglas wodka in één teug achterover te slaan.

Haar opmerking stelde teleur. 'Er is geen druppel in huis. Ik vergeet steeds om nieuwe te kopen als ik in het dorp ben.'

Ze is dus geen alcoholist, dacht Jack. Nou, ze mocht alles zijn wat ze wilde. Hem kon het niet schelen.

'Ik heb wel wijn,' zei ze, 'maar dat telt toch niet? Het is meer een soort medicijn nu die klotedokters hebben gezegd dat we twee glazen per dag kunnen drinken.'

Iedereen ging aan de grote tafel midden in de keuken zitten. De tafel was bezaaid met boeken, kranten en een stapel aanmaningen. Ali viel vrijwel direct in slaap.

'Die man is helemaal kapot,' merkte Pamela op. 'Ik laat hem vanavond niet dat hele klote-eind terugrijden naar Leeds.'

Jack vroeg zich af of haar grove taalgebruik hem uiteindelijk zou gaan ergeren als ze eenmaal getrouwd waren. Ze leek hem geen vrouw die zich iets aantrok van kritiek.

'Waarom is Andrew bij je weggegaan, Pam?' vroeg de premier. 'Had hij een ander?'

'Ik denk dat hij zich stierlijk verveelde,' antwoordde ze. 'Ik ben ontzettend saai, Ed. Daarom ga ik nooit naar feestjes, mensen vinden me zo saai dat ze ervan gaan gapen. Ik heb echt niets om over te praten.'

Jack nam zich voor om nooit meer naar een feestje te gaan, nooit meer. Hij wilde thuis blijven en zich vervelen met Pamela.

'Ik kook echt helemaal nooit,' zei ze tegen de drie mannen, 'maar er is wel eten.' Vaag gebaarde ze naar een provisiekast en een koelkast. 'Er is vast wel iets te vinden.'

Ze stak nog een St. Moritz op en zei tegen Jack: 'Jij bent bij de politie, hè? Er is hier verleden week ingebroken.'

'Wat hebben ze meegenomen?' vroeg Jack.

'O, je weet wel,' zei ze. 'De tv, de video, wat zilver, al mijn sieraden.'

'Heb je aangifte gedaan?' wilde de premier weten.

'Dat had geen zin,' zei ze. 'Het inbraakalarm stond niet aan, dus ik krijg toch geen cent van die kutverzekering.'

Jack wilde tegen haar zeggen dat hij best al zijn spaargeld op wilde nemen om nieuwe sieraden voor haar te kopen.

Het was alsof ze zijn gedachten had gelezen, want ze zei: 'Ik mis die dingen helemaal niet. Ik heb toch al veel te veel spullen. Neem nou dit huis. Ik heb vijf slaapkamers, twee badkamers, drie woonvertrekken en een keuken, en alles staat vol met spúllen. Ik word er doodziek van. Ik koop nooit meer iets zolang als ik leef. Waar ik naar verlang, is een witte kamer, een klein wit bed, een asbak en een paar boeken.'

'Je beschrijft een gevangeniscel,' zei de premier. 'En als je blijft omgaan met die foute vrienden van je, kom je daar ook terecht.'

Hij deed de deur van de koelkast open en keek erin. Hij zag een schaal met rode appels, twee preien, een zak met uitlopende aardappels, een bekertje room, een stuk slechts licht beschimmelde kaas en verschillende ingepakte voorwerpen, waarschijnlijk zuivelproducten.

'Je doet alsof ik een anarchist ben,' zei ze, 'en we zijn alleen maar tegen de dingen waar jij voor staat, Ed.'

De premier sloeg de deur van de koelkast dicht en ging naar de bijkeuken. Ze hoorden hem op zijn hoge hakken rondlopen op de stenen vloer. Toen hij terugkwam zei hij: 'Er is helemaal niets te eten in huis en ik heb honger.'

'Zeur niet, Eddy,' zei Pamela. 'Het doet me aan die rotjeugd van ons denken.'

'Ik heb juist een idyllische jeugd gehad,' protesteerde de premier.

'Je hebt het nu niet tegen David Frost,' zei ze. 'Ik ben het, Pamela. Ik was er ook bij, weet je.'

'We kunnen pizza's laten bezorgen,' opperde de premier.

'Domino komt niet zover en er zit niets in het dorp; het dorp is bijna helemaal uitgestorven sinds Ed het postkantoor heeft gesloten.'

'Ik heb dat postkantoor niet persoonlijk gesloten, Pam,' zei de premier. 'De kleine postkantoren op het platteland zijn niet rendabel.'

'Voor mij wel!' tierde ze. 'Nu moet ik helemaal naar Stow-on-the-Wold met de auto als ik verdomme een postzegel nodig heb!'

'Vloek alsjeblieft niet zo, Pamela,' zei de premier.

Terwijl Pamela en de premier elkaar in de haren vlogen over hun politieke meningsverschillen stond Jack op. Hij begon de ingrediënten voor een avondmaaltijd bij elkaar te zoeken. Hij maakte plek vrij op het aanrecht, zette attributen klaar en begon te koken. Door de boeken van Delia Smith aandachtig te bestuderen, kon hij inmiddels zeven gerechten bereiden die absoluut niet konden mislukken. Hij wilde Pamela verrassen en verleiden met wat hij allemaal kon. Hij wilde demonstreren hoe goed hij was in het bakken van een hartige taart, het opzetten van een tent, het strijken van een wit linnen overhemd, het rijden door Londen in het spitsuur, het oplossen van het kruiswoordraadsel in de *Independent*, en het in de roos schieten met allerlei verschillende wapens – hij kon van vijfhonderd meter afstand een moordenaar neerschieten met een HV-geweer.

Tot zijn verbazing voelde verliefd worden in werkelijkheid precies zoals het in liedjes en boeken werd beschreven. Kleuren waren feller, en het leven leek opeens vol verbazingwekkende mogelijkheden. Hij zong zelden en had dat tot die dag in de auto nog nooit in gezelschap gedaan, maar nu kwamen de woorden van 'Try a Little Tenderness' bij hem op, en daarna zong hij 'Wearing the same shabby dress...' Niemand hoorde hem. Ali lag nog te snurken en de premier en zijn zus kibbelden nog steeds over de successen en mislukkingen van het wereldwijde kapitalisme en wie er de meeste aandacht had gehad van hun vader.

Toen de prei- en uientaart klaar was, zette Jack hem voor Pamela op tafel alsof het de Heilige Graal was. Ze beloonde hem met de opmerking: 'Godallemachtig, dat ziet er lekker uit.'

Hij zette ook de bijgerechten op tafel: gesauteerde aardappels en een schaal doperwtjes met munt.

Geoefend trok Pamela een fles wijn open. 'Drinkt Ali?' vroeg ze.

Jack maakte hem wakker en Ali zei: 'Alleen voor de gezelligheid, ja,' en dronk een half glas.

Jack voelde zich voldaan toen het eten tot de laatste kruimel op ging.

Op voorstel van Pamela belde Ali zijn vrouw om haar te laten weten dat hij die nacht niet thuis zou komen. Salma geloofde hem niet toen hij haar vertelde dat hij in het huis naast een hondenhotel op het platteland logeerde, dus nam hij de telefoon mee naar buiten en liet hij haar het geluid van elf blaffende honden horen. Het hielp niet.

'Ali,' zei ze, 'doe me dit alsjeblieft niet aan. Je bent bij een andere vrouw. Ik weet wie het is – de dikke die hier bij de groenteman werkt.'

Ali kwam de keuken weer binnen en zei tegen Jack: 'Praat jij eens met mijn vrouw, Jack. Leg uit dat ik aan het werk ben.'

Jack nam de telefoon over en vertelde Salma dat hij graag nog twee dagen van Ali's diensten gebruik wilde blijven maken, mits zij haar toestemming gaf.

'We zijn nooit langer dan een dag zonder elkaar geweest,' zei ze tegen Jack. 'Ik heb het er heel moeilijk mee. Zorg goed voor mijn man en let erop dat hij eet – dat vergeet hij weleens.'

Jack beloofde het, bedankte haar en gaf de telefoon terug aan Ali.

Het liefst wilde Ali in zijn auto slapen – de stoel kon plat naar achteren worden geklapt en hij had een deken in de kofferbak – maar Pamela wilde er niet van horen. Ze nam hem mee naar boven en liet hem uit vier slaapkamers kiezen. Hij koos de kinderkamer. Er stond daar een bed dat het juiste formaat had. Ali was niet groot.

De premier was dronken. Hij was zó dronken dat hij tegen Jack en Pamela bleef zeggen dat hij niet dronken was. Ook vertelde hij hun herhaaldelijk dat hij heel erg veel van ze hield. Toen begon hij te huilen en zei hij dat hij zijn moeder miste. 'Ik kan me haar niet meer herinneren, Pam,' zei hij. 'Vroeger had ik een beeld van haar gezicht en haren, maar later besefte ik dat het mama niet was, het was Jean Simmons, de actrice. Ik had die twee door elkaar gehaald. Mama was toch dik? Ik weet nog dat ze in de auto stapte toen ze naar het ziekenhuis moest. Ze was moddervet.'

'Mama was niet dik, Ed,' zei Pamela. 'Ze was in verwachting van mij.'

'Zijn er foto's van haar?' vroeg Jack.

'Niet veel,' antwoordde Pamela. 'Mama had er een hekel aan om gefotografeerd te worden. Op alle foto's die ik van haar heb gezien, is haar hoofd weggedraaid en haar gezicht onscherp. Andrew heeft de fotoalbums meegenomen.'

'Waarom?' brieste de premier. 'Mama was mijn moeder, niet de zijne.'

'Mama stond in hetzelfde album als zijn lievelingshond, Patsy,' legde Pamela uit.

'Wat voor iemand was ze?' drong de premier aan.

'Ik weet het niet,' zei Pamela. 'Vraag het aan iemand die haar heeft gekend. Oom Ernest woont in een verzorgingstehuis in de buurt van Cheltenham.'

'Ik wil naar hem toe,' kondigde de premier aan.

'Morgen,' beloofde Jack.

De premier trok de blonde pruik van zijn hoofd. Zijn eigen haar plakte rommelig tegen zijn hoofd. Pamela en Jack hielpen hem samen de trap op en brachten hem naar een smaakvol ingerichte slaapkamer. De premier wilde zich per se zelf uitkleden.

'Wil je een pyjama of een nachtjapon lenen?' bood Pamela aan.

'Er zit een nachtjapon in zijn tas,' zei Jack. 'Ik zorg wel voor hem.'

Toen Jack terugkwam in de keuken, zag hij dat Pamela een derde fles had opengetrokken. Ze wilde over haar broer praten.

'Ik vind het vreselijk als mensen kritiek hebben op Ed,' zei ze. 'Ik ben het oneens met bijna alles waar hij voor staat, dat weet ik best, en ik kots ervan dat hij de hielen likt van de Amerikanen, maar hij is mijn grote broer en ik denk dat ik van hem hou.'

Om tien uur trok ze haar jasje aan. 'De honden moeten naar bed.'

Jack ging met haar mee naar buiten. Het was jaren geleden dat hij een echt donkere avond had meegemaakt. Hij keek omhoog in de verwachting dat hij sterren zou zien, en die waren er ook – de hemel was ermee bezaaid. Toen hij samen met Pamela naar de kennel liep, zei hij tegen haar: 'In de stad zie je geen sterren.'

Ze wierp haar hoofd naar achteren en keek. 'De sterren zijn een bescheiden compensatie voor het wonen op dit kloteplatteland.'

'Je bent hier niet gelukkig,' zei hij.

'Nee, ik ben een stadsmeisje. Andrew heeft me ontvoerd en mee hierheen genomen. Ik hou zelfs niet echt van honden.'

Ze ging van het ene kamertje naar het andere om de televisies uit te doen en de honden welterusten te wensen. Elf paar ogen keken haar aan toen ze zich nog een keer omdraaide. 'Tot morgen,' zei ze voordat ze de deur dichtdeed.

Buiten in het donker gaf Jack haar een arm en zo liepen ze samen over het pad naar het huis, hoewel hij degene was die de weg niet wist.

Jack vroeg of hij koffie zou zetten.

'Misschien zijn er nog een paar bonen van Andrew over. Waarschijnlijk zijn ze niet zo lekker meer,' voegde ze eraan toe, alsof ze eindelijk besefte dat hij al drie maanden weg was.

Jack wist dat hij naar bed had moeten gaan toen ze hun koffie op hadden. Pamela had gedurende hun hele gesprek zitten gapen en meerdere keren gezegd dat ze de volgende ochtend vroeg op moest voor de honden. Maar Jack wilde niet weg. Uiteindelijk stond Pamela als eerste op. 'Ik ben doodmoe,' kondigde ze aan.

Hij verontschuldigde zich dat hij haar van haar slaap had beroofd. 'Jack,' zei ze, 'ken je dat Chinese gezegde: "Na drie dagen gaan vis en gasten stinken"?'

Hij knikte.

'Nou,' zei ze, 'het is mijn bittere persoonlijke ervaring dat vis en gasten al na één dag gaan stinken.'

'Wees maar niet bang,' stelde Jack haar gerust, 'we zijn morgen voor de lunch weer weg.'

'Tegen die tijd verveel ik je al,' zei ze.

Het zou een goed moment zijn geweest om tegen haar te zeggen dat hij belangstelling voor haar had, maar hij zei niets en zij ging naar boven naar haar bed. Hij bleef nog heel lang aan de keukentafel zitten en probeerde te wennen aan het idee dat hij nu in een nieuw universum leefde.

HOOFDSTUK 18

Ali werd wakker van zijn mobiele telefoon. Hij deed zijn ogen open en zag dat hij onder een dekbed met de Lion King lag. Hij werd gebeld door Sedek, zijn zoon van acht, die hem vroeg wat de langste rivier van de Britse Eilanden was. Ali zei dat het de Thames kon zijn, maar hij wist het niet zeker.

Hij hoorde stemmen van buiten en stond op om uit het raam te kijken. Jack en Pamela maakten riemen vast aan de halsbanden van de honden. Ali deed het raam open en vroeg naar de rivier. 'De Severn,' antwoordden Jack en Pamela in koor.

Ali gaf zijn zoon het antwoord voor zijn huiswerk en wilde daarna zijn andere kinderen om beurten spreken. Hij vertelde hen dat hij die nacht in een prachtige kinderkamer had geslapen. 'Het leek wel de kamer van een koningskind,' zei hij. 'Er was alles wat een kind zich kan wensen, behalve een televisie en een video.'

Pamela verdeelde de honden tussen haar en Jack, en nam er zelf zes. Ze liepen over het grindpad bij het huis vandaan, en zij rookte de eerste sigaret van die dag. Het kabaal van het blaffen was vreselijk. De honden waren slecht opgevoed en wilden niet braaf meelopen. Toen ze aan het eind van het pad waren kwam de zon tevoorschijn, en Pamela trok haar donkere zonnebril van haar hoofd omlaag op haar neus. Ze had die ochtend een andere kleur sok in haar haren, zag Jack.

'Gaan we ver?' riep Jack boven het helse kabaal uit.

'Naar het dorp en terug,' zei ze. 'Ik moet sigaretten kopen.'

Er was heel weinig verkeer en ze liepen midden op een smal landweggetje. Om de zoveel tijd moesten ze blijven staan om de riemen uit de knoop te halen. Jack bewonderde de wilde bloemen in de berm. De zon scheen.

'Dit land is van mij,' vertelde Pamela. 'Ik heb al die wilde bloemen zelf moeten planten. De zaadjes moesten van een gespecialiseerde kweker komen. Die kloteboeren hier hadden alles uitgeroeid met die smerige chemicaliën van ze.'

'Dus je hebt toch geen hekel aan het platteland?' vroeg Jack.

'Ik heb een hekel aan wat ze ermee hebben gedaan,' zei ze fel.

Een splinternieuwe olijfgroene Land Cruiser, bestuurd door een man met bakkebaarden en een tweedpet, reed langs, zó hard dat ze bijna in de greppel belandden. Het duurde even voordat de honden voldoende waren bedaard om de wandeling te kunnen voortzetten.

'Dat is de boer die het land naast het mijne heeft,' legde Pamela uit. 'Hij was verleden jaar op de televisie, in tranen vanwege die kloteschapen van hem. Dat ze net familieleden voor hem waren, dat het hem zo ontzettend veel verdriet deed dat ze moesten worden geruimd. Nou, de compensatie van een half miljoen pond die hij Ed heeft weten te ontfutselen heeft hem weer helemaal blij gemaakt. Dezelfde kudde schapen werd telkens van de ene boerderij naar de andere gesleept; die arme beesten dachten waarschijnlijk dat ze een rondreis maakten.'

Ze kwamen in het dorp Swale-on-the-Wold. Uit de manier waarop de dorpelingen naar Pamela keken, bleek duidelijk dat ze niet erg geliefd was. Voor het oude postkantoor bleef ze staan. Twee mannen waren bezig een kunststof raam te plaatsen in het gapende gat van het oude schuifraam.

Toen ze verder liepen, vroeg Jack zich af of hij zou kunnen leven met iemand die voortdurend zo verontwaardigd en kwaad was.

Hij hield de elf honden vast en zij ging een kleine Spar-winkel binnen. Ze kwam weer naar buiten met een verpakte Chinese maaltijd. 'Je moet een keer naar Londen komen, Pamela,' zei Jack, 'dan neem ik je mee naar Gerrard Street en trakteer ik je op echt Chinees eten.

Tot zijn verbazing zei ze: 'Wanneer?'

'Zodra Ed terug is op Nummer 10,' antwoordde hij.

'Jack,' zei ze, 'ik merk aan alles dat Ed helemaal opgebrand is.'

Op de terugweg kwamen ze weer langs het oude postkantoor. De werklui bevestigden een smeedijzeren uithangbord boven de deur, met in ouderwets schrift: *Ye Olde Post Office*.

Ali had een ketel water gekookt en thee gezet. Hij legde de premier uit waarom hij nooit meer op de Labourpartij zou gaan stemmen. 'Eerst hebben ze al dat geld verspild aan die wapententoonstelling – ik bedoel, wie wil er nou dertig pond uitgeven om zijn kinderen een paar oude geweren en zwaarden te laten zien, ja? En dan is er dat achterlijke systeem met eenrichtingsverkeer en al die busbanen, en waarom moesten ze nou zo nodig alle zwembaden sluiten voordat mijn oudste zoon zijn B-diploma kon halen?'

De premier zat ten einde raad met zijn hoofd in zijn handen aan tafel. Waarom was het Britse electoraat niet in staat om de verantwoordelijkheden van de nationale regering en de plaatselijke overheid uit elkaar te houden?

Pamela kwam binnen. 'Gefeliciteerd, Ed,' zei ze. 'Je gedroeg je gisteravond als een goede, klassieke dronkelap. Je verdient een tien met een griffel.'

De premier knipperde snel met zijn ogen en mompelde een verontschuldiging.

Jack ging naar boven om hun tassen te pakken en kwam langs de openstaande deur van de kinderkamer. Op de terugweg ging hij de kamer in en keek om zich heen. De meubels en het speelgoed waren nieuw maar duidelijk nooit gebruikt. Jack trok de bovenste la van een commode open en zag een stapel babykleertjes in pasteltinten. Peinzend schoof hij de la weer terug en deed de deur van de kamer achter zich dicht.

Pamela was druk bezig toen ze weggingen. Een Caraïbisch gebruinde vrouw werd herenigd met haar schoothondje. Jack kuste Pamela op beide wangen en rook haar parfum en zei dat hij haar zou bellen over dat Chinese eten.

Ze glimlachte zo stralend naar hem dat hij er helemaal warm van werd, en zelfs de gedachte aan hun bezoek aan de eenentachtig jaar oude oom Ernest in een verpleegtehuis kon het gloeien niet verdrijven.

Jack vroeg Ali om langzamer te gaan rijden en wees op Pamela's wilde bloemen in de berm. 'Weet je, Jack,' merkte de premier op, 'het is nergens zo mooi als op het Engelse platteland – behalve in Toscane, natuurlijk.'

Voor hen uit reed een tractor langs een veld dat grensde aan de weg. Uit een pijp op de geheel gesloten cabine sproeide een fijne mist, en voordat ze de raampjes dicht konden draaien, was de mist de auto binnengedreven en zaten ze alledrie in hun prikkende ogen te wrijven en te hoesten en te proesten. Ali remde en zette de motor uit, want hij zag niets meer. Niet alleen zijn ogen traanden, bovendien kleefde er een ondoorschijnend waas tegen de voorruit dat de ruitenwissers niet weg konden krijgen.

Een kwartier later kwam er bij het alarmnummer op het hoofdbureau van politie in Cheltenham een melding binnen van een boer in Swale-on-the-Wold die beweerde dat hij door drie onbekenden uit zijn tractor was gesleurd en mishandeld: een grote blanke man, een blonde travestiet en een kleine Pakistaan. De agente die het telefoontje aannam, waarschuwde de boer dat er strenge straffen stonden op valse meldingen, een hoge boete of zelfs gevangenisstraf.

Toen de agente weer had neergelegd, zei ze tegen haar collega: 'Alweer een telefoontje van een verknipte boer. Het komt vast door alle chemicaliën die ze gebruiken.'

HOOFDSTUK 19

In de ontvangsthal van het Rainbow Verpleegtehuis voor Bejaarden, waar de geur van urinezuur zich vermengde met die van een industrieel ontsmettingsmiddel, werden Jack en de premier begroet door de eigenaar, Harry Rainbow, een man die een gepensioneerde zwaargewicht bokser had kunnen zijn. Een onvoorstelbaar dikke zwarte kat gaf zijn in krijtstreep gehulde benen kopjes terwijl hij het bezoek hartelijk de hand schudde. 'Dit is Blackie,' vertelde hij hen. 'De bewoners zijn dol op hem.'

'Ik heb nog nooit zo'n dikke kat gezien,' merkte Jack op.

'Het is een monster,' beaamde Harry Rainbow. 'Ik heb tegen de bewoners gezegd dat ze hem niet mogen voeren maar ze kunnen het niet laten. Er gaat hier gemiddeld een kat per jaar doorheen. Ze heten allemaal Blackie, dan hoeven we niet elke keer een nieuwe penning te laten maken. Zo, komt u vanwege de sluiting?'

'Nee,' zei de premier. 'We komen voor Ernest Middleton.'

Rainbow was verbaasd dat Ernest bezoek kreeg. 'Zijn nicht, Pamela, komt elke zondag,' vertelde hij, 'maar verder komt er nooit iemand. Zo treurig – hij is een oom van de premier, weet u, maar die arme drommel krijgt zelfs nog geen kerstkaartje van hem. Ernest is erg van slag door de sluiting. Het zal hem goed doen dat hij bezoek krijgt.'

'Waarom gaat u sluiten, Mr. Rainbow?' informeerde de premier. 'Is er niet juist een schreeuwend beddentekort in verpleegtehuizen?'

'Jawel, maar mijn vrouw en ik zijn in de eerste plaats zakenmensen, en om u eerlijk de waarheid te zeggen, de winstmarges op oude mensen zijn om te huilen. Ik heb minstens vijftig pond per afdeling extra nodig wil het voor mij en mijn vrouw de moeite waard zijn. En dan krijgen we straks ook met de nieuwe wetgeving te maken. We moeten alle deuren twee centimeter breder maken.'

'Maar waar gaan de bewoners dan naartoe?' vroeg de premier.

Een groepje gebogen oude dames schuifelde door de ontvangsthal. 'Het rollatorpeloton komt eraan,' riep Harry Rainbow. 'Ren voor je leven!'

De oude dametjes lachten beleefd om Harry's afgezaagde grapje. Harry liet zijn stem dalen. 'Ik weet niet waar ze heen moeten, maar ik weet wel dat dit over drie maanden een privé-kliniek is: borstvergrotingen, botox, liposuctie, dáár valt tegenwoordig geld mee te verdienen.'

Hij stelde hen voor aan Lauren, een van de personeelsleden. Lauren keek de premier recht in de ogen door de glazen van haar bril met een groen montuur. 'Waar ken ik u van?' vroeg ze. 'Van de Weightwatchers?'

Jack leidde Lauren af door haar te vragen of ze Ernest konden spreken.

'In principe kan dat wel,' zei ze, 'maar misschien wil hij niets zeggen. Hij is chagrijnig, de arme man. Het is voor iedereen een enorme schrik, de sluiting.' Ze liep voor hen uit door een gang naar een grote ruimte, waar verschrompelde oude mensen in plastic leunstoelen zaten, vastgezet met slabachtige tafels. 'Ik vind het rot, hoor, dat al die oude mensen weg moeten, maar Mr. Rainbow zegt dat particuliere patiënten flinke fooien geven als we een beetje ons best doen.'

Een grote televisie stond afgestemd op een kinderprogramma. Vier acteurs met vriendelijke monsterhanden, uitgedost in primaire kleuren, voerden een pantomime op bij een liedje over een heel erg lekkere taart.

Lauren liep naar een broodmagere oude man met een intelligent gezicht, gekleed in een driedelig pak met vest, overhemd en een stropdas. 'Er is bezoek voor je, Ernest,' zei ze tegen hem.

'*The visiters* van Daisy Ashford,' zei Ernest. 'Een heerlijk boek. Het had ergerlijk *faux* naïef kunnen zijn, maar daar is ze te goed voor, vind ik.'

'Hij slaat soms wartaal uit,' zei Lauren.

'Het is een erg grappig boek,' zei Jack tegen Ernest.

'Oom Ernest,' zei de premier, 'herinnert u zich mijn moeder nog, uw schoonzus, Heather Clare?'

'Ze kan je moeder niet zijn, lieve schat,' zei Ernest. 'Heather had maar twee kinderen. Een van de twee is de minister-president en dat ben jij duidelijk niet, en de ander is de beeldschone Pamela en haar ben je al helemaal niet. Wie ben jij dan wel?'

Opeens begon de premier aan zichzelf te twijfelen. Wie was hij eigenlijk?

Jack schoot hem te hulp. 'Dit is Edwina, het buitenechtelijke kind van Heather Clare.'

'Dat verbaast me niks,' zei Ernest opgewekt. 'Je moeder hield wel van een beetje rollebollen. Ze had allemaal flitsende vrienden in de jaren dertig, toen ze jong was – musici, weet je.'

Deze beschrijving van zijn moeder strookte op geen enkele manier met de herinneringen die de premier zelf aan haar had. 'Heb je misschien foto's van haar?' vroeg hij.

'In mijn kamer,' zei de oude man.

Ze hielpen hem om moeizaam op te staan uit zijn stoel en begeleidden hem naar de lift in de gang. Terwijl ze langzaam twee verdiepingen stegen, vroeg Jack: 'Hoe lang woon je hier al, Ernest?'

'Dat weet ik niet meer,' antwoordde Ernest. 'Ik weet alleen nog dat ik mijn huis moest verkopen omdat ik anders het verzorgingstehuis niet kon betalen, en nu is al mijn geld op en ben ik volledig afhankelijk van de staat.'

Zijn kamer was klein maar gezellig ingericht. Naast een goedgevulde boekenkast stond een ouderwetse grammofoon.

Jack keek uit het raam naar buiten en zag dat Ali de pesticiden van zijn auto waste met een emmer sop die hij van het keukenpersoneel had losgepeuterd.

Ernest rommelde in een la en vond uiteindelijk een handvol foto's. 'Hier staat Heather erg leuk op.' Hij gaf de foto aan de premier. 'Dat was in de winter van 1936.'

De premier keek naar het levendige gezicht van een knap meisje. Ze liep naast een stoet mannen met bleke gezichten, armoedige kleren en petten op hun hoofd.

Jack keek over de schouder van de premier. 'De legendarische mars van werkelozen.'

De premier dronk elk detail van de foto in. De sigaret die zijn moeder tussen de wijs- en de middelvinger van haar rechterhand hield, haar mond met de donkere lippenstift, de schoenen met enkelbandjes en belachelijk hoge hakken voor het lopen over kinderhoofdjes, haar slanke taille en haar glinsterende ogen.

Ernest gaf hem nog een foto aan. Op deze stond ze lachend voor een affiche, wijzend op een naam in het midden van de afbeelding. Dit keer hield ze de sigaret in haar linkerhand. Hij probeerde te lezen wat er stond maar de letters waren te klein.

'Ze speelde gitaar in een jazzband die alleen uit vrouwen bestond,' legde Ernest uit. 'Miss Monica's Hot Seven.'

'Gitaar? Jazz?' herhaalde de premier. 'Dat kan helemaal niet. Mijn moeder was een heel stille en gelovige vrouw. Ik mocht nooit naar populaire muziek luisteren.'

Ernest liet zich op zijn knokige knieën zakken en trok een doos onder het bed vandaan. 'Dat was voordat ze met die stalinist trouwde.’ Hij haalde een 78-toeren plaat in een gele hoes uit de doos, gaf hem aan Jack en vroeg of hij de plaat op wilde zetten.

Voorzichtig haalde Jack de breekbare schellak grammofoonplaat uit de hoes en hij gebruikte alleen zijn vingertoppen om de plaat op de draaitafel te leggen.

‘Na een minuut of twee speelt je moeder een heel aardige solo,’ vertelde Ernest.

Eerst klonk er ruis en gekraak, toen vulden de klanken van ‘Stomping at the Savoy’ de kamer. Miss Monica had de muziek zo gearrangeerd dat elk van de meisjes de kans kreeg om te schitteren met haar instrument, zij het kortstondig. Bij het begin van de gitaarsolo boog de premier zich nerveus voorover naar de platenspeler en hij bad in stilte dat ze geen fouten zou maken.

Toen ze klaar was applaudisseerde de premier en hij nam Jacks complimentje in ontvangst alsof hij zelf de solo had gespeeld.

De volgende foto was conventioneler. Zijn moeder stond naast zijn vader. Ze droegen trouwkleren. Haar jurk was net een gedrapeerde witte koker en ze hield een groot boeket bloemen voor haar buik. ‘Ze was vijf maanden zwanger,’ zei Ernest, ‘al zag bijna niemand het.’

‘Haar eerste kind, Edward, was dus onwettig?’ concludeerde de premier.

‘Een bastaard,’ verduidelijkte Ernest. ‘Het was heel bijzonder dat Percy met haar wilde trouwen, gezien de denkbeelden in die tijd.’

‘Wat bedoel je?’ vroeg de premier.

‘Edwards echte vader was een vluchteling. Shadrack Vajansky heette hij.’

‘Jeminee,’ zei de premier. ‘Waar kwam die man vandaan?’

‘Uit Tsjechoslowakije,’ zei Ernest. ‘Een knappe kerel was het, met zwarte ogen en een paar gouden tanden, een scharensliep. Er waren geruchten dat hij uit een aristocratische zigeunerfamilie kwam, al denk ik eerder dat hij het uit zijn duim had gezogen. Die man was goed van de tongriem gesneden.'

'Allemachtig,' verzuchtte de premier. 'Leeft hij nog?'

'Geen idee,' antwoordde Ernest. 'De stakker werd het land uitgezet en hij moest terug achter het IJzeren Gordijn. Heather was in alle staten. Ze heeft overal navraag gedaan, maar ze heeft hem nooit op kunnen sporen.'

Het zweet was de premier uitgebroken. Jack trok een witte zakdoek uit zijn zak en gaf hem die aan. De premier wiste het zweet van zijn voorhoofd en ging op zoek naar een wc. Hij was blij dat hij zich vast kon houden aan de speciale steunen rond de toiletpot. Hij ging zitten en haalde een velletje Rodeo wc-papier uit zijn handtas.

De grondvesten van zijn jeugd waren zomaar opgeblazen door Ernests onthullingen. Hij was het kind van een zigeuner, er stroomde bonafide zigeunerbloed door zijn aderen. Zo te horen was zijn moeder een fantastische vrouw geweest. Hij wilde dat hij haar beter had gekend. Hij gooide het Rodeo wc-papier in de pedaalemmer en scheurde een paar velletjes zachtroze wc-papier van de rol aan de muur om zijn neus te snuiten en zijn ogen af te vegen. Toen keek hij in de spiegel en herstelde zijn make-up. Handen wassen sloeg hij over.

Clarke en Palmer wisten wel dat de moeder van de minister-president ooit met Miss Monica's Hot Seven had gespeeld, maar het nieuws over zijn biologische vader kwam voor hen als een verrassing. Palmer tikte een paar details op de laptop voor hem, en binnen enkele minuten wist hij dat Shadrack Vajansky nog leefde en in een zigeunerkamp aan de rand van Bratislava woonde. Volgens gegevens van de immigratiedienst had hij twee pogingen ondernomen om zich in Engeland te vestigen, de eerste keer in 1951 toen hij op de vlucht was voor het Sovjetcommunisme, en de tweede keer in 1998, toen hij niet verder was gekomen dan Heathrow in een vergeefse poging om asiel aan te vragen omdat racistische skinheads hem in Slowakije het leven zuur maakten. Volgens het dossier had hij de immigratiebeambten verteld dat hij de vader van de premier was en gevraagd of men hem toe wilde staan om te bellen met Edward, de zoon die hij nooit had gekend. Die toestemming kreeg hij niet.

'Weet je, Palmer,' zei Clarke tegen zijn collega, 'ik lijk echt totaal niet op mijn pa.'

Toen de premier de kamer had verlaten, zei Jack: 'Heb je toevallig ook foto's van Pamela, Ernest?'

Tien minuten later begon hij moe te worden van de eindeloze stroom foto's die Ernest hem aangaf. Daar was ze, een echte schoonheid, bij de kerstman op schoot, in een zwembroekje op het strand, in haar padvindersuniform, met een gevarendriehoek in haar hand op de dag dat ze was geslaagd voor haar rijexamen, en als bruid naast Andrew, een grote man met een stierennek aan wie Jack op het eerste gezicht een hekel had.

Er ging een bel op het moment dat de premier terugkwam. 'Dat is de bel voor de lunch,' legde Ernest uit.

Jack hielp Ernest bij het opbergen van de foto's en maakte van de gelegenheid gebruik om er een te stelen en in zijn zak te laten glijden. Hij wist niet welke het was, dat zou hij straks bekijken, als hij weer alleen was.

De premier pakte het anders aan. Hij vroeg Ernest of hij een van de foto's van zijn moeder mocht hebben.

'Neem ze alledrie maar,' zei Ernest, 'ik ga toch binnenkort dood.'

'Misschien leef je nog wel twintig jaar, oom Ernest,' protesteerde de premier.

'Met een beetje geluk, lieve schat, ben ik over veertien dagen dood,' zei Ernest.

Oude mensen stonden in de rij voor de lift, dus droegen ze Ernest min of meer met zijn tweeën de trap af en naar de eetzaal, waar ze hem aan een ronde tafel voor zes personen op een stoel zetten.

Lauren en andere medewerkers waren druk in de weer met het uitdelen van borden met bleek stoofvlees en groente.

'Zal ik weggaan?' zei de premier. 'Dan kun je rustig eten.'

'Ik ga niet eten,' zei Ernest. 'Ik wil nooit meer eten. Ik zal je een geheim verklappen: ik heb al twee dagen niet gegeten. Ik ga mezelf dood hongeren.'

Hij pakte het bord dat voor hem op tafel stond en bukte zich met enige moeite om het op de grond te zetten. Het duurde niet lang of Blackie kwam eraan en begon voorzichtig van de waterige jus te lebberen.

Jack zei dat hij zijn benen wilde strekken en hij ging een wandelingetje maken over het terrein. Hij begreep wel waarom Ernest hier niet weg wilde – de tuin was beeldig, met narcissen en krokussen tussen het gras onder de oude bomen. Hij ging op een houten bankje zitten waarop een koperen gedenkplaat was bevestigd: 'Ter herinnering aan Elsie Stafford, die hier gelukkig was.' Hij haalde de gestolen foto uit zijn zak. Eerst herkende hij Pamela niet eens; ze werd door twee geüniformeerde politiemannen over het dorpsplein in Swale-on-the-Wold gesleurd, en op de achtergrond was een troep honden met een jager te paard zichtbaar. De jager leek sprekend op prins Charles.

Jack belde Pamela omdat hij haar stem wilde horen. Vaag hoorde hij hondengeblaf en ook een mannenstem. 'Heb je bezoek?' vroeg hij.

'Mijn buurman, Douglas, is hier,' vertelde Pamela. 'Er is hem vandaag iets vreselijks overkomen. Hij was lekker op zijn gemak bezig de struiken met pesticide te besproeien toen een of andere stadspersoon hem zomaar zonder aanleiding uit de cabine van zijn trekker sleurde en in een greppel smeet, waar hij verbaal werd belaagd door een travestiet en een Pakistaan.'

Jack kon merken dat ze heel erg haar best moest doen om haar lachen in te houden. Hij vertelde haar dat oom Ernest zichzelf dood wilde hongeren.

'Hij is niet goed bij zijn hoofd,' zei Pamela. 'Ik heb gezegd dat hij hier bij mij mag komen wonen, maar hij zei dat hij aan een hondenfobie lijdt sinds hij *The Hound of the Baskervilles* heeft gelezen.'

Het liefst had hij tegen haar gezegd dat hij van haar hield, maar daar zag hij met het oog op de verontwaardigde buurman van af. Pamela zei dat ze op moest hangen, er kwam iemand aan om een hond op te halen, een vrouwtjespoedel die Harrie heette.

Opnieuw keek hij naar de foto, zoekend naar redenen om deze vrouw te vergeten. Haar kijk op de wereld was anders dan de zijne. Tot nu toe had hij altijd gedacht dat vossen ongedierte waren, maar nu begon hij begrip te krijgen voor het standpunt van de vos.

Hij herinnerde zich de vos die zijn moeder vroeger op winterochtenden om haar nek droeg, de glazige, starende ogen waar hij altijd een hekel aan had gehad. Hij belde Norma maar er werd niet opgenomen, en hij nam zich voor om de premier te vragen of ze op de terugweg naar Londen langs konden gaan in Leicester.

Ali riep hem. Ze waren klaar om te vertrekken. De premier zat al op de achterbank van de auto, met de plaat 'Stomping at the Savoy' in zijn handen alsof het nitroglycerine was dat elk moment kon ontploffen. 'Ed,' zei Jack, 'je kunt die plaat niet twee dagen vast blijven houden.'

'Maar zo'n grammofoonplaat van schellak breekt zo snel,' sputterde de premier.

Ali's trots was gekrenkt. 'Hoor eens, als je iets aan te merken hebt op mijn manier van rijden, dan moet je dat gewoon zeggen, ja,' zei hij tegen de premier. 'Toen ik elf was bezorgde ik met een TaTa-truck eieren in heel Islamabad en ik heb nooit een ei gebroken, niet één keer.'

Jack vermoedde dat Ali overdreef, maar hij zei niets.

Nadat Jack de premier om toestemming had gevraagd, gaf hij Ali aanwijzingen om van de A46 af te slaan richting Leicester.

'Je kunt me echt vertrouwen met die kostbare plaat van je,' zei Ali. 'Leg hem maar gewoon naast je op de bank. Allah zal erover waken.'

De premier deed wat hem werd gevraagd. Hij bedacht dat Ali een uitstekende kamervoorzitter zou zijn.

Na een paar kilometer trok Ali bij en werd de sfeer in de auto weer opgewekter. 'Kunnen we ergens stoppen om iets te drinken?' vroeg de premier. 'Ik zou een moord doen voor een campari soda.'

'Is moord niet een beetje overdreven, Ed?' zei Jack.

'Stratford ligt op de route,' zei Ali. 'De geboorteplaats van William Shakespeare,' voegde hij eraan toe.

'Straks ga je ons nog vertellen dat de minister-president in Downing Street woont,' viel Jack geprikkeld uit.

Ali lachte triomfantelijk. 'Nu niet meer. Ze zeggen dat hij in een of andere nucleaire bunker zit, maar volgens mij is ie dood.'

'Dood?' zei de premier.

'Ja,' beaamde Ali. 'Volgens mij heeft hij geprobeerd om te lopen op water en is ie toen verzopen.'

De premier lachte gemaakt mee met de anderen.

'Mijn oudste zoon, Mohammed,' vertelde Ali, 'doet Shakespeare voor z'n eindexamen.'

'Heeft hij al toelatingsexamen gedaan voor de universiteit?' vroeg de premier.

'Praat me niet over die toelatingsexamens!' zei Ali. 'Mijn kinderen hebben grijze haren van alle examens.'

'Welk stuk van Shakespeare doet hij?' informeerde de premier.

'Hij doet geen toneelstuk,' zei Ali, 'maar een sonnet – dat is een gedicht,' legde hij behulpzaam uit, en vervolgens vertelde hij hun dat hij soms zelf gedichten schreef. Echt goed waren ze niet, dus hij zou ze nooit aan iemand anders dan zijn vrouw laten lezen. Meestal schreef hij 's avonds laat, als de kinderen in bed lagen. Zijn vrouw had een blocnote en een etui voor hem gekocht, en die lagen op een plank van de oude meterkast in de voorkamer. In het begin maakte hij verzen op rijm, maar toen had Mohammed hem een gedicht voorgelezen waar ze allebei om moesten lachen. Het was geschreven door een vent die nog leefde, Simon Armitage; hij woonde in de buurt van Leeds. Hij was aardig beroemd en Ali was verheugd dat Jack van hem had gehoord. Edwina, de kerel met de blonde pruik, kende hem niet, dus legde Ali uit dat die Armitage over heel gewone dingen schreef, en Ali had een gedicht geschreven over zijn taxi, waarin hij zijn auto vergeleek met het paard van een cowboy. Het was niet goed genoeg om het in een boek te zetten, maar zijn vrouw vond het leuk en ze had het voor hem overgeschreven in haar mooie handschrift en het naar zijn vader in Pakistan gestuurd.

Jack keek met gefronste wenkbrauwen naar de overkant van de weg, waar drommen toeristen over het pad naar de voordeur van Anne Hathaways cottage liepen.

'Ik begrijp het niet,' zei de premier.

Jack ergerde zich aan het feit dat de premier 'het' uitsprak als 'haet'. Het viel hem steeds vaker op nu ze al zeven dagen dag en nacht in elkaars gezelschap waren, hij kon er bijna op wachten. 'Wat begrijp je niet?' vroeg hij.

'Dat je zo'n hekel hebt aan cottages met rieten daken,' zei de premier.

'Ze zijn zo ontzettend burgerlijk en zelfingenomen,' zei Jack. 'Laten we nou maar iets gaan drinken.'

'Als klein jongetje wilde ik acteur worden,' vertelde de premier.

Jack en hij zaten in de Dirty Duck in Stratford-upon-Avon. Een groep acteurs zat aan een aangrenzend tafeltje te lunchen.

'Ze zeggen weleens dat politici gewoon lelijke acteurs zijn, ja toch?' zei Jack lachend.

De premier keek beteuterd. 'Wie zegt dat, Jack?'

'Ze!'

'Maar wie zijn ze?' drong de premier aan.

'Dat zeg je gewoon bij wijze van spreken,' antwoordde Jack.

'Politici zijn toch niet lelijker dan de meeste andere mensen,' hield de premier vol.

'Waar het om gaat, Ed,' zei Jack vermoeid, 'is dat politici in de eerste plaats acteurs zijn.'

Ali bekeek de etalage van een souvenirwinkel in het voetgangersgebied in het centrum. Zijn oudste zoon was over een paar dagen jarig en hij had een T-shirt met William Shakespeare voor hem gekocht, maar daar begon hij nu over te twijfelen. Welke jongen van vijftien wilde nou rondlopen in een T-shirt met een afbeelding van een oude opa met een kale kop erop? En hij kon het niet maken om alleen voor Mohammed een cadeautje te kopen. De anderen moesten ook iets krijgen.

De premier was enorm in zijn sas toen hij in de Dirty Duck zat met een campari soda op het tafeltje voor zich. Hij wist zeker dat zijn moeder trots op hem zou zijn, aan het begin van de middag aan de drank in gezelschap van theaterlui.

Een acteur met een pokdalig gezicht die hem bekend voorkwam boog zich naar hem toe. 'Ben jij niet Victoria Rotherhide? Hebben we in 1988 niet samen *The Bill* gedaan? Ik ben Guy Sutherland.'

De premier knipperde snel met zijn ogen. 'Hai, Guy. Ik ben Edwina St. Clare.'

'Ach ja, natuurlijk, ik ben zo slecht met namen,' zei Guy. 'Jij was een vrouw van wie de kinderen waren ontvoerd en ik was de psychopaat.'

De andere acteurs aan de tafel lachten. 'Jij speelt altíjd de psychopaat, Guy,' zei een van hen.

'Mag ik bij jullie komen zitten?' vroeg de premier koket. Hij wilde even verlost zijn van Jack en samen kunnen zijn met mensen van zijn eigen soort. Het theater zat hem immers in het bloed. Jack gedroeg zich de laatste tijd als een chagrijnige puber, en bovendien was hij zo cynisch – hoe kon iemand nou een hekel hebben aan cottages met rieten daken?

Hij nam plaats naast Amaryllis, een actrice met donker haar en felle zwarte ogen die artistieke, zogenaamd oude kleren droeg. 'Ik neem aan dat je hier bent voor de auditie,' zei ze tegen hem. 'Je lijkt echt sprekend op Edward Clare.'

Jack keek om vanaf zijn kruk aan de bar en zag dat de premier lachte met zijn hoofd in zijn nek, zodat zijn adamsappel goed zichtbaar was. Hij fronste zijn voorhoofd; hij had de premier nog zó gewaarschuwd om dat niet te doen, zo verraadde hij zichzelf. Maar goed, hij lachte tenminste.

De premier en Amaryllis vertelden elkaar hun levensverhaal: volgens de premier had hij aan de Royal Academy of Dramatic Art gestudeerd, samen met Helen Mirren, en een flat gedeeld met Simon Callow. Vroeger had hij bij repertoiregezelschappen in Nottingham en Bristol gespeeld, maar tegenwoordig deed hij voornamelijk televisie en film, al had toneel zijn voorkeur. 'Je voelt je, hoe zal ik het zeggen, erkend door het publiek.'

Jack zag dat een van de acteurs aan de tafel zijn hoofd omdraaide en deed alsof hij moest kotsen.

Tegenover de pub, in het kleine kantoortje van de toneelmeester aan de achterkant van het Royal Shakespeare Theatre, zat Sir Digby Priest, de beroemde regisseur. Over drie dagen begonnen de repetities van een stuk met de titel *Het leven en de spirituele dood van Edward Clare,* geschreven door Wayne Sparrow, een linkse toneelschrijver die veel succes had gehad met zijn eerste stuk, *Scheet.*

Sparrow had drie jaar eerder de opdracht gekregen, maar hij overschreed de ene deadline na de andere en was het stuk over Clare uiteindelijk twee dagen daarvoor komen brengen, in beschonken of gedrogeerde toestand. 'Het is een klotestuk,' had hij gemompeld, 'en het is maar zevenentwintig minuten lang. Ik zit een beetje in een identiteitscrisis.'

Na lezing van het manuscript had Sir Digby overwogen om Sparrows benen te laten breken door een sportschooljongen. Als jongen had Digby zijn oom geholpen, die melk bezorgde bij de Krays, en hij had nog steeds contacten in bepaalde kringen.

De brochure waarin de productie werd aangekondigd was echter al gedrukt en de posters waren al opgehangen in de winkels van Stratford, dus nu moest de show ook doorgaan.

Digby was nog steeds op zoek naar een hoofdrolspeler. Hij bladerde in *Spotlight* en bekeek voor de zoveelste keer de foto's van bekende acteurs, wanhopig op zoek naar iemand die een beetje op de premier leek. Waarom lieten die eikels twintig jaar lang dezelfde foto in dat boek zetten? Hij had audities meegemaakt van mannen die in 1942 nog in El Alamein hadden gevochten.

Toen hij de kamer verliet, werd hij gebeld door een castingagent die hem vertelde dat ze een paar mogelijke Edward Clares had gevonden, maar een van de twee kon niet de hele periode omdat hij een klus voor de televisie moest doen en de ander was een beetje aan de kleine kant, hoewel hij bereid was om speciale schoenen te dragen.

'Hoe klein is aan de kleine kant?' wilde Digby weten.

'Hij is bijna één meter tweeënvijftig.'

'Dan heeft hij geen speciale schoenen nodig, lieve schat, maar een keukentrapje!' schreeuwde Digby.

Zijn telefoon ging meteen weer. Het was Amaryllis, die Sir Digby ooit had geregisseerd in *Streetcar*. Ze was een rampzalige Blanche geweest, met een Amerikaans accent dat rechtstreeks uit Wales afkomstig was. 'Digby, schat,' zei Amaryllis, 'de onbetwiste Edward Clare zit in de Duck. Hij is een vrouw, maar zij is een hij.'

Sir Digby haalde een haarborsteltje uit de schoudertas die hij altijd bij zich had en borstelde zijn haar en artistieke baardje. Hij zat net even zonder vrouw en hoopte altijd dat hij iemand tegen zou komen. Terwijl hij zich door het gebouw en naar buiten haastte, werd hij begroet, of in elk geval herkend, door vrijwel iedereen die hij tegenkwam. In interviews had hij het vaak gehad over zijn 'grote behoefte aan privacy', maar zijn flamboyante falstaffiaanse verschijning en luide stem betekenden dat hij, helaas, in geen enkele menigte onopgemerkt bleef. Brian Blessed had een keer opgemerkt: 'Digby is een schat en ik ben dol op hem, maar Jezus, wat is die man luidruchtig.'

Jack zag Sir Digby Priest het café binnenstruinen. Hij had de autobiografie van Priest gelezen en had het gevoel dat hij de man kende. Vandaar dat Jack zijn hand opstak om hem te begroeten, maar hij liet zijn arm weer zakken toen hij besefte dat Priest een vreemde voor hem was. Hij vroeg zich af waarom een man van vijfenzestig het nodig vond om een spijkerbroek, cowboylaarzen, een T-shirt van de Rolling Stones en een zwart leren jack aan te trekken.

Hij zag dat Sir Digby tussen de mensen in het café door laveerde en op de premier afkoerste.

Digby zag direct dat het schepsel met de goedkope blonde pruik en de zigeunerjurk geknipt was voor de rol van premier.

Amaryllis stelde hem voor, en Sir Digby brulde: 'Donder op, schapen!' Gehoorzaam stonden de acteurs op en liepen naar de andere kant van de ruimte.

Digby nam de handen van de premier in zijn eigen kolenschoppen. Hij keek hem diep in de ogen en begon te praten op wat volgens hem een vertrouwelijke fluistertoon was, hoewel Jack hem zelfs aan de bar kon verstaan. 'Ik heb veel ervaring met transseksuelen, lieve schat, mijn eerste vrouw was een man. Ik heb op een katholieke school gezeten, dus ik wist niets over vrouwen en ik was een onbenul op seksueel gebied, maar ja, dat was in de jaren zestig en je wilde niet toegeven dat je niet alles wist wat er over een vrouwenlichaam te weten viel, dus nam ik gewoon aan dat mijn eerste vrouw, de allerliefste Cassandra, een ongebruikelijk grote clitoris had. De arme schat leed er enorm onder, want in werkelijkheid was ze een man met een absurd kleine penis. Ik heb de operatie voor haar betaald en het huwelijk sleepte zich nog een tijdje voort, maar op een dag kregen we laaiende keet over iets stoms – ze had mijn scheerkwast gebruikt en niet uitgespoeld – en zijn we uit elkaar gegaan. Maar vertel me nu eens over jezelf, lieve schat.'

De premier somde de hoogtepunten van zijn carrière op – een zelfmoord in *Casualty*, de inspecteur van politie in *An Inspector*

Calls, Gwendolyn in *De ernst van Ernst* – en besloot met de woorden: 'Maar ik heb er altijd van gedroomd om voor de Royal Shakespeare Company te spelen.' De rol van Henry V was hem op het lijf geschreven.

Terwijl de premier zijn verhaal deed, keek Digby naar elke beweging van zijn gezicht en luisterde hij naar elke nuance in zijn stem, de ene keer aarzelend, dan weer gebiedend. Digby probeerde zijn opwinding te beheersen; hij had al eens eerder de geknipte acteur voor een rol gevonden, toen Sylvester Stallone bijna had getekend voor de rol van Bottom in de *Dream.* Dat was in tranen geëindigd toen Stallones agent eiste dat er in het contract gezet zou worden dat Stallone een klotezwaan mocht doden als het beest bij hem in de buurt kwam. Toen Digby met LA had gebeld om te zeggen dat de zwanen in Stratford aan de koningin toebehoorden en wettelijk beschermd waren, had de agent gekrijst: 'Dan gaat het feest niet door! Weet je dan niet dat zo'n klotebeest iemands arm kan breken?'

Sir Digby zei tegen de premier: 'Ik vind Shakespeare echt dodelijk saai. Ik doe alleen contemporaine stukken van schrijvers die nog leven. Ik wil je graag laten auditeren voor de hoofdrol in een stuk met de titel *Het leven en de spirituele dood van Edward Clare.*'

'De hoofdrol?' zei de premier.

'Je lijkt zo sprekend op onze gewaardeerde leider dat het bijna griezelig is,' zei Digby, 'en je praat bijna precies zoals hij. Ben je beschikbaar?'

'Ja,' zei de premier. 'Ik zit momenteel zonder werk.'

'Laten we dan maar eens kijken hoe je er in een pak uitziet. Ga je mee, lieve schat?'

'Jeminee,' kirde de premier, 'wat spannend allemaal.'

Jack volgde Sir Digby en de premier naar het gebouw aan de

overkant van de straat. Hij liet zich voorstellen als de agent van de premier en werd met tegenzin toegelaten in de repetitieruimte waar de auditie gehouden zou worden. De premier werd meegenomen door de costumière en kwam tien minuten later terug in een blauw pak, een wit overhemd met een rode das en veterschoenen, en met zijn eigen haar. Het groepje mensen in de zaal begon spontaan te applaudisseren toen de premier verlegen opkwam.

Sir Digby ijsbeerde heen en weer terwijl hij de premier aanwijzingen gaf: de premier moest lachen, huilen, boos worden, tegen God praten, de VN toespreken, doen alsof hij een hond was, zingen, dansen en een jongetje van tien spelen.

Jack ging door de grond van schaamte. In zijn ogen was de premier volstrekt niet in staat om zichzelf te spelen. En hij wist ook al niet wat hij met zijn handen moest doen. Maar na een paar minuten overleg met zijn assistent en een aantal anderen van het productieteam kondigde Sir Digby aan dat de premier op maandag om tien uur in het theater werd verwacht voor de eerste repetitie. Met een stem die trilde van emotie sprak hij de aanwezigen toe: 'Dit is een verdomd belangrijk stuk. Het gaat over de spirituele degeneratie van een politiek leider en zijn capitulatie voor het Amerikaanse imperialisme.'

Nerveus keek de premier naar Jack en hij zei tegen Sir Digby: 'Ik moet het natuurlijk met mijn agent bespreken, maar jeminee, het is wel ontzettend aardig van je om me die rol te geven.'

Ondertussen bevond Ali zich in een cadeauwinkel waar alle fantasiefiguren uit een Engelse jeugd bij elkaar waren gebracht. Hij was aan alle kanten omringd door Winnie de Poeh, Iejoor, Roo, Peter Rabbit, Rupert the Bear, Thomas the Tank, Nijntje, Big Ears, Alice in Wonderland, de Mad Hatter, Kikker, Ratty, Das en Mol. Hij zweette van besluiteloosheid – zou Areefa, zijn dochter van drie, liever Winnie de Poeh krijgen of Rupert Bear? Zou Sedek beledigd zijn door het drijvende Nijntje-zeepbakje? Zou zijn vrouw het hem kwalijk nemen als hij een pluchen Kikker voor haar meenam? (Ali's koosnaam voor haar was Kikkertje nadat ze aan het eind van de jaren negentig problemen had gehad met haar schildklier, hoewel dat nu dankzij Allah weer in orde was.) Hassina van dertien, de oudste dochter, zou hij sowieso nergens blij mee kunnen maken, maar misschien dat ze een Peter Rabbit nog wel leuk zou vinden.

HOOFDSTUK 20

Norma werd wakker, maar het duurde nog even voordat ze bedacht dat het vandaag de grote dag was. Ze sloeg het dikke pak dekens terug. Eigenlijk kon ze er wel een paar van haar bed halen nu het zo heerlijk warm was in haar slaapkamer, alsof het zomer was. Sinds James bij haar in huis was komen wonen had ze erin toegestemd om dag en nacht de verwarming aan te laten staan. Het was gewaagd, dat wist ze best, maar het was waar wat James had gezegd: 'De elektriciteitsrekening komt vier keer per jaar maar we kunnen morgen wel dood zijn.'

Ze vond het fijn dat hij altijd 'we' zei, haar altijd overal bij betrok, alsof ze partners waren, zowel in zaken als in het leven. Ze hield van James. Ze wist dat het nooit dát soort liefde zou kunnen zijn – zij was eenenzeventig en hij nog geen twintig. Toch had ze bij Jerry Springer een keer een stel gezien dat zei dat ze gelukkig waren; hij was kaal en kwijlde uit zijn mondhoek en zij was pas zestien en een beetje achterlijk, het arme kind.

Hoe dan ook, ze was blij dat ze 'het' nooit meer hoefde te doen. Ze had het alleen fijn gevonden met Trevor, en hij wilde niet zo vaak. Met Kerstmis, Pasen, de Blackpool Illuminations-week en op andere rare momenten als hij precies genoeg had gedronken. Te weinig en hij was een beetje preuts, te veel en het kostte hem moeite om 'em omhoog te krijgen.

De liefde die zij en James voor elkaar voelden was van de zuivere soort, maar wel spannender dan de liefde die ze voor Stuart, Yvonne en Jack voelde, en James had haar hulp nodig. Later, als hij van de crack af was, zou hij haar meenemen op buitenlandse reizen. Een cruise om mee te beginnen, zodat ze vast een beetje kon wennen – ze was nog nooit buiten Engeland geweest, en net toen zij en Trev plannen hadden gemaakt voor een tripje naar Disneyland was Trev van dat dak gevallen. Als je een goed schip treft met allemaal mensen die Engels spreken, had James tegen haar gezegd, is het net alsof je nog in Engeland bent.

Samen maakten ze het huis schoon, want ze wilde graag een schoon huis als er visite kwam. Toen zei James: 'Laten we eens een beetje gaan kokkerellen, moeder.' Hij nam haar mee naar de keuken en liet haar aan de keukentafel zitten. Hij haalde een rol aluminiumfolie uit een la en bekleedde de tafel met folie. Daarna zocht hij de andere spullen bij elkaar: een bakplaat, een pyrex schaal, een klein melkpannetje, een rol plastic folie, een grote metalen lepel, een scherp mes, een colablikje waar de verf gedeeltelijk vanaf was gekrabd en een gaatjestang. Binnen enkele minuten was de tafel in het laboratorium van een alchemist veranderd. Ze keek naar hem zoals ze vroeger naar haar moeder had gekeken terwijl hij het witte poeder zeefde en in de pyrex schaal vermengde met een snuifje dubbelkoolzure soda en een paar druppels water. Toen pakte hij het melkpannetje en verhitte het mengsel totdat het knapte, knetterde en knalde.

Sir Digby vond het moeilijk om zijn verbijsterende nieuwe ontdekking te laten gaan zonder dat er een contract was getekend. 'Edwina, blijf toch hier in Stratford. Ik huur een schattige cottage met een rieten dak, en we kunnen gezellig samen aan het script werken. Ik heb zelf al wat research gedaan en ik heb het gevoel dat onze beroemde premier een open boek voor me is.'

'Hoe zijn je eigen politieke denkbeelden?' vroeg de premier.

Het was een vraag die Sir Digby verbaasde. Zijn naam verscheen regelmatig onder allerlei petities en open brieven aan kranten met betrekking tot radicale kwesties, van hervorming van het gevangeniswezen tot de oorlog in Irak.

'Ik vrees dat ik fel tegen de gevestigde orde ben. Ik ben verleden jaar uit de Marylebone Cricket Club gezet toen ik probeerde een spandoek uit te rollen op de VIP-tribune van Lords.'

Jack lachte.

'Ik weet dat het niet hetzelfde is als onder een tank gaan liggen,' zei Sir Digby gespannen, 'maar er rijden in dit land nu eenmaal erg weinig tanks door de straten.' Hij keek alsof hij dat jammer vond en zei toen: 'Edwina, we kunnen samen een hoop bereiken, we kunnen de regering Clare ten val brengen. Beloof me alsjeblieft dat je Edward Clare gaat spelen.'

'Edwina en ik moeten het nog bespreken,' zei Jack. 'We nemen contact met u op. U hoeft ons niet te bellen, Sir Digby, wij bellen u.'

Jack liep samen met de premier naar Ali's taxi, die met knipperende alarmlichten op een dubbele gele streep stond. Voordat ze weg konden rijden, stak Sir Digby een kopie van het script door het openstaande raampje naar binnen. 'Sharon Stone heeft al min of meer toegezegd dat ze Adele gaat spelen,' zei hij. 'Ze is niet blij met de valse neus, maar als ze er een paar heeft geprobeerd zal ze vast en zeker...'

'Rijden, Ali,' zei Jack. De auto trok langzaam op en reed in een stroom van toeristen de stad uit. De premier las hardop voor uit Wayne Sparrows magere script. Een van de levendigste scènes speelde zich af in het Oval Office op het Witte Huis, waar de premier van Engeland en de president van de Verenigde Staten poedelnaakt met elkaar worstelden voor de open haard. De winnaar zou de dubieuze eer ten deel vallen om het bevel te mogen geven voor een regen van raketten op alle grote steden in de landen die tot de As van het Kwaad behoorden.

'Sparrow is duidelijk een fan van D.H. Lawrence,' merkte Jack op. 'Als je met je billen bloot moet, Ed, zal ik Sir Digby om een verdubbeling van je gage vragen.'

'Het klinkt net als een film waar m'n vrouw gisteravond naar heeft gekeken,' zei Ali.

In een andere scène was Sparrows premier verkleed als poedel en moest hij door een brandende hoepel springen die omhoog werd gehouden door het Vrijheidsbeeld. De dialoog in het hele stuk was doorspekt met obsceniteiten en krachttermen.

Toen Jack het script overnam en een monoloog voorlas, zei Ali: 'Ben jij soms blind, Jack? Niet vloeken, staat er op m'n dashboard!'

Sinds een paar dagen stonden Palmer en Clarke elke dag te trappelen om aan het werk te gaan en ze vonden het jammer om plaats te maken voor de nachtploeg. Ze hadden aangeboden om vierentwintiguursdiensten te draaien, op kantoor te slapen en te eten, maar de baas had daar geen toestemming voor gegeven omdat hij dan problemen zou krijgen met de arbeidsinspectie. Ze waren bijzonder gesteld geraakt op de mannen die ze in de gaten moesten houden en hadden luidkeels gejuicht toen Jack die stomme boer met zijn bakkebaarden uit de cabine van zijn trekker had gesleurd en hem een paar rake klappen had verkocht.

Op dat moment volgden ze Ali's auto over de A46 richting Leicester, waar Jack zijn moeder wilde opzoeken. Er waren bij de dienst de laatste tijd meldingen binnengekomen over ongebruikelijke activiteit in en rond haar huis, maar de foto's van de beveiligingscamera's op straat waren erg vaag. Men had wel het nummerbord van een Mercedes Coupe voor de deur kunnen onderscheiden. De auto stond er al een paar dagen en werd bewaakt door twee kleine jongens met slobberbroeken en sweaters met capuchon. Het voertuig stond op naam van de eigenaar van een keten van sportzaken in Reading en was gestolen van het parkeerterrein bij Stanstead Airport, maar daar was geen aangifte van gedaan.

Adele en Lucinda werden met de auto naar de kliniek in Harley Street gebracht. Een tweede auto reed achter hen aan met Adeles bodyguard, brigadier Sandra Lock, en haar collega brigadier John Harvey.

Adele had nog steeds niet de perfecte neus gevonden, niet in de brochures en niet op het internet. Lucinda begon het hele neuzengedoe nogal saai te vinden en ze hoopte dat Sir Nigel Hambleton het stokje van haar zou overnemen. Ze hadden om zeven uur 's avonds een afspraak, dus hadden ze een uur uitgetrokken voor de korte rit van tweeënhalve kilometer van Downing Street naar Harley Street. De auto kwam echter verschillende keren muurvast te zitten in het verkeer. Bij Piccadilly Circus had Adele de tijd om uitgebreid te kijken naar de mensen die zich rond deze toeristische attractie hadden verzameld. Ze keek naar Eros en zag nu opeens hoe jong hij was. Hij was een verliefde tiener, en op de trap onder hem zaten andere tieners met mooie gezichten, de neonlichten weerspiegeld in hun ogen. Een jongen die sprekend op Morgan leek zat op de trap met zijn arm rond de schouders van een zwart meisje in een legerjack en kaki broek, maar het kon Morgan niet zijn – hij had aangeboden om Poppy naar bed te brengen en moest nog een opstel over kinderarbeid schrijven.

Lucinda gaapte en probeerde te bedenken hoeveel ze voor haar tijd in rekening kon brengen. Als ze een loodgieter £65 per uur betaalde, was het dan onredelijk om zelf £150 per uur te rekenen? Ze had tenslotte tien jaar gestudeerd.

Bij Cavendish Square kwam de auto opnieuw geheel tot stilstand. In de tuinen op het plein waren feesttenten neergezet en brandende fakkels verlichtten houten vlonders. Mensen in avondkleding toonden hun uitnodiging aan beveiligingspersoneel in smoking. Adele herkende verschillende gezichten en voelde zich gepasseerd omdat zij niet was uitgenodigd, al wist ze niet eens wat het was. Lucinda mompelde: 'Het is een benefietavond voor waterputten in Swaziland.'

De auto kroop verder en Adele vroeg de chauffeur of hij de secretaresse van Sir Nigel Hambleton wilde bellen om te laten weten dat de vrouw van de premier vast zat in het verkeer.

'Wat zou jij tegen me zeggen,' zei Adele tegen Lucinda, 'als ik je vertelde dat ik genoeg heb van mijn onbetaalde vrijwilligerswerk, de baan als vrouw van de premier?'

'Je gaat me toch niet vertellen dat je van Ed wilt scheiden?' zei Lucinda.

'Nee,' zei Adele, 'maar ik wil wel een scheiding van tafel en bed van het werk.'

'Het duurt minstens twee maanden voordat je neus toonbaar is,' zei Lucinda, 'dus je zou lekker weg kunnen gaan, Adele, naar een warm oord. Neem Poppy mee, doe geen werk en word dik. Wij vrouwen beulen ons altijd maar af, en waarvoor nou helemaal?'

Sir Nigel wachtte hen op in de hal voor zijn spreekkamer. Hij had de beruchte neus vaak op foto's en tv gezien en had een keer tegen zijn vrouw gezegd: 'Godallemachtig, Betty, wat zou ik díé graag onder handen nemen.' En nu was het zover. Hij stond te trappelen om de contouren te voelen, het kraakbeen te testen en de neusgaten binnen te gaan. Hij nam Adele en Lucinda mee naar zijn werkkamer, waar hij hoffelijk over cosmetische chirurgie babbelde. Onlangs had hij het tussenschot hersteld van een minder belangrijk lid van het koninklijk huis die meer cocaïne had gesnoven dan goed voor hem was.

Op een gegeven moment konden ze er geen van drieën meer omheen en moest de reden van Adeles bezoek worden besproken. Sir Nigel voorkwam de nodige gêne door in allerlei technische termen te vervallen. Zorgvuldig mat hij Adeles neus op en hij gebruikte een klein lampje aan een flexibel slangetje om ook de binnenkant te onderzoeken. Hij stelde Adele allerlei neusgerelateerde vragen. Vervolgens besprak hij voor de vorm de voor- en nadelen van een neuscorrectie, om uiteindelijk, niet verwonderlijk, tot de conclusie te komen dat Adele een geschikte kandidate was. Nu was het moment gekomen om haar te vragen of ze een bepaalde neus in gedachten had. Toen ze zei: 'Ik zou graag een veel kleinere neus hebben, zoiets als die van Barbra Streisand,' zei hij: 'Volgens mij kunnen we wel iets beters verzinnen, Mrs. Clare.'

Hij zette haar voor een computer en droeg haar op om niet te bewegen, waarna hij een paar toetsen aansloeg en Adeles gezicht op het scherm verscheen. Toen monteerde hij verschillende neuzen in haar gezicht. Ze was bijzonder gecharmeerd van de Cleopatra; die gaf haar een hooghartige en zelfverzekerde uitstraling. De Sophia Loren had het verkeerde effect; haar ogen leken te klein, hoewel het op zich een erg mooie neus was. De Greta Garbo was perfect. Die bestelde ze, en ze stond erop om direct een aanbetaling te doen. Het liefste wilde ze de volgende dag al onder het mes.

Sir Nigel zei dat hij hier en daar een beetje zou schuiven en haar direct zou opnemen. Na middernacht mocht ze niets meer eten of drinken.

Morgan had Poppy's Amerikaanse mobile weggehaald. Als het zijn taak was om haar naar bed te brengen, deed hij dat op zijn eigen manier. Ze lag op haar rug naar hem te kijken tussen de houten spijlen van haar ledikantje door. Hij schoof een stoel naast het bed en begon Poppy een verhaal te vertellen.

'Er was eens een jongen die Keir Hardie heette. Hij werd in 1856 geboren in Schotland en toen hij acht was moest hij van school af om te gaan werken. Op zijn tiende werkte hij al in de mijnen. Denk je eens in, Poppy, een klein jongetje van tien dat in het donker diep onder de grond moet werken! Hij ging naar de avondschool en werd journalist, en toen stelde hij zich kandidaat voor de volksvertegenwoordiging, net als papa. Hij richtte de Onafhankelijke Labourpartij op.'

Poppy begon te jengelen. Ze schopte haar deken af en maaide in haar mintgroene pakje met armen en benen. Morgan vond het verbazingwekkend hoe snel ze totaal over haar toeren was. Ze krijste zo hard dat hij snel de Amerikaanse mobile weer terughing en aan het touwtje trok.

Ze reden een buitenwijk van Leicester binnen, ongeveer 150 kilometer ver van Londen. 'Ik wil niet naar huis, Jack,' klaagde de premier. 'Kunnen we onze vakantie niet verlengen?'

'Voor mij is dit geen vakantie,' zei Jack. 'Ik doe gewoon mijn werk.'

'Kom nou, Jack. We hebben zo ontzettend veel lol gehad!'

Jack had een hekel aan het woord 'lol'. In zijn ogen had het niets met plezier te maken en het werd veel te vaak gebruikt door lolbroeken die het grappig vonden om mensen in het zwembad te duwen. Lol stond gelijk aan onderbroekenlol.

'Heb je er iets van geleerd?' vroeg Jack hem op de man af.

'Alleen dat mensen, hoe zeg je dat, hun eigen vore lijken te ploegen, ongeacht van wat wij in de regering zouden willen.'

'Ze zouden een rechtere vore kunnen ploegen als ze een betere ploeg en een gezonder trekpaard hadden,' merkte Jack op.

'Trekpaard?' herhaalde de premier. 'Ik heb het over hypermoderne gecomputeriseerde landbouwmachines.'

'Weet je, Ed,' zei Jack, 'zou het geen interessant experiment zijn om eens te zien hoe democratie in dit land uit zou pakken?'

'De wieg van de democratie stond nota bene in Engeland,' zei de premier.

'Nou, het kind is uit de wieg in het bad gevallen en toen met het badwater weggegooid,' zei Jack.

Ali had er genoeg van om naar allemaal onbegrijpelijke metaforen te luisteren en zette de radio aan.

'... Een woordvoerder van het ziekenhuis bevestigde vandaag dat het geamputeerde been waar de laatste tijd zoveel om te doen is geweest, Barry's Been, ten gevolge van een administratieve blunder per ongeluk is weggedaan. Een medewerker van het mortuarium is voorlopig geschorst. Onze medisch correspondente, Martha Tree, is op dit moment in het ziekenhuis. Martha, wat kun je ons vertellen?'

'Heel weinig, helaas. Zoals je net zelf al zei, het been is per ongeluk weggedaan en een medewerker is voor de duur van het onderzoek geschorst.'

'Is bekend op welke wijze het been is weggedaan?'

'Nee, op dit moment nog niet.'

'Is bekend hoe de familie erover denkt?'

'Nee, op dit moment nog niet. Maar ze zullen er ongetwijfeld kapot van zijn. Geen wonder.'

Jack draaide zich om naar de premier om te zien hoe hij op het nieuws reageerde. Hij leek zich nergens zorgen over te maken en friemelde aan de zigeunerachtige oorringen die hij eerder die dag in Stratford had gekocht.

Ze reden langs rijen grote vrijstaande huizen. In een van de tuinen was een vrouw in een sari een struik aan het snoeien, in een andere stond een donker getint gezin een nieuw uitziende auto te bewonderen. Er waren maar heel weinig witte mensen op straat.

De premier maakte daar een opmerking over, en Jack gaf antwoord op een toon alsof hij reisleider was. 'Leicester is hard op weg om de eerste Engelse stad met een etnische meerderheid te worden.'

Ali lachte. 'Die vrouwen van jullie willen geen kinderen, ja!'

Jack had het gevoel dat hij zich met het oog op zijn eigen kinderloosheid moest verdedigen. 'Onze vrouwen willen geen babymachines zijn, ze willen ook een eigen leven.'

'Mijn vrouw, Adele,' zei de premier, 'is briljant in het combineren van werk, kinderen en een druk uitgaansleven. Ik snap niet hoe ze het doet.'

Ali reed langs winkels met Indiase en Pakistaanse namen. In een bioscoop draaide een Bollywoodfilm. De Bank of India werd geflankeerd door Rahki's schoenenwinkel en Amans vertaalbureau. Ali zei dat hij Jack en de premier bij Norma's huis zou afzetten en dan langs zou gaan bij een neef van hem die naast de fly-over in Belgrave woonde.

De premier keek naar alle restaurants en snackbars. 'Je zult wel blij zijn dat je eindelijk weer je eigen dingen kunt eten.'

Ali keek niet-begrijpend. 'Ik kan overal eten wat ik het lekkerst vind,' zei hij. 'Pizza met schelpdiertjes.'

De taxi reed de buurt binnen waar Jack was geboren en hij zichzelf groot had gebracht. Ze kwamen langs met graffiti volgekladde muren en Ali zei: 'Ik vind het geen prettig idee om jullie hier achter te laten. Zal ik jullie echt niet meteen naar Londen brengen?'

De premier wilde het moment van zijn terugkeer zo lang mogelijk uitstellen: de last van zijn verantwoordelijkheden woog nu al zwaar op zijn schouders. 'Nee,' zei hij, 'we moeten echt even bij Jacks moeder langs en kijken waarom ze de telefoon niet opneemt. Er kan ons niets overkomen, we worden beschermd door de camera's op straat.'

De camera's waren overal, draaiden hun nieuwsgierige kopjes onophoudelijk heen en weer.

'Camerabescherming is een lachertje, Ed,' zei Jack. 'Slecht opgeleide mensen van een bewakingsdienst zitten naar een batterij schermen met wazige beelden te kijken. Geloof me, met die camera's ziet iedereen op straat eruit als de verschrikkelijke sneeuwman. Je hebt je mee laten slepen door de hysterie die particuliere bewakingsdiensten hebben gecreëerd omdat ze op contracten azen.'

De premier was allang niet blij meer met Jacks analyses en hij had er spijt van dat hij hem had aangespoord om meer te praten. Tijdens het ontbijt in The Grimshaw was Jack alarmerend kwaad geworden over het tekort aan kinderdagverblijven.

Jack herkende de gefortificeerde buitenkant van zijn moeders huis niet en hij moest Ali er wel twee keer langs laten rijden voordat hij besefte dat het wel degelijk nummer 10 was. Hij had die dag al een paar keer geprobeerd te bellen, maar er werd nog steeds niet opgenomen. Toen de premier en hij over het pad naar de voordeur liepen, meende hij een gezicht te zien dat door een kier in de gordijnen achter het gebarricadeerde raam naar buiten keek. Het zware dreunen van drum en bas was hoorbaar.

Hij bonsde op de met staalplaat versterkte deur en zag dat de brievenbus weg was. Hij vroeg zich af hoe zijn moeder nu alle reclamedrukwerk waar ze zo dol op was moest ontvangen. In het verleden had ze hem vaak gebeld om hem te vertellen dat ze volgens ene meneer Tom Champagne van *Readers Digest* honderdduizenden ponden had gewonnen.

In huis was het schreeuwen van James hoorbaar. Hij scheen te denken dat de narcoticabrigade op de stoep stond. De premier keek angstig om zich heen; hij had niet verwacht dat Jacks moeder in zo'n deprimerende buurt zou wonen. Er was niemand op straat en de meeste huizen zagen er onbewoond uit. Het begon al donker te worden, en hij had er spijt van dat hij Ali niet had laten wachten. Sinds het begin van hun tocht, zeven dagen geleden, was hij niet één keer bang geweest. Jack had hem als een rots in de branding terzijde gestaan, maar wel een rots van koude steen. Soms wilde hij dat Jack er geen politieke meningen op nahield, maar hij had er nooit een moment aan getwijfeld dat Jack elke situatie aankon. Nu merkte hij dat Jack zelf bang was, en het beviel hem helemaal niet dat Jacks stem beefde toen hij riep: 'Mam, mama, doe open!'

Norma zat achter de dichte keukendeur. James' muziek stond zo hard dat ze zichzelf niet eens kon horen nadenken, maar ze hoorde toch dat Jack haar riep. Ze wilde het liefst naar de deur rennen om hem binnen te laten, maar James stond met zijn armen en benen wijd gespreid tegen de keukendeur en praatte tegen haar op een manier die haar bang maakte. Hij rookte een zelfgerolde sigaret, geen joint maar zo'n andere, met spul waarvan hij zei dat zij eraan dood zou gaan, het spul waarvan hij zijn manieren vergat en de vreselijkste dingen ging zeggen, totdat hij begon te huilen en het in zijn broek deed.

'Blijf hier wachten,' droeg Jack de premier op, en hij hees zichzelf over het zijmuurtje. De premier wilde ervandoor, maar de twee kleine figuren met capuchons die tegen een Mercedes voor de deur leunden, reageerden niet toen hij aarzelend naar hen zwaaide.

Jack sloop geruisloos langs de zijkant van het huis en ging de achtertuin in. De gordijnen in de keuken waren dicht en ook de achterdeur was versterkt. Hij drukte zich naast het raam tegen de muur en hoorde de stem van zijn moeder. Ze moest schreeuwen om zich verstaanbaar te maken. 'Alsjeblieft, ik moet Jack binnenlaten.'

Binnen zoog James de rook diep in zijn longen, waar tienduizenden minuscule haarvaten de chemische stoffen razendsnel in zijn bloedbaan brachten. En toen het spul het deel van de hersenen bereikte dat een gevoel van genot voortbrengt, maakte het miljoenen cellen voorgoed kapot. Vanaf dat moment kon James nog weer minder genieten van muziek, eten, seks en de andere geneugten des levens.

De door crack veroorzaakte paranoia was fnuikend voor James' denkraam, hij was als een kat in het nauw. Hij bedacht dat hij een wapen had, voor veertig pond tweedehands gekocht. Het zat in het blik van de creamcrackers boven op het keukenkastje. Hij had er nog nooit mee geschoten, maar hij dacht dat hij wel wist hoe het moest. Hij kon Jack neerschieten en proberen te vluchten in de auto, hij kon Norma in gijzeling nemen, hij kon Jack binnen vragen en hem uitleggen dat zijn moeder jongeren crack liet gebruiken in een gemeentewoning, zonder twijfel genoeg redenen om haar uit haar huis te zetten.

Hij koos ervoor om Jack binnen te laten en liep naar de voordeur. Hij nam nog een trekje voordat hij zijn vingers brandde aan het restje van zijn cracksigaret en begon met het losmaken van de kettingen en het openen van de grendels. De dreunende muziek golfde door zijn lichaam, zijn tanden ratelden in zijn mond. De deur was open, maar Jack was er niet meer. In plaats daarvan stond hij oog in oog met een blonde vrouw met grote ringen in haar oren, een vrouw die bij nader inzien een verklede man bleek te zijn. Bijna barstte hij in lachen uit; zelfs van vermommingen hadden ze bij de politie geen kaas gegeten. 'Waar is Jack?' zei hij, en hij trok de man naar binnen. 'Waar is Jack?' schreeuwde hij in het gezicht van de premier.

De premier had zich vaak afgevraagd of hij zijn mond zou kunnen houden als hij werd gemarteld om informatie uit hem los te krijgen. Toen verschenen Norma en Jack in de deuropening naar de keuken en zei Jack: ‘Hier ben ik!’ zodat hem een gênante ontmaskering werd bespaard.

Norma kwam met een volstrekt misplaatst voorstel: ‘Zullen we gezellig samen een kopje thee drinken?’

HOOFDSTUK 21

Alexander McPherson ging naar beneden en verzamelde in de vergaderruimte zijn team om zich heen. De medewerkers waren bijna allemaal jong en sommigen waren intelligent, maar niet allemaal – één persoon was juist gekozen omdat hij zo overduidelijk stom was. Het was een aardige jongen van vierentwintig, Ben Fossett geheten, en hij was zorgvuldig geselecteerd om de onnozele, fatsoenlijke Britse belastingbetaler te vertegenwoordigen. Ooit had hij als afgevaardigde het partijcongres van Labour toegesproken en gezegd dat beroepspolitici alleen hoge functies binnen de partij zouden mogen bekleden als ze in woorden en daden honderd procent eerlijk waren.

Fossetts onschuldige idealistische woorden werden op bijeenkomsten van New Labour eindeloos herhaald en gingen altijd met de slappe lach gepaard. Niemand was verbaasder dan hij toen hij in Downing Street werd uitgenodigd en tot speciaal adviseur van de persvoorlichter werd benoemd. Het werk had hem nog steeds niet cynisch gemaakt. McPherson gebruikte hem ongeveer zoals een zeekapitein vroeger een barometer raadpleegde voordat hij koers zette naar de Golf van Biskaje.

McPherson leunde tegen een hoge archiefkast en zei: 'Oké, dit zijn de feiten. Eén: Adele Clare-Floret heeft een psychotische periode achter de rug, met andere woorden, er zit een draadje los, ze wordt behandeld met medicijnen en ze ligt in een privé-kliniek. Twee: Barry's Been. Van nu af aan is het verboden om nog iets over

Barry's Been in de openbaarheid te brengen, dus daar hebben we verder geen last meer van. Ik wil een verklaring over Adele die het journaal van zes uur nog kan halen. Jullie hebben twintig minuten de tijd en we kunnen niet wachten totdat die klotelaptopjes van jullie zijn opgestart.'

Fossett zat aan een tafel en kauwde op het gum aan zijn potlood. Hij dacht even na voordat hij begon te schrijven.

> *Beste meneer of mevrouw de hoofdredacteur,*
> *Onze mama word behandelt omdat het mis is met haar zenuwen, ze heeft rust nodig, dus schrijf alstublieft niets in de kranten en zeg op de radio en de televisie geen nare dingen over haar. Onze papa is er niet om ons te helpen, hij is van huis om de wereld veiliger te maken voor alle kinderen.*
> *Groeten van de kinderen Clare*

Toen Fossett aan de beurt was om zijn stukje hardop voor te lezen, struikelde hij over zijn woorden. 'Ik eh... ik dacht eh... ik heb geprobeerd me, hoe zeg je dat, te verplaatsen in de gedachten van een kind... eh...'

'Dat moet voor jou niet moeilijk zijn,' mompelde McPherson binnensmonds.

'Als de kinderen hun naam eronder zetten eh... misschien kan er een foto bij... En ik heb "word behandelt" trouwens expres fout geschreven.'

McPherson trok het papier uit Fossetts klamme handen, las de tekst snel door, en gaf een secretaresse opdracht om het stukje in een kinderlijk handschrift over te schrijven op postpapier van de premier en er vooral voor te zorgen dat 'word behandelt' verkeerd werd geschreven. Toen het briefje klaar was rende hij naar boven en stormde de woonkamer van de familie Clare binnen, waar hij Morgan en Estelle aantrof, ruziënd over de afstandsbediening van de televisie.

Hij droeg hen op het briefje te lezen en te ondertekenen. Morgan weigerde. Hij vond het een stom briefje; hij maakte op zijn leeftijd heus niet meer van die stomme taalfouten. Estelle experimenteerde echter sinds een tijdje met haar handtekening en zette zwierig haar naam eronder. McPherson pakte de brief weer van haar aan, zette Poppy's naam eronder en zei tegen Morgan: 'Ik weet alles van je plannen om volgende maand mee te doen met de demonstraties van de antiglobalisten, Morgan. Je zou wat voorzichtiger moeten zijn met dat mobieltje van je.'

'We leven in een vrij land, hoor,' zei Morgan.

McPherson gaf geen antwoord. Een foto van Estelle en Poppy zou het goed doen op de voorpagina van de *Sun;* Morgan zou het plaatje alleen maar hebben verpest met die chagrijnige puistenkop van hem.

De enige geluiden in de keuken kwamen uit de wasmachine: het tikken en ratelen van de rits en de metalen knopen van de spijkerbroek die ronddraaide achter de patrijspoort. Met zijn vieren staarden ze naar de ketel, wachtend tot het water kookte. De muziek uit de kamer ernaast dreunde door het huis. De premier wilde dat iemand de stereo uit zou zetten.

De walm van marihuana en crack hing in de lucht. Peter stond in een hoekje op de vloer van zijn kooi herhaaldelijk en monotoon te tjilpen. 'Dat arme beest is gek geworden,' zei Jack.

James stond met zijn rug tegen de keukendeur, en Jack kreeg het ongemakkelijke gevoel dat hij de agressieve sfeer alleen maar zou versterken als hij hem zou vragen opzij te gaan.

De premier keek met belangstelling om zich heen. Het was

hem duidelijk dat deze keuken typerend was voor de arbeidersklasse. Blikjes bier lagen opgestapeld in het afdruiprek, naast de dozen met diepvriesmaaltijden. Er was zelfs een schurftige grasparkiet in een kooi met een *Sun* op de bodem. 'Premier speelt oorlogje,' luidde de kop. Een asbak op de keukentafel bevatte een flink aantal peuken, en ernaast, bijna ertegenaan, stond een ezeltje met een peper-en-zoutstel in zijn kar. Geen enkel voorwerp in de keuken getuigde van smaak. Adele zou het amusante kitsch noemen.

Jacks moeder, een slons met veel te veel make-up, leek helemaal niet blij te zijn om haar zoon te zien. 'En ik snap niet waarom je een gezicht als een oorwurm trekt, Jack,' schreeuwde ze boven de muziek uit. 'Ik zei toch dat je niet moest komen, ik zei toch dat ik het druk had.'

Het viel de premier op dat Norma naar James keek toen ze dit zei, alsof ze zichzelf vrij wilde pleiten.

Terwijl zijn moeder kokend water in een metalen theepot schonk, probeerde Jack de spanningen in de keuken te neutraliseren door over het weer te beginnen.

De premier trok zijn neus op. Hij had de scherpe geur net herkend; een paar losbandige studenten in Cambridge hadden weleens een joint gerookt. Hij niet, hij voelde intuïtief dat het niets voor hem was, hij hield zichzelf liever in de hand. Nu vroeg hij zich af of zijn moeder en zijn echte vader ooit samen hadden gerookt – hij meende zich te herinneren dat het in die tijd een jazzsigaret werd genoemd.

'Je drinkt je thee, en dan ga je weer weg,' zei Norma. Het was eerder een bevel dan een vraag.

'Hoe gaat het met de studie?' vroeg Jack aan James.

'Studeren is voor pygmeeën,' snoof James vol minachting. 'Alleen kleine mensen gaan naar de universiteit. Ik sla alleen de kennis op die ik nodig heb. Waarom zou ik mijn hoofd volproppen met feiten die nergens goed voor zijn?'

De premier had Michael Heseltine een keer ongeveer hetzelfde horen zeggen.

'James kan zich heel goed redden zonder opleiding,' zei Norma. 'Ik ken niemand die zo slim is als hij. Hij heeft een Mercedes en hij is pas negentien.'

'Weet u, Mrs. Sprat,' zei de premier aarzelend, 'ik ben geneigd te denken dat een goede opleiding ons meer geeft dan alleen de middelen tot materieel gewin. Een goede opleiding hoort ons leven tevens te verrijken en ons in staat te stellen om een nuttige bijdrage aan de samenleving te leveren.'

'Waar heb jij dan gestudeerd?' vroeg James.

'In Cambridge,' antwoordde de premier, en hij sloeg bescheiden zijn ogen neer.

'Nou, daar heb je anders niet zo veel aan gehad, hè?' zei James. 'Moet je eens zien hoe je erbij loopt! Je bent geen man, je bent geen vrouw, je hebt geen klasse. Wat ben je nou helemaal?'

De premier schoof zijn pruik recht en streek met een hand over zijn stoppelige kin. Hij had zich willen scheren voordat hij bij Jacks moeder op bezoek ging, maar het was er door de omstandigheden niet van gekomen.

'Ik ken jou ergens van,' zei James. 'Werk jij niet bij de plees van de Powder Poof?'

Er werd luid op de keukendeur gebonsd. 'Ga terug naar de kamer en blijf daar!' schreeuwde James alsof hij het tegen een hond had.

'Wie is dat?' vroeg Jack.

'Een van onze gasten,' zei Norma. Ze kletterde met kopjes en schoteltjes en lepeltjes. 'Zal ik onze gasten een kopje thee gaan brengen?' zei ze tegen James.

'Nee!' gilde James. 'Je blijft hier.'

Jack zag hoe bang zijn moeder keek en hij ging staan. 'Ik blijf niet hier! Ik ga de muziek uitzetten.' Hij vroeg beleefd of James opzij wilde gaan van de keukendeur, en toen James weigerde en hem een fascist noemde, gedroeg Jack zich ook als een fascist: hij pakte James' rechterarm beet en draaide die met zoveel kracht op zijn rug dat het bot bijna uit de kom schoot. James gilde van pijn en liet zich op zijn knieën zakken.

'Doe hem geen pijn, Jack!' riep Norma.

Jack trok James overeind en duwde hem door de gang voor zich uit naar de voorkamer. Het was er aardedonker maar hij kon de aanwezigheid van andere mensen ruiken. De muziek was net een levend ding dat tegen Jack opbotste. Zijn hand ging naar het lichtknopje aan de muur naast de deur, maar iemand had het afgeplakt.

Jack trok de tape eraf en drukte op de schakelaar. Het plafondlicht ging branden, en vier mannen en twee vrouwen beschermden hun ogen tegen het plotselinge schijnsel. Het waren een ex-manager van een tapijtwinkel, een ex-verpleegster, een ex-monteur van de KwikFit, een autoverkoper, een portier en een meisje dat in een opvanghuis van de reclassering zat. Ze hadden gebedeld, gestolen en leningen afgesloten die ze nooit terug konden betalen, om James elk vijfhonderd pond te kunnen geven voor een weekend in zijn huis, alles inclusief. Aan weerszijden van de kachel stonden twee kolossaal grote boxen. In het Palais de Danse waar Jack vroeger met 300 andere mensen dansles had, werden kleinere boxen dan deze gebruikt. Hij kon alleen nog maar denken aan het uitzetten van de muziek en keek om zich heen op zoek naar de installatie. De boxen waren verbonden met een cd-speler op zijn oude bureau, naast zijn schoolboeken en een ezelvaasje met een bos dode narcissen erin. Hij probeerde verschillende knopjes voordat het eindelijk stil werd. Norma's gasten keken naar de nieuwkomer die hun dromen zo wreed verstoorde.

James stond in het midden van de kamer en keek vol verachting naar Jack. Hij vond kleine mensen die bang waren om crack te gebruiken zielig – het waren pygmeeën. Nooit zouden ze de extase meemaken die James had gevoeld toen hij de eerste keer crack gebruikte. Hij nam de houding aan van een wereldleider, zowel waardig als paternalistisch, en begon te preken voor alle mensen in de kamer.

'Het doel van het leven is crackgebruik,' legde hij uit. 'Daarvoor zijn we geboren, dat is het enige waar we voor leven. Alleen een paar uitverkoren mensen mogen de wonderen van crack leren kennen, en wij vormen een ware elite. Deze bevoorrechte mensen' – hij gebaarde naar de monteur – 'zijn heilig en zij moeten de kans krijgen om bij elkaar te komen en crack te vereren. In naam van crack is alles toegestaan. Zij die de verering van crack willen voorkomen, zullen verkrachting, moord en marteling moeten ondergaan. Als een crackgebruiker geen geld heeft, mogen ze stelen van pygmeeën zoals jij en je moeder, Jack. Het doden van een pygmee is geen misdaad, het verkrachten van een pygmee is geen misdaad, het misbruiken van een pygmee is geen misdaad, het ontvoeren en martelen van een pygmee is geen misdaad. Een crackgebruiker kent de waarheid en de waarheid is zo'n enorm genot dat er een nieuwe vorm van woorden nodig is om deze mate van genot te beschrijven. Denk bijvoorbeeld aan oneindigheid, de onmeetbare afstanden in de ruimte die zich uitstrekken tot in de eeuwigheid, en denk dan eens aan een genot van die afmetingen. Wie wil zich nou niet zooooooo lekker voelen, zooooooo high, zo inténs gelukzalig, zo helemaal vól van genot?

God is crack.
Jezus is crack.
Allah is crack.
Boeddha is crack.
Krishna is crack.
Abraham is crack.
Mozes is crack.
Martin Luther is crack.
Mandela is crack.
Beckham is crack.
Puff Daddy is crack.
Crack is crack...'

James' stem haperde een beetje. 'Dit is de belofte van crack, dit is waarom we het telkens weer gebruiken, telkens en telkens en telkens weer...'

De ex-verpleegster zei: 'Maar het is een verbroken belofte en we kunnen nooit, nooit, nooit meer datzelfde genot ervaren, hoeveel we ook nemen en hoeveel we ook uitgeven.'

'Maar we moeten het blijven proberen,' betoogde James. 'Er is altijd hoop, we moeten vertrouwen hebben.'

'En we moeten bereid zijn om onze gezinnen kwijt te raken,' vulde de autoverkoper aan, 'om onze vrouwen en mannen en kinderen kwijt te raken, om onze baan, onze vrienden, ons geld, ons bezit, onze huizen, ons zelfrespect, onze trots, onszelf kwijt te raken.'

'Ja,' beaamde James, 'en we leven in een donkere wereld met alleen maar vijanden, schaduwen die op de loer liggen om ons te doden. Elk geluid bedreigt ons leven en de zon herinnert ons er alleen maar aan dat we snel dorst zullen krijgen en dat we niets te drinken hebben en niemand om onze lippen te bevochtigen.'

James voelde de energie uit zijn lichaam wegvloeien. Hij ging op het halfronde kleed voor de kachel liggen en leek als een blok in slaap te vallen.

Jack knipte het licht uit en deed de deur zachtjes achter zich dicht, alsof hij net bij slapende kinderen was wezen kijken. Hij ging naar boven en trok Norma's grootste koffer van de linnenkast in haar slaapkamer.

Norma vertelde de premier dat hij sprekend op de premier leek. 'Je bent echt het evenbeeld van Edward Clare,' zei ze. 'De stem, zoals je met je ogen knippert, je glimlach, zelfs de onregelmatige tanden, alles.'

De premier, van zijn stuk gebracht door James' tirade in de andere kamer, probeerde te bedenken hoe je ook alweer praatte tegen een authentieke vertegenwoordiger van de arbeidersklasse oude stijl. Wat waren de trefwoorden? Voetbal? Bingo?

Norma besloot haar verhaal met de opmerking dat hij de premier een miljoen keer beter zou kunnen spelen dan Rory Bremner, waarna ze op een ander onderwerp overschakelde. 'Ik ben blij dat mijn Jack is gekomen en het heft in handen heeft genomen.'

'Onze politiemensen staan bekend om hun doortastende aanpak,' antwoordde de premier uit automatisme. Vervolgens informeerde hij hoe Norma over het regeringsbeleid dacht.

Ze leek de vraag niet te begrijpen. 'Ik weet het niet,' zei ze. 'Politiek interesseert me niet. Behalve Ron Phillpot, ik vond het prachtig zoals hij die kerel ervan langs gaf.'

Vreemd genoeg vond de premier het geruststellend dat Norma zo onverschillig was. Wat had het voor zin dat hij 's nachts wakker lag van het Kyoto-protocol terwijl de overgrote meerderheid van de bevolking acht uur heerlijk kon slapen zonder ook maar een seconde stil te staan bij de gevaren van de uitstoot van kerncentrales?

De telefoon aan de keukenmuur rinkelde. Norma keek er angstig naar – James was erop tegen dat ze opnam of zelf opbelde.

Boven hoorde Jack het rinkelen van de telefoon en hij rende naar beneden om op te nemen. Het was zijn zus, Yvonne.

'Waar ben je?' vroeg hij oprecht geïnteresseerd – ze kon per slot van rekening best aan de andere kant van de wereld zitten.

'Ik ben net geland op Luton en ik zit nu in de auto,' schreeuwde ze. 'Waarom neemt mam de telefoon nooit op? Is er iets met haar?'

Jack had geen idee hoe hij Yvonne uit moest leggen wat hun moeder de afgelopen week allemaal was overkomen, dus zei hij: 'Wat leuk om je stem te horen, Vonnie.'

'Is alles in orde met mam?' vroeg ze.

'Ze zit hier in de keuken een sigaretje te roken,' zei Jack.

Yvonne moest nog harder schreeuwen omdat de lijn zo slecht was. 'Zeg maar tegen haar dat ik geld voor haar heb.'

'Ben je samen met Derek?' vroeg Jack.

'Met wie?' Yvonne leek vergeten te zijn dat ze zesentwintig jaar getrouwd was geweest met een man die Derek heette.

'Nee, ik ben alleen,' zei ze. 'En ik rij in mijn eigen auto.'

Jack kon zich zijn zus niet achter het stuur van een auto voorstellen, laat staan achter het stuur van haar eigen auto nadat ze 'net geland op Luton' was. De laatste keer dat hij haar had gezien lapte ze de ramen van haar rijtjeshuis, gekleed in een jasschort en pluizige pantoffels terwijl Derek de stoel waar ze op stond vasthield.

Norma raakte lichtelijk in paniek toen Jack haar vertelde dat Yvonne er over ongeveer een uur zou zijn. 'Vonnie zal niet blij zijn met alle gasten die hier logeren, Jack.'

Jack vond het verbijsterend hoe ver het zelfbedrog van zijn moeder ging. Dat ze de mensen in de voorkamer 'gasten' noemde, was net zoiets als mieren in de jam als 'welkome bezoekers' beschrijven. 'Waar bewaart hij die troep van hem, mam?' vroeg Jack.

‘Dat kan ik je niet zeggen,’ fluisterde ze. ‘Ik heb hem beloofd dat ik het niet zou vertellen. Ik moest zweren op Pete’s leven. Hij zei dat hij mijn Pete in de magnetron zou stoppen en op zou eten met een gepocheerd ei. Hij zei dat hij Pete’s veren in zijn haar zou steken. Ik ben blij dat je bent gekomen, Jack.’

‘Je hoeft het me niet te vertellen, mam,’ fluisterde Jack terug. ‘Laat het me maar gewoon zien.’

Norma trok de besteklade van de keukentafel open en haalde er een oud tabaksblik uit. Er zaten kleine glinsterende steentjes in, gewikkeld in een stukje donkerblauw fluweel.

‘Kristallen?’ vroeg de premier.

‘Crack!’ zei Jack.

De premier deinsde achteruit alsof hij bang was dat een van de kleine steentjes zijn lichaam binnen zou dringen en hem gek zou maken, zodat hij de straat op zou gaan om te razen en te roven en zijn medemensen de vreselijkste dingen aan zou doen. Hij haalde opgelucht adem toen Jack het fluweel weer over de steentjes legde en het blik in de binnenzak van zijn jas stak.

‘Je mag het niet houden, Jack,’ zei Norma. ‘De gasten hebben er van tevoren voor betaald.’

‘Ik heb je koffer van de kast gehaald en op het bed gelegd,’ zei Jack. ‘Ga naar boven en pak je spullen in. Je gaat hier vanavond nog weg.’

‘Waar breng je me naartoe?’ vroeg Norma.

‘Dat weet ik nog niet,’ antwoordde Jack.

‘Ik kan Pete niet alleen achterlaten,’ protesteerde ze.

‘We nemen hem mee,’ beloofde Jack, hoewel hij vond dat Peter er niet sterk genoeg uitzag om op reis te gaan.

Terwijl Jack beneden in de gang op wacht stond, ging Norma naar boven om haar koffer te pakken. De premier zei tegen Jack: ‘Jack, ik ben in principe behoorlijk tolerant, maar crack is voor mij echt de limit, en ik ben op dit moment bepaald niet gelukkig met de hele situatie. Ik besef dat dit voor jou de gewoonste zaak van de wereld is, Jack, maar ik moet bekennen dat ik een beetje, hoe zeg je dat, gechoqueerd ben. Jack, doe je plicht en zorg dat ik hier weg kan. Bel Ali, zeg dat hij direct moet komen.'

'Het is allemaal je eigen schuld,' viel Jack boos uit. 'Je weet al tien jaar dat crack bestaat en je hebt er verdomme niets tegen gedaan. Je bent ervoor weggelopen en je hebt die tolerante rotkop van je onder de dekens gestoken en gedaan alsof crack iets naars was wat vanzelf wel weg zou gaan als we erover zwegen en deden alsof het er niet was. Nou, het is er wel!' brieste hij. 'In het huis van mijn moeder!'

De premier bracht allerlei statistieken in stelling. Hij dreunde op hoeveel miljoen er aan voorlichting over drugs en preventie was uitgegeven; hij zei dat zoveel procent ergens van aan dit of dat was uitgegeven, en dat zoveel procent voor weer iets anders was gereserveerd en dat er in de volgende begroting zoveel procent uitgetrokken zou worden.

'Ja,' schamperde Jack, 'en achtenhalf procent van de discipelen hebben Jezus verraden. Percentages betekenen niets, statistieken zijn flauwekul.'

'De regering heeft vier en een half miljoen pond aan de financiering van research uitgegeven,' zei de premier.

'De aan crack gerelateerde misdaad kost dit land miljarden!' tierde Jack. 'Ik zal je eens wat zeggen, Ed. Mijn moeders voorkamer zit vol met experts op drugsgebied – als we nou eens naar binnen gaan en die lui om advies vragen? Dat kost die regering van jou geen rooie rotcent.'

Yvonne begon zich op haar gemak te voelen in de BMW en ze durfde op de inhaalstrook te gaan rijden, waar ze haar snelheid opvoerde tot honderddertig kilometer per uur. Het weer was slecht en ze had er spijt van dat ze de gele kasjmier trui die ze in Marbella had gekocht niet had aangetrokken. Ze zette de verwarming hoger en draaide aan de knopjes van de radio in een poging om prettige muziek te vinden: Frank Sinatra, Neil Diamond, Queen, liedjes die ze lekker mee kon zingen. Maar het enige wat ze ontving was deprimerend nieuws uit Engeland. Dat ze de cricketwedstrijd hadden verloren, dat West County werd geteisterd door overstromingen, dat de M25 zeven uur afgesloten was geweest en dat Edward Clare zijn werk als premier de volgende dag zou hervatten, dat de kinderen van de premier in een verklaring hadden gesmeekt om de privacy van hun moeder te respecteren. Yvonne vroeg zich af hoe ze het zo lang in Engeland had uitgehouden. Vergeleken met Marbella was het hier een klotezooi. Kon je in Engeland ontbijten op een warm balkonnetje begroeid met bougainville, genieten van verse jus en knapperige croissants en echte koffie terwijl je uitzicht had op de blauwe zee? Nee, om de dooie dood niet. Kon je in Leicester in de winter rondlopen in een wit denim mantelpak met gouden sandalen en een dito schoudertas zonder dat je voor aap liep? Nee. Kon je in Engeland 's avonds om tien uur eten op een terrasje zonder dat je tieten bevroren? Ik dacht het niet.

Yvonne legde even een hand op de goudkleurige schoudertas op de stoel naast haar. Er zat een uitpuilende envelop vol euro's in en ze verheugde zich op de uitdrukking op haar moeders gezicht als ze haar de envelop gaf. Ze wilde haar moeder het appartement in het complex pal aan het strand laten zien, samen met haar door de witte kamers met de marmeren vloeren en de roomkleurige meubels lopen, de ijsmachine van de koelkast demonstreren, de airconditioning afstemmen op haar moeders wensen, haar moeder de logeerkamer met eigen badkamer laten zien, haar bewijzen dat Jack niet het enige succesverhaal in de familie was. Ze was dan wel achtenveertig maar Pedro, haar huidige minnaar, had tegen haar gezegd dat ze er minstens twintig jaar jonger uitzag, en ze moest toegeven dat de bruine teint goed bij haar paste, net als het kapsel à la Mia Farrow. Een man die op het vliegveld van Malaga in de rij stond om in te checken had haar van voordringen beschuldigd en haar Eurotuig genoemd. Dat was een mooi compliment: ze had altijd Europees willen zijn, vanaf het moment dat ze Edith Piaf 'La Vie en Rose' had horen zingen en Audrey Hepburn in *Roman Holiday* achter op een Vespa had zien zitten. Ze kwam langs de velden met radiomasten van de luisterpost in Daventry en bedacht, kijkend naar de gezichten van de bestuurders van de auto's die ze inhaalde, hoe pafferig en bleek en slecht gekleed zij en hun passagiers er in het licht van de natriumlampen uitzagen. Het leek wel of de hele Engelse bevolking collectief hun uiterlijk verwaarloosde.

Ze wist nog heel precies wanneer ze in het jaar 1990 zelf een slons was geworden. Ze had griep gehad en lag boven in bed toen ze Derek kon horen aan de telefoon. Hij voerde een onsamenhangend gesprek over een of ander tuinschuurtje met een kennis van hem en ze hoorde Derek op een gegeven moment duidelijk zeggen: 'Nou, ik hang maar weer eens op. Ik moet naar boven naar de homp in bed.'

De homp in bed. Zijn woorden maakten een seksloos ding van haar en gaven haar een gevoel van schaamte. Toen ze weer helemaal beter was, hompelde ze door het huis in stretchkleding die meerekte met haar uitdijende figuur. Ze hield op met het verven van haar haar en droeg het in een paardenstaart met een elastiekje erin. Haar wenkbrauwen bleven ongeëpileerd, ze droeg sokken van Derek en in de ruimte tussen haar broekspijpen en haar schoenen waren de haartjes op haar benen zichtbaar. Ze sloot zich aan bij het leger van andere vrouwen die zichzelf verwaarloosden – ze waren overal, stonden te wachten bij het hek van de basisschool en op bushaltes, ze zaten in wachtkamers van poliklinieken.

Mrs. Thatcher had haar van de ondergang gered. Yvonne had gezien dat haar heldin achter in de limousine huilend wegreed bij Downing Street, een uitgerangeerde vrouw.

Nu gaat ze zichzelf verwaarlozen, net als ik, had Yvonne gedacht, maar binnen een paar maanden was Maggie terug, even perfect gesoigneerd en uitdagend als altijd. Yvonne had zich laten inspireren door Maggies onverwoestbare zelfvertrouwen en het feit dat ze 20.000 pond per uur kon binnenslepen voor de Thatcher Foundation, een instelling die het bevorderen van het kapitalisme als doelstelling had. Als gebaar van steun had Yvonne de Thatcher Foundation een cheque van tien pond gestuurd. Dit had ze tijdens een kerstdiner in het huis van haar moeder aan Jack verteld, en hij had haar hartelijk uitgelachen. 'Ze zal je heus niet dankbaar zijn voor zo'n zielig tientje. Dat mens is zo hard dat je je tanden erop stukbijt.'

Yvonne had geen goed woord over voor Edward Clare, en zelfs als je haar aan de meest afgrijselijke martelingen had onderworpen, had ze je niet kunnen vertellen waar hij nou eigenlijk voor stond. Hij had het de hele tijd over de middenweg, maar 'midden' betekende helemaal niets – wie betaalde er nou goed geld voor een plaats op de eerste rij voor een bokser uit de middenmoot?

Ze had er nooit spijt van gehad dat ze uit Engeland weg was gegaan; ze had altijd gezegd dat ze weg zou zijn als Labour aan de macht kwam. Het had haar een paar jaar gekost en nu was het haar gelukt, in tegenstelling tot Frank Bruno en Paul Daniels die voorzover zij wist nog steeds in Engeland zaten.

Zij en Derek hadden altijd Labour gestemd, totdat de majesteitelijke Mrs. Thatcher ten tonele was verschenen. Niemand kon aan haar tippen. Om te beginnen begreep je alles wat ze zei. Ze had de vakbonden een toontje lager laten zingen. De bond op de fabriek van Derek lag vroeger eeuwig en altijd dwars, ze demonstreerden voor meer geld en een gezonder werkklimaat en meer veiligheid. Als iemand met zijn vingers vast kwam te zitten in een machine, dan was dat hun eigen stomme schuld; al Dereks vingers waren na al die jaren nog steeds intact. Mrs. Thatcher had korte metten gemaakt met de oude vakbonden en hun opruiende acties. Derek had het helemaal niet erg gevonden om zijn eigen wc-papier mee te nemen naar zijn werk; waarom zou zijn baas moeten betalen voor het afvegen van Dereks kont? Maggie had ervoor gezorgd dat Dereks bedrijf hun plaatstaal in India kon kopen, in plaats van bij de hoogovens in eigen land. Toegegeven, de kwaliteit was wat minder, maar het was vijf keer zo goedkoop, vijf keer! En de bond kon er niks van zeggen omdat de orderportefeuille vol zat, en Derek maakte 's avonds en in het weekend overuren, zodat ze de gemeentewoning waar ze sinds hun trouwen in hadden gewoond uiteindelijk konden kopen, tegen tachtig procent van de marktwaarde.

Het verbaasde de premier dat de crackverslaafden er zo gewoon uitzagen. Hij had duidelijke tekenen van ontaarding en morele verdorvenheid verwacht.

De verpleegster vertelde dat ze over een week moest voorkomen op beschuldiging van diefstal uit de nachtkastjes van de patiënten die ze verzorgde, maar het baarde haar veel meer zorgen of ze in de gevangenis wel aan genoeg crack zou kunnen komen.

'Als ik de verhalen mag geloven, is dat geen probleem,' zei Jack. 'Het schijnt dat het makkelijker is om aan crack te komen dan aan een aspirientje van de gevangenisdokter.'

De portier zei dat hij niet wist hoe lang hij zijn werk nog kon blijven doen. Hij was aan mensen in de hele stad geld schuldig en er bleven steeds maar gangsters langskomen bij de tent waar hij werkte, ongure types die dreigden zijn knieschijven aan flarden te schieten. Het was vrijdagavond en eigenlijk hoorde hij nu bij de deur van de Starlight-room te staan, en hij had zijn vrouw en drie kinderen thuis achtergelaten zonder geld. Hij had tegen haar gezegd dat ze onder geen beding de deur voor iemand open mocht doen, want dealers hadden er een handje van om junks met schulden te straffen door met salpeterzuur te strooien, en hij zou het niet kunnen verdragen als het knappe smoeltje van zijn vrouw werd verwoest, hij zou niet kunnen leven met een vrouw met littekens.

'Waarom ga je dan niet naar de politie?' informeerde de premier.

Dit zorgde voor hilariteit en maakte iedereen aan het lachen.

De premier keek om zich heen in de hoop dat iemand hem de grap zou uitleggen.

De autoverkoper hield een nogal verward verhaal. Het kostte de premier moeite om te begrijpen dat zijn verslaving hem meer kostte dan hij verdiende. Hij had de 11.000 pond die opzij was gezet voor zijn bruiloft en huwelijksreis aan crack uitgegeven. Zijn verloofde wist niet dat hij verslaafd was en zou er pas achter komen op de ochtend van hun trouwen, als de huurauto niet verscheen om haar naar de niet besproken kerk te brengen.

'Heb je je opgegeven bij een afkickcentrum?' vroeg de premier.

'Er is maar één afkickcentrum in het hele land,' zei de verpleegster, 'en die hebben een wachtlijst van zes maanden.' Ze keek naar Jack. 'Schop die klootzak eens wakker, ik wil nog een shot.'

Allemaal keken ze naar James, die op de grond lag te dromen.

'Het lijkt wel of hij dood is,' merkte de premier op.

Jack voelde zijn pols. 'Nee, hij leeft nog. Jammer.'

De premier richtte zich tot alle aanwezigen. 'Waarom hebben jullie jezelf dit aangedaan?'

Het meisje dat in het opvanghuis van de reclassering zat gaf antwoord. 'Ik weet 't niet, toen ik klein was, ik kon nog maar net lopen, heb ik bleekwater gedronken uit de fles, ik weet ook niet waarom ik dat heb gedaan. Ik was ergens in een huis en daar was James en toen hebben we, hoe zeg je dat, gekeken wie d'r 't meeste tequila kon drinken zonder plat te gaan, en dat won ik, en toen liet James me mooie kleine steentjes zien, dat was de eerste keer. Als ik 's ochtends wakker wor', dan voel ik me, ik weet niet, lekker, en dan opeens, ik weet niet, dan komt 't boven. Dan moet ik de deur uit en een of andere kerel pijpen of iemand bang maken om aan geld te komen, en dat is verdomde hard werken, ik kan me nooit eens lekker ontspannen, ik moet altijd nadenken en plannen maken en ik moet de hele tijd mensen uit de weg gaan. Mijn moeder zit achter me aan omdat ik de centen voor de huur aan crack heb uitgegeven, en er zijn de hele tijd mensen die het me moeilijk maken, d'r zijn straten waar ik niet kan komen en plekken waar ik m'n gezicht niet kan laten zien. De politie kent me, ze rijden langs in hun auto's en roepen uit het raampje dat geen vent me wil omdat ik zo lelijk ben als de nacht. Ze noemen me Crack Alice. Ik ben weggelopen naar Nottingham maar daar ben ik in elkaar geslagen, en toen heb ik de trein terug genomen, zonder kaartje, en de gast die de kaartjes controleert had geen enkel respect voor me, dus heb ik hem een zetje gegeven, alleen maar een zetje, en ze zeiden dat 't mishandeling was, maar dat is lulkoek. Je kunt het aan iedereen in deze stad vragen, ik doe nog geen vlieg kwaad, tenminste niet als ze mij met rust laten. Ik spuug echt op die kaartjescontroleur, wat een ontzettende klootzak is dat.'

'Ik ben hier niet gekomen om te ouwehoeren,' zei de bandenmonteur kwaad. 'Ik wil het licht uit, de muziek aan en nog zo'n cracksigaret. Ik heb ervoor betaald en ik wil het. Ik leen het geld van een geldschieter. Al mijn schulden zijn bij elkaar opgeteld, zodat ik nu nog maar één schuld heb, en samen met de rente moet ik terugbetalen totdat ik vijfenzestig ben.' Hij begon te lachen.

'Maar ze krijgen die rotcenten van ze nooit terug, want tegen die tijd ben ik allang dood.'

'De overheid financiert speciale instellingen voor schuldsanering, waar je verstandige en praktische adviezen kunt krijgen,' zei de premier.

'Luister,' zei de verpleegster. 'Ik krijg nog een shot of anders wil ik mijn geld terug.'

Norma had haar mooiste kleren in de koffer gepakt, heel veel lovertjes en drie avondtasjes maar zeer weinig gemakkelijke kleren. Jack hoorde dat ze de koffer van de trap probeerde te slepen en rende naar boven om haar te helpen.

Yvonne nam afslag 21 en reed verder over tweebaanswegen met verschillende rotondes zo groot als kleine booreilanden. Ze kwam langs lage gebouwen zonder ramen waar dingen werden gemaakt of opgeslagen, en winkelcentra met identieke winkels die identieke goederen verkochten, waar een constante wind over het platte landschap blies. Ze reed langs de bioscoop met ontelbare zalen en de bijbehorende over de hele wereld bekende restaurants, waar slecht bereid fabriekseten werd verkocht aan klanten die niet durfden te klagen, totdat ze de ringweg bereikte die verschillende oudere wijken ooit in tweeën had gesneden.

Het had haar goed gedaan om Jacks stem te horen aan de telefoon. Hij was burgerlijk, maar dat waardeerde Yvonne juist in haar broer. Als ze werd geconfronteerd met een lastige beslissing of een moreel dilemma stelde ze zichzelf altijd de vraag: Wat zou Jack in dit geval doen?

Al snel reed ze langs vertrouwde gebouwen langs de rand van haar vroegere buurt. Het enige positieve aan de wijk waar ze was opgegroeid, was dat de afstand naar de M1 niet meer dan drie kilometer bedroeg, zodat je er makkelijk wegkwam. Ze ging langzamer rijden en keek naar de fabriek waar Derek, haar vergeten exman, had gewerkt sinds hij op zijn vijftiende van school was gegaan. Hij was daar min of meer vastgeketend geweest aan een machine, acht uur per dag, vijf en een halve dag per week. Men had hem een certificaat wegens stiptheid uitgereikt – hij had het opgehangen aan de muur in de keuken van het huis waar ze samen woonden – maar hoe hard hij ook werkte, ze bleven arm. Ze hadden altijd maar één week in de caravan in St. Leonard's-on-Sea gehad, nooit twee. Het was ze nooit gelukt om te sparen voor hun oude dag of voor een auto. Uiteindelijk was ze hem gaan verachten omdat hij 's ochtends altijd als eerste op het werk verscheen en 's avonds altijd de laatste was die naar huis ging.

Yvonne en Ali stopten tegelijkertijd voor Norma's huis, zodat ze elkaar verblindden met hun koplampen. Ze liepen zo ongeveer samen over het pad. Yvonne zei tegen Ali: 'Wie heeft er een taxi gebeld?'

'Ik ben geen gewone taxi,' zei Ali. 'Ik ben meer een auto met chauffeur, ja.'

Jack deed open. Toen hij zijn zuster zag, verbaasde hij zich voor de zoveelste keer over het vermogen van vrouwen om zichzelf een metamorfose te laten ondergaan. Het was alsof de Yvonne op de stoep uit de cocon van de oude Yvonne was gekropen – ze zag er jonger uit, ze was slanker, en de wazige contouren van de oude Yvonne waren uitgevlakt, waardoor hij nu tegenover een scherpere, hoekiger vrouw stond.

Hij stuurde Ali door naar de keuken en hield zijn zuster vast in de gang. Yvonne reageerde redelijk kalm op het nieuws dat hun moeder tegenwoordig een crackhuis bestierde en verliefd was op een negentienjarige dealer die James heette, en dat James en nog zes andere junks momenteel in de voorkamer zaten, bezig om bij te komen van het effect van crack, of hunkerend naar meer.

Op een dag was Yvonne thuisgekomen uit school en zat er een ontsnapte gevangene, Kevin O'Dwyer, spaghetti te eten voor de televisie. Die avond zag ze de gevangene stralen omdat hij het belangrijkste onderwerp was van het regionale nieuws. Een woordvoerder van de politie had gezegd dat de man gevaarlijk was. O'Dwyer had een joint gerold en die doorgegeven aan Norma. 'Je bent een steun en toeverlaat voor mensen die niemand meer hebben,' had hij gezegd. 'In de hemel zul je ervoor worden beloond.'

Yvonne was bijna trots geweest op de christelijke liefdadigheid van haar moeder, maar wel opgelucht toen O'Dwyer onderweg naar de vroegmis werd gepakt en weer achter de tralies verdween.

In de keuken werd Yvonne aan de premier voorgesteld. Ze zei: 'Je zult er wel doodziek van worden dat iedereen de hele tijd zegt dat je sprekend op die eikel Edward Clare lijkt.'

'De premier is geen eikel, Vonnie,' zei Jack, 'maar een fatsoenlijk man die keihard heeft gewerkt. Zijn enige fout is dat hij zonder politieke uitgangspunten een land probeert te besturen.'

De premier keek Jack haast dankbaar aan.

'Waar is m'n geld, gemene dievegge?' zei Norma tegen Yvonne.

Yvonne haalde de envelop uit haar tas en smeet die op de keukentafel. Er puilde 38.400 euro uit.

'Dat is monopolygeld,' snoof Norma.

'Het is de euro,' zei de minister-president.

'Ik heb eens een Duitser in mijn taxi gehad die me in euro's wilde betalen,' vertelde Ali. 'Ik ben met hem naar het politiebureau gereden, maar ze zeiden dat ze me op de bon zouden slingeren omdat ik hun tijd verdeed. Nou, toen moest ik dat geld wel aannemen en het gaan wisselen bij de bank, ja.'

'Hoe kom je aan zoveel geld, Vonnie?' vroeg Jack.

'Door mijn project om vrouwen voor zichzelf te leren opkomen,' legde ze uit. 'Ik zorg dat twee vrouwen allebei 3000 pond investeren, en zij zorgen er dan elk voor dat twee andere vrouwen hetzelfde bedrag inleggen, en die werven er elk ook weer twee, enzovoort.'

'Dat is een piramidespel,' zei Jack.

'Het departement van Handel en Industrie heeft een onderzoek ingesteld,' zei de premier. 'Ze worden overstelpt met klachten van vrouwen die al hun spaargeld zijn kwijtgeraakt.'

'Ik opereer in Marbella waar de mensen goed in de slappe was zitten,' zei Yvonne.

'Zoals ik,' zei Norma. 'Ik heb haar 3000 pond gegeven.'

'En ik breng je nu 24.000 pond terug!' schreeuwde Yvonne.

'Vonnie,' zei Jack, 'in deze wereld krijg je niets voor niets.'

'Je vergist je,' zei Yvonne. 'Sommige mensen krijgen wel degelijk iets voor niets. Bankiers bijvoorbeeld, en dat gaat goed zolang iedereen erin gelooft. Het is net als toen we naar *Peter Pan* gingen, Jack, we moesten allemaal heel hard in onze handen klappen om te bewijzen dat we in elfjes geloofden, nou, en zo gaat het ook in zaken, inclusief de mijne. Je hoeft alleen maar te hopen dat niet iedereen tegelijk zijn geld terugvraagt. En dat doen mensen niet, ze hebben het allemaal veel te druk met klappen omdat ze willen geloven en omdat ze Tinkelbel zo lief vinden.'

'Ik ben nooit naar *Peter Pan* geweest,' zei Jack.

'Nee, je hebt gelijk,' zei Yvonne, 'het was Stuart.'

'Dus alle deelnemers winnen gegarandeerd?' vroeg de premier.

'Vroeg of laat,' antwoordde ze. 'Hoezo? Heb je soms belangstelling?'

'Ik zou wel graag wat meer details willen weten,' zei Ali.

'Het is alleen voor vrouwen,' snauwde Yvonne. 'Zodra mannen

erbij betrokken raken loopt het fout en krijg je problemen.'

'Even zonder gekheid, mam,' vervolgde ze, 'ik wil dat je bij me komt wonen in Spanje. Een van mijn cliënten in Marbella laat de *Leicester Mercury* opsturen, en ik viel zowat dood toen ik je foto op de voorpagina zag staan, helemaal bont en blauw, dus je gaat met me mee.'

'En Pete dan?' protesteerde Norma. 'Hij mag toch niet mee in het vliegtuig?'

Yvonne was nooit een liefhebber van vogels of andere dieren geweest en vond de onverschilligheid van de Spaanse autoriteiten op dit punt prijzenswaardig. 'Ik koop een grotere vogel voor je, mooier om te zien en met meer pit,' zei ze. 'En die houden we in een grote kooi op het terras.'

'Nee,' zei Norma, kijkend naar Peter, 'ik kan Pete niet achterlaten. Hij heeft me door dik en dun gesteund, dus nu kan ik hem niet in de steek laten.'

'Weet je, Norma,' zei de premier, 'dat vind ik, hoe zeg je dat, hartverwarmend.'

'Ik zorg wel voor Pete, mam,' bood Jack met tegenzin aan.

'Mijn kinderen zouden het maar wat leuk vinden om een vogel te hebben,' zei Ali.

'Ik wil hem met liefde adopteren,' zei de premier.

'Maar Pete houdt van *míj*,' zei Norma kwaad, en ze voegde er tegen Peter aan toe: 'Ik ben je mama, ja toch, Pete?'

'Mam,' zei Jack, 'ga je paspoort pakken. Je gaat morgen voor twee weken met Vonnie mee en ondertussen maak ik alles hier in orde. Pete wordt beroemd. Hij wordt de eerste parkiet in Downing Street, maar natuurlijk geen eerste minister.'

Er was commotie in de gang en Jack ging op onderzoek uit. James was bezig de gasten het huis uit te werken, gooide hun schoenen en kleren achter hen aan. De tapijtverkoper liep al op blote voeten op de stoep, terwijl de verpleegster de inhoud van haar handtas bij elkaar zocht. James leek te denken dat ze in overheidsdienst waren. Hij kwam de keuken binnen en trok de la van de keukentafel open. Toen hij zag dat het tabaksblik weg was, beschuldigde hij Norma ervan dat ze alle crack zelf had gebruikt. Yvonne wilde iets gaan zeggen maar Jack keek haar waarschuwend aan. Ze wist zich met grote moeite te beheersen, hoewel ze wel achter haar moeder ging staan en beschermend haar armen om Norma's schouders sloeg.

Jack zag dat de premier ook bang was en deed hetzelfde voor hem.

Ali was het gewend om met crackverslaafden om te gaan, want het kwam vaak voor dat hij ze van het ene huis naar het andere moest rijden op zoek naar crack. Ze protesteerden haast nooit tegen de ritprijs en vonden het niet erg dat hij de meter liet lopen terwijl zij hun zaakjes deden. Hij wist wat het was om verslaafd te zijn – vroeger rookte hij vijftig Bensons per dag en hij had een keer vijf kilometer gelopen naar een benzinestation toen zijn auto bij de garage stond. Hij was gewend aan de onzin die ze uitkraamden.

'Je moet me geven wat van mij is,' zei James. 'Ik ben de Heer, de Almachtige.'

Toen niemand bewoog of iets zei, stak hij zijn hand uit naar het blik met creamcrackers en haalde er een klein handwapen uit. Dat drukte hij tegen de zijkant van het hoofd van de premier, waarmee hij de pruik van diens hoofd stootte. Het haar van de minister-president was in een week tijd opmerkelijk grijs geworden.

'Ik heb de hele tijd geweten dat u het was,' loog Ali.

'Dit komt je op een hoop papierwerk te staan, Ali,' zei Jack tegen hem. 'Geheimhoudingsplicht en zo.'

James schrok zó bij het zien van de wereldberoemde persoon dat hij hard met het wapen tegen het hoofd van de premier stootte. Het gezicht van de premier vertrok en James zei: 'Sorry, heb ik u pijn gedaan?'

'Nee, dat valt wel mee,' zei de premier.

'Ik heb geheime informatie over Gibraltar, meneer de minister-president,' zei James op vertrouwelijke toon. 'Zorg dat die Spaanse klootzakken met hun poten van Gibraltar afblijven.' Vervolgens legde hij uit waarom de Spaanse regering Gibraltar terug wilde hebben, namelijk omdat Gibraltar geheel uit crack bestond. De hele rots was een massieve klomp crack, een geologisch wonder dat God de mensheid had geschonken. En als de winning zorgvuldig werd gedaan, zou er genoeg crack zijn om alle mannen, vrouwen en kinderen op aarde gelukkig te maken.

De premier luisterde zo aandachtig als mogelijk was met een wapen tegen zijn slaap gedrukt. 'Ik ben meneer bijzonder dankbaar voor de informatie,' antwoordde hij werktuiglijk, 'en ik zal alles aan het betrokken ministerie doorgeven.'

Voor het eerst begreep de premier de uitdrukking: als er een pistool tegen mijn hoofd werd gedrukt. Het was opmerkelijk hoe helder hij door dat wapen opeens kon denken. Zijn eerste gedachte was dat de regering hoognodig op grote en ingrijpende schaal iets moest doen aan crackcocaïne, en terwijl de seconden tergend traag verstreken nam hij beslissingen over tal van problemen die hem de laatste tijd dwars zaten.

De oorlog tegen Irak bestempelde hij met terugwerkende kracht als waanzin; in plaats daarvan zou hij armoede de oorlog verklaren. In achtergebleven gebieden in het hele land zouden jeugdcentra worden gebouwd. Tushinga zou jazzgitaar of viool leren spelen op een muziekschool op loopafstand van zijn huis. De premier zag een toekomst voor zich zoals die de lezers van de *Wachttoren* werd voorgespiegeld: Jehova's Getuigen van alle rassen die in harmonie door een groen landschap met glinsterende rivieren liepen, en kinderen die naar hartelust konden rennen en springen en spelen zonder dat verzekeringsmaatschappijen hun bewegingsvrijheid probeerden te beperken. Hij zag beveiligingscamera's verdwijnen en plaats maken voor goede straatverlichting. Hij zag door de overheid gefinancierde kinderdagverblijven waar goed opgeleide mannen en vrouwen werkten en waar kinderen de oude kunst van het spelen zouden leren. Hij zag een gratis kinderdagverblijf aan het eind van Tushinga's straat. Toyota zou overdag haar handen vrij hebben, zodat ze kon studeren en werken. Hij zag schitterende sporthallen en meer openbare parken en zelfs zonder het wapen tegen zijn hoofd jeukten zijn vingers om het volgende verkiezingsmanifest te tekenen. De volgende generatie kinderen en jonge mensen zou de kans krijgen zich volledig te ontplooien.

In minder dan een seconde had Jack het wapen uit James' hand geslagen en lag hij op de grond, in bedwang gehouden door Jack en Ali.

'Doe hem geen pijn, Jack,' smeekte Norma. 'Hij is nog zo jong.'

Yvonne raapte het wapen op en bekeek het nieuwsgierig.

'Leg dat ding weg, Yvonne,' zei haar moeder. 'Je bent altijd onhandig geweest en straks schiet je nog iemand een oog uit.'

Opnieuw dook de premier in de statistieken. Hij zei dat er naar schatting 740.000 illegale vuurwapens in Engeland waren en dat de criminaliteit die met vuurwapens verband hield, de afgelopen vijf jaar met acht en een halve discipel was gestegen.

Yvonne bracht het wapen voorzichtig naar het aanrecht, gooide het in de afwasteil en zette de kraan aan. Belletjes kwamen uit de loop en verzamelden zich als spookachtige kogels aan de oppervlakte.

Opeens had James geen enkele vechtlust meer over. Hij begon te huilen en zei dat het niet zijn schuld was dat hij zo slecht was geworden. Jack onderbrak hem. 'We hebben echt geen behoefte aan details. Je verhaal is er natuurlijk een van dertien in een dozijn: overlijden, scheiding, teleurstelling, onrechtvaardigheid en misère, ja toch?'

James knikte en Jack trok hem in zittende positie overeind. Hij huilde nu kanjers van tranen, die van zijn kin op zijn T-shirt drupten. De premier kon het niet aanzien en draaide zijn hoofd weg.

'Laat hem gaan, Jack,' zei Norma. 'Denk aan onze Stuart.'

'Stuart kocht echt geen heroïne bij de buurtsuper, mam,' zei Jack met een zucht. 'Hij is door een klootzak zoals James begonnen.'

Norma scheurde twee velletjes keukenpapier af en gaf die aan James, die zijn neus snoot en zijn ogen afveegde.

Jack vroeg Yvonne of ze naar boven wilde gaan om in Norma's kamer iets te zoeken waarmee ze James' handen en voeten konden vastbinden. James jankte als een wolf tijdens deze procedure.

'Je mag van geluk spreken, James,' zei Jack. 'Je gaat heel lang de bak in, zodat je alle tijd hebt om een studie te doen. Als je er weer uit komt, heb je een goede opleiding genoten.' Toen tilde hij Peters kooi van de standaard en nam hij iedereen mee naar buiten.

HOOFDSTUK 22

Clarke en Palmer zagen het kleine troepje uit het huis naar buiten komen. Hun dienst zat erop, maar ze hingen nog een beetje rond in de observatieruimte om te zien hoe het verhaal zou aflopen. Ze wachtten totdat de auto's van Ali en Yvonne de buurt hadden verlaten voordat ze de plaatselijke narcoticabrigade waarschuwden, die, toen ze zich eindelijk toegang hadden verschaft tot nummer 10, veronderstelden dat James zich aan bizarre seksspelletjes te buiten was gegaan aangezien zijn handen en voeten waren vastgebonden met meerdere felgekleurde jarretelles van Norma en een hondenhalsband met de naam 'Bob' op een metalen plaatje.

Ze verlieten Leicester en reden in een konvooi van twee in zuidelijke richting over de M1. De premier zat op de achterbank van Ali's taxi met zijn ene hand beschermend op de bovenkant van de vogelkooi. Met elke kilometer werd hij zenuwachtiger. Hij voelde de angst aanzwellen in zijn hart. Hij zag er als een berg tegenop om de volgende dag weer aan het werk te gaan. Ongetwijfeld lagen er duizenden verantwoordelijkheden op hem te wachten en hij zou op de hoogte worden gesteld van allerlei vreselijke geheimen van over de hele wereld. 'Zou het niet geweldig zijn,' zei hij tegen Jack en Ali, 'als we gewoon naar Dover konden rijden, de boot konden nemen en in Europa konden verdwijnen.'

'Nee, ik mis mijn eigen bed,' zei Ali. 'Ik slaap niet goed zonder

Salma. Zij is dik en ik ben dun, maar daardoor passen we juist goed bij elkaar, ja.'

Jack draaide zich op zijn stoel om naar de premier. 'Je hoeft geen minister-president te blijven, Ed. Niemand houdt een pistool tegen je hoofd.'

De drie mannen lachten en Jack vroeg Ali om bij het volgende pompstation te stoppen omdat hij honger had en iets wilde eten. Yvonne reed achter Ali aan en parkeerde voor de ingang van het complex. In feestelijke stemming liepen de twee groepjes naar de deur. Norma bewonderde een etalage: een hoorn des overvloeds van polyethyleen naast de ingang van een van de zelfbedieningsrestaurants. Sappig plastic fruit en groente tuimelde uit de hoorn, stoffige korenaren staken uit de rand en een onzichtbare hand had met kleine doosjes Kellogg's cornflakes gestrooid om het effect van overvloed te creëren. Het water liep de premier in de mond en hij begaf zich samen met Ali en Yvonne naar de vitrines met warme gerechten. Jack gaf zijn moeder een dienblad en zei tegen haar dat ze kon nemen wat ze wilde, waarna hij zich verontschuldigde omdat hij een paar mensen moest bellen.

De eerste was Alexander McPherson om hem te laten weten dat ze in de kleine uurtjes terug zouden keren naar Downing Street.

'Ik kreeg net een e-mail van die idioten van de BVD,' vertelde McPherson. 'Ze zeggen dat er in het huis van je moeder een man is gearresteerd die beweert dat Edward Clare, de minister-president, hem met jarretelles heeft vastgebonden en zijn crack heeft gejat. Wat is er in godsnaam aan de hand?'

'Het komt allemaal in mijn verslag, McPherson,' beloofde Jack. 'Reserveer een kamer in een Travel Inn in de buurt van Luton Airport voor mijn moeder en zus, en boek twee plaatsen op de eerste de beste vlucht naar Malaga die morgen vertrekt.'

'Zeg, wie denk je dat je voor je hebt?' brieste McPherson. 'Commandeer je hond en blaf zelf.'

'Dit is beheersing van het nieuws, McPherson,' zei Jack. 'De vrouwen in mijn familie hebben een nogal grote mond.'

'Wat is Eddy nu aan het doen?' vroeg McPherson.

Jack keek over zijn schouder naar het restaurant. 'Hij staat in de rij voor het extra grote ontbijt,' zei hij. 'Achter hem staat een vrachtwagenchauffeur die in de hals van zijn jurk probeert te gluren.'

McPherson zei dat Jack de volgende dag om twee uur een eerste mondeling verslag zou moeten uitbrengen.

Jack beloofde er te zijn, hoewel hij niet kon garanderen dat de premier zelf ook aanwezig zou zijn, aangezien deze ernstige twijfels had over zijn toekomst in de politiek.

'Dat weekje vakantie van jullie was bedoeld om hem nieuwe energie te geven,' zei Alexander McPherson. 'Als hij vertrekt, sleurt hij jou en mij mee in zijn val, Sprat.'

Jack keek nog steeds naar binnen in het restaurant en zag dat de premier tientallen zakjes zout, peper en suiker in zijn handtas liet verdwijnen.

Het volgende telefoontje was van persoonlijke aard. Hij moest Pamela spreken, hij voelde zich net een rivier die buiten zijn oevers dreigt te treden, hij móést tegen haar zeggen dat hij van haar hield, bang dat hij door de stroom van het normale leven bij haar weggevoerd zou worden als hij het niet deed. Geleund tegen de hoorn des overvloeds toetste hij het nummer in. Toen ze opnam kon hij aan de achtergrondgeluiden horen dat ze in het gebouw met de hondenhokken was voor de laatste inspectie van die avond. 'Hallo! Hallo!' hoorde hij haar schreeuwen, en onmiddellijk raakte hij zijn tong kwijt. 'Ben jij het, Jack?' vroeg ze.

'Ja,' antwoordde hij.

'Waar ben je?'

'Op het Watford Gap servicestation.'

Ze lachte. 'Het spreekwoordelijke Watford Gap, gelegen tussen het harde noorden en het zachte zuiden.'

Hij kon horen dat ze een sigaret opstak en bedacht dat hij misschien zelf moest gaan roken; hij was ervan overtuigd dat hij het lekker zou gaan vinden als hij maar lang genoeg volhield. Het maakte hem verlegen dat hij zou gaan zeggen dat hij van haar hield, wetend dat zijn liefdesverklaring door allerlei satellieten opgepikt zou worden, maar hij zei het toch – waarom mocht de wereld het niet weten? 'Ik hou van je.'

'O!' zei ze verbaasd.

Er viel een lange stilte, en toen hoorde hij haar welterusten zeggen tegen de honden. Het werd stil, afgezien van het geluid van haar ademhaling. In gedachten zag hij haar over het pad naar het huis lopen. Hij ervoer haar afwezigheid als een lichamelijke pijn en wilde dat hij haar in de keuken kon opwachten met een glas en een schone asbak. Uiteindelijk werd de stilte verbroken door het geluid van vloeistof die in een goed glas werd geschonken. Hij zei: 'Ga je erop klinken, Pamela?' Hij nam zich voor om altijd Pamela tegen haar te zeggen en nooit Pam.

'Nou, en of,' antwoordde ze. 'Het is heel lang geleden dat iemand tegen me heeft gezegd dat hij van me hield, en nog langer geleden dat ik van mezelf hield.'

'Ik geloof niet in liefde op het eerste gezicht,' zei Jack.

'Ik ook niet,' zei zij.

'Dan moet ik je dus eerder hebben ontmoet,' zei Jack.

'Dat zal het zijn,' beaamde ze.

'Over een paar uur ben ik terug in Londen. Wanneer kom je langs voor ons Chinese etentje?' vroeg Jack.

'Heel snel,' beloofde ze. 'Ik oefen al met stokjes sinds je weg bent.'

Norma riep dat Jacks koffie koud werd.

Semi-formeel besloot Jack het gesprek. 'Ik bel je snel weer. Welterusten, mijn liefste.'

Hij ging naar de cadeauwinkel en kocht een absurd pluchen beest, een soort van beer. Tussen zijn voorpoten hield de knuffel een rood satijnen hart waar in een of andere fabriek in het Verre Oosten op was geborduurd: *I love you.*

Later, in de auto, toen de premier informeerde wat er in de plastic tas zat, liet Jack hem de beer zien. 'Voor je zus,' legde hij uit.

'Pam heeft een hekel aan dat soort dingen,' zei de premier. 'Als kind was ze vreselijk gemeen tegen mijn knuffels.'

'Deze vindt ze mooi,' verklaarde Jack met het volste vertrouwen.

De volgende keer dat het konvooi stopte was bij het motel niet ver van Luton Airport, waarvandaan EasyJet Yvonne en Norma door een overvol luchtruim naar Malaga zou vliegen, waarna ze door zouden reizen naar Marbella.

Nadat ze haar kamer had bekeken kwam Norma weer naar buiten met Yvonne om afscheid te nemen van Peter. Peter zat in zijn kooi op de achterbank van Ali's taxi, niet meer dan een kleurige vlek in het donker. Auto's denderden langs. Norma ging naast de auto op haar hurken zitten en drukte het versufte vogeltje op het hart dat hij braaf moest zijn, en ze vertelde hem ook nog dat ze hem nooit door James in de magnetron had laten stoppen. Ze zei tegen Peter dat hij de belangrijkste persoon in haar leven was. Jack en Yvonne wisselden een blik van verstandhouding en Yvonne mompelde: 'Nou, je wordt bedankt.'

Norma streelde het gevederde kopje van de vogel tussen de tralies van zijn kooi door. 'Nou, Pete, hou je haaks.'

De premier zei: 'Ik kan je beloven, Norma, dat ik er alles aan zal doen om te zorgen dat Peter een volledig geïntegreerd lid van mijn gezin zal worden. Hij krijgt een nieuwe kooi die aan alle Europese richtlijnen voldoet en zal regelmatig door een dierenarts worden onderzocht.'

'Hij vindt het fijn als er 's ochtends tegen hem wordt gepraat,' zei Norma.

'Kom op, mam,' zei Yvonne, 'ze willen weg.'

Ze had gelijk. Jack kon niet meer stilzitten van ongeduld. Hij gaf zijn moeder een kus op de wang. 'Je bent een geweldige moeder geweest, voor Pete.'

Norma knikte naar de premier en Ali, en liep arm in arm met Yvonne naar de ingang van de Travel Inn. Voordat de deur achter hen dichtviel, hoorden ze haar tegen Yvonne zeggen: 'Is het waar dat de sigaretten zoveel goedkoper zijn in Marbella, Vonnie?'

'Ze is een vreselijke moeder geweest voor mij, Vonnie en Stuart,' zei Jack tegen de premier. 'Ze was lui, egoïstisch en zo dom als het achtereind van een varken. Ze was er trots op dat ze nog nooit een boek had gelezen. Mijn moeder heeft model gestaan voor het woord proletariër.'

'Tegenwoordig behoren we allemaal tot de middenklasse, Jack,' zei de premier.

'Doe niet zo achterlijk, Ed,' zei Jack. 'Zie jij voor je dat Toyota etentjes geeft en over de huizenprijzen en literaire onderscheidingen praat?'

Toen Adele wakker werd was het al donker buiten. Ze lag alleen in een kleine kamer, en geleund tegen de ziekenhuiskussens raakte ze de leegte aan waar vroeger het puntje van haar neus was geweest. Voorzichtig voelde ze aan het verband dat haar nieuwe neus bedekte en ze besefte dat niemand haar ooit nog achter haar rug Concorde zou noemen.

Ze keek omhoog naar het witte plafond, waar twee vliegen

samen een dansje maakten. Ze voelde zich heerlijk doezelig; ze had geen enkele behoefte om te praten of over wat dan ook een mening te geven. Op het kastje naast het bed lagen boeken, maar ze werd al moe bij de gedachte dat ze er een open zou slaan en woorden zou moeten begrijpen. Ze herinnerde zich dat ze getrouwd was met de minister-president van Groot-Brittannië, en dat ze de moeder was van Morgan, Estelle en Poppy, dat ze boeken en artikelen had geschreven en dat ze lezingen had gegeven en vergaderingen had bijgewoond, en dat ze etentjes en recepties had gegeven, dat ze kon typen, skiën en duiken, dat ze Frans, Duits en Italiaans sprak, dat ze goed was met computers en kon koken, strijken en jongleren en dat ze vlekken uit een kleed kon verwijderen. Voorlopig was het genoeg om in dit hoge witte bed te liggen en naar de vliegendans te kijken. Om domweg te bestaan.

Malcolm Black zat in bed met *De leefomstandigheden van de arbeidersklasse in Engeland in 1844* van Friedrich Engels. Hij voorzag de tekst van aantekeningen voor Morgan Clare, zoals beloofd. Hannah kwam uit de aangrenzende badkamer in een korte nachtjapon van witte katoen, geurend naar zeep en tandpasta. 'O, Malc,' verzuchtte ze, 'nou heb je weer allemaal inkt op de lakens gesmeerd.'

Malcolm legde de pen weg en knikte ernstig om zijn vrouw te laten weten dat hij haar klacht had gehoord, maar hij bleef de bladzijden omslaan, op zoek naar een uitzonderlijk schokkende passage over het aantal ratten in Manchester. Ze kroop naast hem in bed en leunde opzij om een verzameling papiertjes uit het borstzakje van zijn pyjamajas te vissen; het was zijn gewoonte om voor het slapengaan briefjes aan zichzelf te schrijven.

Ze had een kleine dictafoon voor hem gekocht om in bed te gebruiken, maar hij kon er niet mee omgaan en het apparaatje lag nu ongebruikt in de la van het nachtkastje, samen met andere elektronische speeltjes waar hij het geduld niet voor had.

Ze streek een van de papiertjes glad en las wat er stond:

Beste Ed,

Tot mijn grote spijt zie ik mij genoodzaakt om je vanavond mijn ontslag aan te bieden...

Op het volgende papiertje stond:

Beste Ed,

Tot mijn grote spijt moet ik je mededelen dat ik tijdens je afwezigheid bezoek heb gehad van een Kamerdelegatie en aanhangers van New Labour, die me dringend hebben verzocht om jouw taken als minister-president over te nemen...

Het derde briefje luidde:

Beste Ed,

Tot mijn grote spijt moet ik je mededelen dat ik van plan ben om een nieuwe politieke partij op te richten, onder de naam Old Labour Party...

Geen van de briefjes was volledig of ondertekend.

'Moet je horen,' zei Malcolm Black, en hij las hardop voor. '"Op plaatsen waar nog een meent was, konden de armen een ezel, een varken of wat ganzen houden, en kinderen en jonge mensen hadden een plek waar ze konden spelen en in de buitenlucht konden zijn, maar deze gemeenschapsgrond begint geleidelijk te verdwijnen. De inkomsten van de arbeider lopen terug, en jongelui zoeken, beroofd als ze zijn van hun speelterrein, hun heil in biertenten."'

'Of bij crackdealers,' mompelde Hannah Black. 'Malc,' vervolgde ze, 'is het wel goed dat je Morgan hiermee helpt? Horen zijn ouders dat niet te doen?'

'Die jongen bestudeert het socialisme,' zei Malcolm. 'Daar hebben Ed en Adele de ballen verstand van.'

Hannah legde haar hoofd op zijn brede borst. 'Welke van die briefjes ga je afmaken?'

Hij lachte. 'Waarschijnlijk alledrie.'

'Ik zoek een huis op het platteland,' zei ze, 'en als jij dan eerste minister bent kun je mij en de kinderen die we krijgen in het weekend opzoeken. Lijkt je dat wat?'

Hij zei dat het hem een uitstekend plan leek.

Ali's auto reed door de hekken van Downing Street, die door Jacks collega's waren opengezet. De deur van Nummer 10 ging open, en de premier, met Peters kooi in zijn hand, Jack en Ali werden snel binnengelaten. Jack had opdracht gekregen om de premier direct mee naar boven te nemen en Ali achter te laten bij Mrs. Pollock van de bewakingsdienst.

Alexander McPherson zag de premier en barstte in lachen uit. 'Jezus Christus, Ed, je ziet eruit als een goedkope hoer.'

De premier voelde zich gekwetst door McPhersons belediging. Hij stormde naar de badkamer en sloeg de deur met een knal achter zich dicht.

'Pak hem niet te hard aan, McPherson,' zei Jack. 'Hij is een vrouw op het randje van een zenuwinzinking.'

Toen Estelle de volgende ochtend de zitkamer binnenkwam, trof ze haar vader aan. In eerste instantie dacht ze dat hij tegen zichzelf praatte. Ze hoorde hem zeggen: 'Ik hoef er toch niet mee door te gaan, Pete?'

Toen zag ze dat hij het had tegen een vogelkooi met een armetierige parkiet in de kleur van haar blauwe lievelingskleurpotlood.

Haar vader vertelde haar dat de vogel Peter heette.

De kooi was klein en roestig, maar binnen enkele uren na Peters komst werd er een nieuwe kooi op een standaard bezorgd, samen met wat de eigenaar van een dierenwinkel in Pimlico beschreef als 'het nieuwste van het nieuwste op het gebied van de parkietenaccessoires'.

Later die middag zat Estelle op haar knieën op een stoel in de zitkamer en observeerde Peter aandachtig. Ze vroeg zich af hoe oud hij was; volgens de informatie op het internet konden parkieten zes tot negen jaar oud worden. Estelle vond dat Peter er vermoeid en sikkeneurig uitzag, een beetje zoals de mensen van middelbare leeftijd die haar in haar eigen kooi in Downing Street omringden. Ze wapende zich tegen verdriet en bereidde zich voor op de dag dat hij dood zou gaan. Alles ging dood: mensen, bloemen, vogels, vissen, moeders en vaders, baby's en honden, sterren en bomen. Wat we ook doen, dacht Estelle, uiteindelijk maakt het allemaal niets uit.

Ze had dit een keer tegen haar moeder gezegd, waarop Adele had gezegd dat existentialisme geen excuus was om haar huiswerk niet te maken. Haar moeder zei dat haar vader een goed voorbeeld was van iemand die wél invloed had: hij had het aanzien van de Britse politiek veranderd.

Morgan sliep tot het begin van de middag en ging toen in zijn camouflagetenue en legerkistjes naar beneden om zijn vader te begroeten. Zijn arme pa werkte zich door een stapel rode ordners heen, maar toen hij Morgan zag legde hij zijn pen neer en spreidde zijn armen. 'Morgan, schat, hoe is het met je, zoon?'

Morgan stootte met zijn knieën tegen een hoek van het bureau in zijn haast om door zijn vader omhelsd te worden.

'Hoe was het in de bunker, pa?' vroeg hij. 'Was het cool?'

'Ik heb heel veel over mezelf geleerd, Morgan,' antwoordde de premier.

'Zoals?' wilde Morgan weten.

Het liefst wilde de premier Morgan vertellen over de mensen die hij had ontmoet, de plaatsen waar hij was geweest en alle dingen die hij had meegemaakt, maar in plaats daarvan zei hij: 'Laat ik het zo zeggen, Morgan: Engeland is voorbereid als het ergste scenario werkelijkheid zou worden.'

'Nou praat je net als een politicus, papa,' zei Morgan.

'Maar ik bén een politicus, schat,' zei de minister-president glimlachend.

'Een politicus zonder politieke ideeën,' mompelde Morgan.

'Zeg niet van die idiote dingen, Morgan. Ik heb een heel duidelijke politieke filosofie,' berispte de premier hem.

'Niet waar, papa,' protesteerde Morgan opgewonden. 'Ik heb al je toespraken gelezen, op zoek naar een duidelijke socialistische visie, en die heb ik niet gevonden. Je bent net zo'n priester die niet kan bedenken of God nou wel of niet bestaat. Als ze het niet weten, moeten ze gewoon de kerk vaarwel zeggen en maatschappelijk werk gaan doen of zoiets.'

De premier ging staan en schoof de rode ordners van het bureau, zodat ze luid kletterend op de grond vielen. 'Ik ben de maatschappelijk werker van deze hele natie, Morgan. Ik ben alle dingen voor alle mensen, ik zie alle gezichtspunten, ik probeer iedereen gelukkig te maken. En als je eenmaal, je weet wel, wat ouder bent, misschien zul je dan begrijpen hoe complex en dubbelzinnig de moderne politiek is.'

Morgan bukte zich om de rode ordners op te rapen en stapelde ze op het bureau weer op elkaar. 'Ons gezin kan best een maatschappelijk werker gebruiken,' zei hij.

De premier kwam achter zijn bureau vandaan. 'Mijn gezin komt voor mij op de eerste plaats.'

'Dat is niet waar, papa!' viel Morgan heftig uit. 'Wij komen ergens tussen Afrika en het Midden-Oosten. Je hebt ons opgeofferd toen je de verkiezingen hebt gewonnen. We hadden normaal kunnen zijn, pap, heel gewone mensen!'

'Ik wilde een held voor je zijn, Morgan.'

'Al mijn helden zijn dood, op één na,' zei Morgan triest.

'En wie is dat dan wel?' informeerde de premier.

Maar Morgan kon het niet over zijn hart verkrijgen om zijn vader te vertellen dat Malcolm Black een heroïsche figuur was. 'The Rock,' zei hij in plaats daarvan, 'een worstelaar.'

Edward nam de kinderen mee naar het ziekenhuis voor een bezoek aan hun moeder. Poppy trok aan het verband op Adeles neus. Adele had twee blauwe ogen, maar die glinsterden wel van blijdschap. Estelle vertelde haar moeder over Peter en zei dat ze als ze later groot was graag haar eigen dierenwinkel wilde hebben. Adele beaamde dat het een erg leuke manier zou zijn om je brood te verdienen. Morgan hield een korte toespraak over het onrecht dat levende dieren werd aangedaan door ze op te sluiten in een kooi en stelde voor om Peter ten minste twee keer per dag vrij door de kamer te laten vliegen.

Het gezin besprak het en ze werden het erover eens dat het deurtje van de vogelkooi op aanwijzingen van Estelle een paar keer per dag open zou blijven staan.

EPILOOG

Jack stond naast de deur van Nummer 10, en keek geleund op de zwarte balustrade naar het inladen van een verhuiswagen. De traditionele rellen op de Dag van de Arbeid waren vreedzaam verlopen. Er waren alleen enkele Schotse kilts gestolen uit een etalage in Regent Street, en nu keerden de demonstranten terug naar hun treinen en busjes na een gezellig dagje uit.

In de verte hoorde Jack de laatste toespraak op Trafalgar Square.

Malcolm Black kwam naar buiten en bleef naast Jack staan om op zijn auto te wachten. 'Een mooie avond, meneer de premier,' zei Jack.

Malcolm keek naar de hekken van Downing Street, waar zich een grote menigte had verzameld. Hij zwaaide naar de mensen, die het gebaar begroetten met gelijke hoeveelheden gejuich en boegeroep. Zijn auto reed voor en Malcolm stapte in, naast de chauffeur.

Jack keek omhoog en zag een klein kobaltblauw vlekje doelloos fladderen tegen een bleekblauwe avondlucht. Het was Peter. Jack begon te rennen, hij volgde Peter de straat uit, gekscherend aangemoedigd door de politie en de menigte bij de hekken. Peter vloog langs Whitehall naar de Cenotaph, waar hij een ogenblik uitrustte, onopgemerkt door de mensen beneden hem. Toen vloog hij, machteloos nagekeken door Jack, in een rechte lijn naar de grotere vogels op Trafalgar Square, naar alle waarschijnlijkheid een wisse dood tegemoet.